A Beginner's Course Book

gēn wǒ xué Hànyǔ

跟我学汉语

zōnghé kèběn

综合 课本(一)

Chinese with Me

An Integrated Course Book (I)

王志刚　主编
陈　怡　编著

北京大学出版社
PEKING UNIVERSITY PRESS

图书在版编目(CIP)数据

跟我学汉语·综合课本(一)/王志刚主编. —北京：北京大学出版社，2008. 3
(北大版对外汉语教材·短期培训系列)
ISBN 978-7-301-13450-4

Ⅰ. 跟… Ⅱ. 王… Ⅲ. 汉语-对外汉语教学-教材 Ⅳ. H195.4

中国版本图书馆 CIP 数据核字(2008)第 024567 号

书　　　名：跟我学汉语·综合课本(一)
著作责任者：王志刚　主编　陈　怡　编著
责 任 编 辑：李　凌
标 准 书 号：ISBN 978-7-301-13450-4/H·1945
出 版 发 行：北京大学出版社
地　　　址：北京市海淀区成府路 205 号　100871
网　　　址：http://www.pup.cn
电　　　话：邮购部 62752015　发行部 62750672　编辑部 62754144　出版部 62754962
电 子 邮 箱：zpup@pup.pku.edu.cn
印　刷　者：北京大学印刷厂
经　销　者：新华书店
889 毫米×1194 毫米　大 16 开本　17 印张　540 千字
2008 年 3 月第 1 版　2015 年 5 月第 7 次印刷
定　　　价：59.00 元(含 1 张 MP3 光盘)

前　言

《跟我学汉语·综合课本》(*Chinese with Me: An Integrated Course Book*)，分两册。这套教材反映了我们这几年的“序向”教学理念。

在北大出版社各位领导的支持下，尤其是在沈浦娜主任的关心和帮助下，在李凌老师的具体指导下，在许多关心这套教材的专家、同行的支持下，经过多年试用的这套“序向”教材终于正式面世，我们十分欣慰。

这套教材主要面向母语为印欧语系等的学习者，在语言习得过程中，和任何外语学习者一样，他们的认知系统从自己的母语向汉语迁移时，也常常下意识地拿自己的母语和汉语加以比较，尤其是在语序结构上，而唯一不能比较的就是“汉字”。由此我们得到两条线索：

1. 母语和目的语离开文字是容易比较的，其迁移是言语层面上的迁移。所以，采用“听说先行”的策略是很自然的。这就是我们认为的语言习得的顺序性。

2. 从拼音文字性质的母语向汉字“迁移”，这是迁移的方向性。因此，对初学者先借用汉语拼音作为媒介进行教学是适当的，汉字的教学安排可以适当后移。教材应该按照学习者的习得规律来编写。我们把考虑习得的顺序性和方向性的教材称之为“序向”教材。

通过调查，我们发现许多母语为拼音文字的学生在最初学习汉语时，往往对汉字有一种恐惧心理。对于笔画复杂的汉字他们感到难以记忆，无从下笔。因此，教学开始阶段较多地使用汉语拼音，不失为一种很好的选择，可以帮助学生克服对汉字的恐惧心理，迅速获得汉语的听说能力。当学生的汉语听说能力达到一定水平，能够用汉语进行简单交流时，他们的自信心会提高，对汉语的学习兴趣也会越来越浓；同时，随着汉语水平的提高，他们遇到的同音异形的字词也会越来越多，这些都会促使他们去学习汉字。所以，开始阶段以汉语拼音为媒介的汉语教学并不完全排斥汉字，只是按照“序向”规律，将汉字学习阶段加以调整罢了。

语言习得是习得“使用语言的能力”，而不仅仅是学习“语言知识”。序向教材一般按照语言功能分类，以话题为基本单位，给不同水平的学习者尽可能多的选择机会。我们在教材编写过程中，以从功能出发的话题为基础，先易后难，循序渐进，最终达到所学话题满足各种实际功能需要的目的。

工具性是语言最基本的特点。然而，在实际教学中，语言的工具性特点往往被忽略。事实上，大部分外国人学习汉语的目的并不是为了做汉语学术研究，而是为了实际生活和工作方便。这套教材的出发点是为了让外国学生掌握语言技能，可以尝试采用非传统的教学方法教学，怎样便于外国学生熟练地应用汉语就怎样教，不必拘泥于传统的教条。

汉语国际推广，人人有责。汉语作为外语的教学方法当然是仁者见仁，智者见智，但愿我们的“序向”教材能起到抛砖引玉的作用。不足之处，欢迎大家批评指正。

王志刚

2007年11月于上海

教材说明

本教材采用全新的“序向”教学理念，教学内容全部配有拼音，教学语料鲜活实用、易学易教，练习形式多样、内容丰富，突出了语言教学功能性、工具性的特点，可以使学生在学习中兴更浓趣更永。“听说先行，读写挪后”的安排和汉英对比的语言点讲解更有助于学生学习。

本教材可用于常规课堂教学，也可用于短期强化教学。全书共30个单元，分两册，每册各15个单元。学完全部内容，每册约需120—150课时。两册各单元的体例和特点大致如下：

1. 重点句：在每课最前面的方框中列出，并给出英语译文或汉语拼音。

2. 课文：基本上每课一个情景，包含特定功能。课文分成2—4个部分，以情景对话为主，也有小段的叙述性文字。

3. 课文生词语：除了传统的英文释义，部分生词还简单地介绍用法和搭配，并配有例子，较难例词例句提供英译。有些生词的用法在后面单元中详述的，注明了详述的具体单元。部分多音节词中的成词语素也一并列出并释义，便于学生了解汉语构词规律。如“出租车”一词，在其下方还给出“租”和“车”的释义。

4. 补充词汇与短语（部分单元有）：给出了和本单元情景相关的有用词汇和句型，便于学有余力的学生扩大词汇量，提高表达能力。

5. 语言点：许多语言点不是直接灌输给学生，而是引导学生通过分析例句，自己总结出语法规律。大量实用的例句使学生在发现语法规律的同时也获得了能够拿来就用的表达方式，较难例句提供英译。

6. 练习：量大，形式多样。既有语言知识的练习，如，替换、搭配、连词成句、填空、用疑问词提问、翻译等；也有语言能力和综合运用的练习，如，回答问题、听一听、说一说、读一读、写一写等。凡课文生词语中的例词例句、补充词汇与短语、语言点中的例句以及练习中出现的生词均有英译，可在附录的词汇总表中查找并以浅色标注，与课文生词语相区别。

一册在15个单元前有汉语发音介绍，其中例词、例句绝大多数来自该册课文。一册的部分单元有“文化提示”，给出了和该单元情景相关的文化背景知识或交际技巧。

二册编写了不少与各单元情景相关的汉语俗语和小笑话，使学生在学习语言的同时了解相关的文化知识和思维方式。

在两册书后各有附录若干，收入了常用量词，数字的表达，时间和日期的表达，听力练习文本和词汇总表。随书附有MP3光盘，收入课文录音和课后听力练习录音，一册的光盘中还收入了发音练习的录音和生词总表的PowerPoint文件，为学习者学习发音和生词提供方便。

编者

Contents

目　录

Hànyǔ fāyīn jièshào
Introduction to Chinese Pronunciation **汉语 发音 介绍** I

jièshào
Unit 1 **Introduction** **介绍** 1

Language Points (语言点)

men
1. Plural suffix 们 (复数后缀"们")
2. Basic word order in statement and question with question word (陈述句和带疑问词问句的词序)

shítáng
Unit 2 **Cafeteria** **食堂** 11

Language Points (语言点)

1. Numbers 0–100 and price (数字 0—100 和价钱的表达)
2. Adverbs (副词)
ma
3. Simple question with question particle 吗 (带助词"吗"的简单问句)
4. Measure word (1) (量词一)

zuò chūzūchē
Unit 3 **Taking Taxi** **坐 出租车** 22

Language Points (语言点)

zài
1. Preposition 在 (介词"在")
yíxià
2. V+ 一下 (动词 +"一下")

mǎi shuǐguǒ hé diànhuàkǎ
Unit 4 **Buying Fruits and Telephone Card** **买 水果 和 电话卡** 32

Language Points (语言点)

ba
1. Particle 吧 denoting suggestion or request (助词"吧"表示建议或请求)
de
2. 的 in noun phrase (名词短语中的"的")
3. Measure word (2) (量词二)

kāfēiguǎn
Unit 5 **Café** **咖啡馆** 45

Language Points (语言点)

1. Adjective predicate sentence (形容词谓语句)

2. Affirmative + negative (A—not—A) question (正反问句)

3. Adj. + 一点 (yìdiǎn) (形容词 +"一点")

4. 了 (le) indicating an action accomplished ("了"表示动作的完成)

Unit 6 Asking Directions 问路 (wèn lù) **58**

Language Points (语言点)

1. Localizer (方位词)

2. Verb 在 (zài) (动词"在")

3. 怎么 (zěnme) + V ("怎么"+ 动词)

4. When 了 (le) is not used in a past tense context (过去的状态何时不用"了")

Unit 7 Making Appointment 约会 (yuēhuì) **70**

Language Points (语言点)

1. Time & Dates (时间和日期的表达)

2. Time adverbials in a sentence (在句中如何放置时间状语)

3. Prepositional phrase with 给 (gěi) (to, for) and 跟 (gēn) (with) (带"给"和"跟"的介词短语)

4. Telephone numbers (如何读电话号码)

Unit 8 Buying Shoes 买鞋子 (mǎi xiézi) **85**

Language Points (语言点)

1. Numbers 100 up (100 以上的数字)

2. Verb reduplication (动词重叠)

3. 有点 (yǒudiǎn) + adj. & adj. + 一点 (yìdiǎn) ("有点"+ 形容词和形容词 +"一点")

4. 了 (le) indicating a change or a new situation ("了"表示变化或新情况)

5. 再 (zài)

6. 想 (xiǎng) & 要 (yào)

Unit 9 Renting Apartment 租房子 (zū fángzi) **102**

Language Points (语言点)

1. Duration of time (时段的表达)

2. 有 (yǒu) in the sense of existence ("有"表示存在)

shénme
3. 什么 as "anything, everything" ("什么"表示"任何,所有")
duō
4. 多 as"how" ("多"用做疑问词)

fàndiàn
Unit 10 Restaurant 饭店 **115**
Language Points (语言点)
1. Clausal attributives (复杂定语)
le
2. The negative and interrogative forms of V + 了 (动词 +"了"的否定及问句形式)
3. Adverb of degree + V (程度副词 + 动词)

jùhuì
Unit 11 Party 聚会 **131**
Language Points (语言点)
lái qù
1. 来 / 去 + V ("来 / 去"+ 动词)
huì
2. 会 expressing an inference of a future event ("会"表示对将发生之事的推测)
bié
3. 别
zěnme
4. 怎么 as "how come" ("怎么"表示询问原因)
de zěnmeyàng
5. V + 得 怎么样 (动词 +"得怎么样")

qǐng rén bāng máng
Unit 12 Asking for a Favor 请 人 帮 忙 **144**
Language Points (语言点)
lái qù
1. Complement of direction: V + 来 / 去 (趋向补语:动词 + "来 / 去")
jiù
2. 就 indicating earliness, briefness or quickness ("就"表示时间早、短、快)
yǐhòu yǐqián
3. 以后 & 以前

zuò huǒchē lǚxíng
Unit 13 Travelling by Train 坐 火车 旅行 **156**
Language Points (语言点)
guo
1. V + 过 indicating experiences (动词 +"过"表示经历)
2. Question as an object clause (问句做宾语)
3. Summary of approximate numbers (约数表达法小结)

4. 次 (cì) & 遍 (biàn)

5. 一点 (yìdiǎn)、比较 (bǐjiào) & 更 (gèng)

6. 就 (jiù) 要 (yào)……了 (le)

Unit 14 Informative Taxi Driver 出租车司机 (chūzūchē sījī) 什么 (shénme) 都 (dōu) 知道 (zhīdao) …………………… 170

Language Points (语言点)

1. Complement of degree: V + 得 (de) + adj. (程度补语：动词 +“得”+ 形容词)
2. 真 (zhēn) & 真的 (zhēnde)
3. 可以 (kěyǐ) & 能 (néng)
4. ……的 (de) 时候 (shíhou)
5. 过 (guo) & 了 (le)
6. 多 (duō) + V (“多”+ 动词)

Unit 15 Hotel 宾馆 (bīnguǎn) …………………………………………………………………… 183

Language Points (语言点)

Separable phrasal verb (离合词)

Appendix 附录 (fùlù)

1. Common Measure Words (1) 常用 (chángyòng) 量词 (liàngcí) (一) (yī) …………………………………… 194
2. Numerals 数字 (shùzì) 的 (de) 表达 (biǎodá) ……………………………………………………… 195
3. Time & Dates 时间 (shíjiān) 和 (hé) 日期 (rìqī) 的 (de) 表达 (biǎodá) ………………………………… 198
4. Listening Exercise Script 听力 (tīnglì) 练习 (liànxí) 文本 (wénběn) ……………………………… 201
5. Vocabulary Index 词汇 (cíhuì) 总表 (zǒngbiǎo) ……………………………………………… 222

Introduction to Chinese Pronunciation

Hànyǔ fāyīn jièshào
汉语 发音 介绍

A Chinese syllable is composed of an initial, a final and a tone.

1. Simple Finals:

a o e i u ü

Note

i, **u** and **ü** become **yi**, **wu** and **yu** if they are not preceded by any initials.

2. 4 Tones:

The 4 tones are high level (ˉ tone 1) rising (ˊ tone 2), falling-rising (ˇ tone 3) and falling (ˋ tone 4).

For example:

tang

- tone 1   tāng 汤   soup
  High level pitch, like humming something.
- tone 2   táng 糖   sugar
  Rising tone, like the intonation when you say "What?"
- tone 3   tǎng 躺   to lie down
  A falling-rising tone, like the intonation when you say "well, ..." in a slow way.
- tone 4   tàng 烫   (food) too hot
  A falling tone, like an enthusiastic affirmation: "Yes!"

Some unaccented syllables are pronounced with a "light" tone. You should pronounce them in the middle of your voice range lightly and with little emphasis.

Practice

(1) è 饿   hungry   (2) yī 一   one

(3) wǔ 五   five   (4) yú 鱼   fish

(5) yǔ 雨	rain	(6) āyí 阿姨	housemaid, aunt
(7) Hànyǔ 汉语	Chinese language	(8) yīfu 衣服	clothes

3. Initials

(1) b p m f d t n l g k h

Note

When these initials are combined with **o**, there is actually a short **u** sound in between. For instance, the syllable **bo** actually sounds like **$b^{u}o$**.

When producing **d**, **t**, **n**, **l**, the tip of the tongue touches the upper teeth. The tongue is raised more to the front than it would be to pronounce their English counterparts.

Practice

① bā 八	eight	② bù 不	not
③ nǐ 你	you	④ tā 他 / 她	he, she
⑤ là 辣	spicy, hot	⑥ lù 路	road
⑦ hē 喝	to drink	⑧ bàba 爸爸	dad
⑨ gēge 哥哥	elder brother	⑩ nǎli 哪里	where
⑪ kělè 可乐	coke	⑫ mǎmǎhūhū 马马虎虎	so so
⑬ lǜ 绿	green		

Compare

bo	**po**	**bu**	**pu**	**bi**	**pi**
de	**te**	**du**	**tu**	**di**	**ti**
ge	**ke**	**gu**	**ku**	**ga**	**ka**

(2) j q x

j: Like "j" in "jeep", but with the tongue just a little further forward.

q: Like "ch" in "cheap", but with the tongue just a little further forward.

x: Like "sh" in "sheep", but with the tongue just a little further forward.

Note

The finals that can be combined with **j**, **q** and **x** are limited to **i** and **ü** and the compound finals which start with **i** or **ü**. And in the written form the two dots in **ü** are omitted and **ü** appears as **u**.

Practice

① jī 鸡 chicken
② qī 七 seven
③ qù 去 to go
A: Nǐ qù nǎli? 你去哪里？ B: Wǒ qù Nánjīng Lù. 我去南京路。
④ xǐhuan 喜欢 to like
Wǒ xǐhuan hē kělè. 我喜欢喝可乐。
⑤ xǐyījī 洗衣机 washing machine

(3) z c s

z: A "dz" sound, like the end of "kids".

c: A "ts" sound, like the end of "cats".

s: Like "s" in "sit".

Note

The final **i** combined with **z**, **c** and **s** is pronounced differently from the simple final **i** that we learned before.

Practice

① sì 四 four
② zū 租 to rent
③ cù 醋 vinegar
④ Hànzì 汉字 Chinese character
⑤ cèsuǒ 厕所 toilet
Cèsuǒ zài nǎli? 厕所在哪里？ Where's the toilet?

(4) zh ch sh r

zh: Like "j" in "jeep", but with tip of the tongue a little further back.

ch: Like "ch" in "cheap", but with tip of the tongue a little further back.

sh: Like "sh" in "sheep", but with tip of the tongue a little further back.

r: Like "r" in "rip", but with the tongue a bit higher so it buzzes ever so slightly.

Note

These initials are called "retroflex" sounds because they are all pronounced with the tongue curved back into the middle of the mouth.[1] The final **i** combined with **zh**, **ch**, **sh** and **r** is pronounced differently from the simple final **i** we learned before.

① Retroflex sounds are more used in northen Chinese speech.

Practice

①	shí 十	ten	②	chī 吃	to eat
③	rè 热	hot	④	zhū 猪	pig
⑤	shū 书	book	⑥	Hànyǔshū 汉语书	Chinese book
⑦	chá 茶	tea	⑧	rèchá 热茶	hot tea
⑨	lǜchá 绿茶	green tea	⑩	chē 车	car
⑪	chūzūchē 出租车	taxi	⑫	Rìběn 日本	Japan
⑬	zhèli 这里	here	⑭	chūqù 出去	go out

Compare

ji	**zi**	**zhi**	**ju**	**zu**	**zhu**
qi	**ci**	**chi**	**qu**	**cu**	**chu**
xi	**si**	**shi**	**xu**	**su**	**shu**
		ri			**ru**

4. Compound Finals:

(1) ai ei ao ou

Practice

①	mǎi 买	to buy	②	méiyǒu 没有	not have	
③	cài 菜	dish, food	④	zhīdao 知道	to know	Wǒ bù zhīdao. 我 不 知道。
⑤	lǎoshī 老师	teacher	⑥	yào 要	to want	
⑦	lùkǒu 路口	intersection	⑧	kāfēi 咖啡	coffee	
⑨	gěi 给	to give	⑩	zhūròu 猪肉	pork	Wǒ bù chī zhūròu. 我 不 吃 猪肉。
⑪	Nǐ zǎo! 你 早！	Good morning!	⑫	ài 爱	love	

(2) an en ang eng ong

Practice

①	sān 三	three	②	rén 人	person

③ lěng 冷	cold	④ mǐfàn 米饭	rice (cooked)
⑤ càidān 菜单	menu	⑥ tāng 汤	soup
⑦ chéngzhī 橙汁	orange juice	⑧ fángzi 房子	house, apartment
⑨ shénme 什么	what	⑩ Pǔdōng Jīchǎng 浦东 机场	Pudong Airport
⑪ péngyou 朋友	friend	Tā shì wǒ de péngyou. 他是我的朋友。	He's my friend.
⑫ děng 等	to wait	Děng yì děng. 等一等。	Wait a second.

(3) ia iao ie iu ian in iang ing iong

Note

ian sounds like "ien" in English or some other European languages.

The full spelling of **iu** is **iou**. When it combines with an initial, it is written as **iu**. For instance, **liou→liu**. If not preceded by initials, it takes the full spelling form but **i** is written as **y**. Therefore **iou→you**.

i becomes **y** if not preceded by an initial: **ia→ya**, **ie→ye**, **iao→yao**, **iu→you**, **ian→yan**, **iang →yang**, **in→yin**, **ing→ying** (**i** still remains in **yin** and **ying**).

Practice

① liù 六	six	② jiǔ 九	nine
③ jiā 家	home, family	④ qǐng 请	please
⑤ tíng 停	to stop	⑥ xiǎojiě 小姐	miss, waitress
⑦ Yīngyǔ 英语	English	⑧ dìtiě 地铁	subway
⑨ fàndiàn 饭店	restaurant	⑩ Jiālèfú 家乐福	Carrefour
⑪ Zàijiàn! 再见！	Bye!	⑫ Míngtiān jiàn! 明天见！	See you tomorrow!
⑬ Xièxie! 谢谢！	Thanks.	⑭ Bú yòng xiè. 不用谢。	You are welcome.
⑮ píjiǔ 啤酒	beer	Yì píng píjiǔ. 一瓶啤酒。	A bottle of beer.
⑯ jiǔbā 酒吧	bar	⑰ piányi 便宜	cheap
⑱ míngzi 名字	name	Nǐ jiào shénme míngzi? 你叫什么名字？	What's your name?

⑲ tīng 听	to listen	Wǒ tīng bu dǒng. 我听不懂。	I don't understand.

(4) ua uo uai ui uan un uang ueng

Note

The full spelling of **ui** is **uei** and **un** is **uen**. When these finals combine with an initial, they are written as **ui** and **un**. For instance, **huei→hui**, **luen→lun**. If they are not preceded by initials, they take the full spelling form but **u** is written as **w**. Therefore, **uei→wei**, **uen→wen**.

u becomes **w** if not preceded by an intial: **ua→wa**, **uai→wai**, **uan→wan**, **uang→wang**, **uei→wei**, **uen→wen**, **ueng→weng**, **uo→wo**.

Practice

① wǒ 我	I, me	② Zhōngguó 中国	China
③ diànhuà 电话	telephone	④ Měiguó 美国	U.S.
⑤ wèn 问	to ask	⑥ shuǐ 水	water
⑦ guì 贵	expensive	Tài guì le. 太贵了。	Too expensive.
⑧ qǔkuǎnjī 取款机	ATM	⑨ Duìbuqǐ. 对不起。	Sorry.
⑩ kuài 快	fast	Kuài yì diǎn! 快一点！	Faster!
⑪ Méi guānxi. 没关系。	That's alright.	⑫ Duōshǎo qián? 多少钱？	How much?
⑬ Zuǒ guǎi. 左拐。	Turn left.	⑭ Yòu guǎi. 右拐。	Turn right.
⑮ wèntí 问题	question	Méi wèntí. 没问题。	No problem.
Wǒ yǒu yí ge wèntí. 我有一个问题。	I have a question.		

(5) üe üan ün

Note

If compound finals beginning with **ü** don't combine with initials and appear as syllable **ü** is written as **u** and a **y** is added before it: **üan→yuan**, **üe→yue**, **ün→yun**.

Practice

① dàxué 大学	university	② yuè 月	month
③ xuésheng 学生	student	Nǐ shì xuésheng ma? 你是学生吗？	Are you a student?
④ yuǎn 远	far	A: Yuǎn ma? 远吗？ Is it far?	B: Bù yuǎn. 不远。 Not far.
⑤ juéde 觉得	to think		

(6) er

Note

er is written as **r** if it appears as a retroflex syllable after other finals, e.g., **na er →nar** (where), **wan er→wanr** (to have fun).

When you pronounce a retroflex syllable after other final, do remember to ommit the nasal sound **n** in the final. For example, **wanr** is actually pronounced like **war**.

Practice

① nǚ'ér 女儿[②] daughter ② wánr 玩儿 to play ③ èr 二 two

yī	èr	sān	sì	wǔ	liù	qī	bā	jiǔ	shí
一	二	三	四	五	六	七	八	九	十

5. More on tones:

(1) Variation of Third Tone:

If a Third Tone syllable is followed by another syllable, the rising part in Third Tone drops off and is pronounced as a low-falling tone.

Practice

① lǎoshī 老师 ② jiǔbā 酒吧
③ kělè 可乐 ④ shǒujī 手机
⑤ Měiguó 美国 ⑥ xǐhuan 喜欢

② When you spell a two-syllable word with the second syllable starts with a final, put an spostrophe （ ’ ） between the two syllables to avoid ambiguity. For example, **nüer** might be pronounced as **nüe-r** without the“ ’ ” mark. Other examples are: **Xi’an** (a historical city) and **xian**(first); **Tian’anmen**(instead of **Tia-nan-men**).

mǐfàn ⑦ 米饭	nǚ'ér ⑧ 女儿
xǐyījī ⑨ 洗衣机	Pǔdōng ⑩ 浦东

But when one Third Tone syllable is followed by another Third Tone syllable, the tone of the first Third Tone is pronounced as Second Tone.

Practice

mǎmǎhūhū ① 马马虎虎	Nǐ zǎo! ② 你 早!
Zuǒ guǎi. ③ 左 拐。	xiǎojiě ④ 小姐
Nǐ hǎo! ⑤ 你好!	qǔkuǎnjī ⑥ 取款机

(2) Variation of the tones for "bu" (not) and "yi"(one):

When **bu** and **yi** are followed by a Fourth Tone syllable, they are both pronounced and marked as Second Tone. In other cases, they are Fourth Tone.

Practice

yí ge 一个	a (something)	Wǒ bú yào. 我 不 要。	
Yìzhí zǒu. 一直走。	Go straight.	Tā bù hē kāfēi. 他 不 喝 咖啡。	
yì bēi kāfēi 一杯咖啡	a cup of coffee	Wǒ bù xǐhuan. 我 不 喜欢。	
yì píng píjiǔ 一瓶 啤酒	a bottle of beer	Wǒ bù máng. 我 不 忙。	I'm not busy.

Unit 1

Introduction

jièshào
介绍

1. Nǐ jiào shénme míngzi?	你叫什么名字？ What's your name?
2. Wǒ jiào Mǎkè.	我叫马克。 My name is Mark.
3. Hěn gāoxìng rènshi nǐ.	很高兴认识你。 Nice to meet you.
4. Nǐ shì nǎ guó rén?	你是哪国人？ Where are you from?
5. Wǒ shì Měiguórén.	我是美国人。 I'm from US.

kèwén (Text)

(Ⅰ)

Lǎoshī: Dàjiā hǎo!
Xuéshēngmen: Lǎoshī hǎo!
Lǎoshī: Wǒ jiào Zhāng Guózhōng, wǒ shì nǐmen de Hànyǔ lǎoshī.

(Ⅱ)

Zhāng lǎoshī: Nǐ hǎo! Nǐ jiào shénme míngzi?
Mǎkè: Wǒ jiào Mǎkè.
Zhāng lǎoshī: Hěn gāoxìng rènshi nǐ.
Mǎkè: Wǒ yě shì.
Zhāng lǎoshī: Mǎkè, nǐ shì nǎ guó rén?
Mǎkè: wǒ shì Měiguórén.
Zhāng lǎoshī: Nǐ ne? Nǐ jiào shénme míngzi?
Mǎlì: Wǒ jiào Mǎlì. Wǒ yě shì Měiguórén.
Wǒ hé Mǎkè shì péngyou.

(Ⅲ)

Wǒ jiào Mǎkè, shì Měiguórén. Tā jiào Mǎlì, yě shì Měiguórén. Wǒmen shì péngyou, yě shì tóngxué.

课 文

(一)

老　师：大家好！
学生们：老师好！
老　师：我叫张国中，我是你们的汉语老师。

(二)

张老师：你好！你叫什么名字？
马　克：我叫马克。
张老师：很高兴认识你。
马　克：我也是。
张老师：马克，你是哪国人？
马　克：我是美国人。
张老师：你呢？你叫什么名字？
玛　丽：我叫玛丽，我也是美国人。我和马克是朋友。

(三)

我叫马克，是美国人。她叫玛丽，也是美国人。我们是朋友，也是同学。

Vocabulary (生词语)

1. **介绍**	jièshào	*n. & v.*	introduction; to introduce
2. **老师**	lǎoshī	*n.*	teacher
3. **大家**	dàjiā	*pron.*	everybody, you all
大	dà	*adj.*	big, large
家	jiā	*n.*	home, family

Usage: 大家 (dàjiā) is usually used in greeting and addressing people.

e.g. 大家好！(Dàjiā hǎo!) Hello, everybody!

Dàjiā zàijiàn!
大家 再见! Bye, everybody!

4. 好 hǎo *adj.* good
5. 学生 xuésheng *n.* student
学 xué *v.* to learn, to study, also 学习 (xuéxí)
6. ……们 men plural suffix
Usage: see Language Points
7. 我 wǒ *pron.* I, me
8. 叫 jiào *v.* to call, to be called
9. 是 shì *v.* to be
10. 你们 nǐmen *pron.* you (pl.)
11. 你 nǐ *pron.* you (sing.)
12. 的 de *part.*[1]
Usage: indicating possession.
e.g. nǐmen de lǎoshī
你们 的 老师 your teacher
Zhāng lǎoshī de xuésheng
张 老师 的 学生 Professor Zhang's student
13. 汉语 Hànyǔ *n.* Chinese language
……语 yǔ language
Usage: 语 (yǔ) is usually used in the name of a specific language.
e.g. Yīngyǔ
英语 English
Fǎyǔ
法语 French
The word for language in general is 语言 (yǔyán).
e.g. shénme yǔyán
什么 语言 what language
14. 什么 shénme *QW* what
15. 名字 míngzi *n.* name
16. 很 hěn *adv.* quite, very
17. 高兴 gāoxìng *adj.* glad, happy
18. 认识 rènshi *v.* to get to know (someone), to know (someone)
19. 也 yě *adv.* also, too

① Abbreviation for particle. See p.222 for more abbreviations.

20. 哪国人 nǎ guó rén — from which country is somebody
- 哪 nǎ *QW* which
- 国 guó *n.* country

Usage: 国 (guó) is usually used in the name of a specific country.

e.g. 中国 (Zhōngguó) China
美国 (Měiguó) the United States

The word for country in general is 国家 (guójiā).

e.g. 你们 的 国家 (nǐmen de guójiā) your country

- 人 rén *n.* person

21. 呢 ne *part.*

Usage: used after a noun or pronoun to form an "And ...?" question.

e.g. 你 呢？ (Nǐ ne?) And you?

22. 和 hé *conj.* and

Usage: not used to link verb phrases or sentences

e.g. you can say
老师 和 学生 (lǎoshī hé xuésheng) teacher and student
but cannot say
*我 叫 马克 和 很 高兴 认识 你。(Wǒ jiào Mǎkè hé hěn gāoxìng rènshi nǐ.)
Instead, you can say
我 叫 马克，很 高兴 认识 你。(Wǒ jiào Mǎkè, hěn gāoxìng rènshi nǐ.)
My name is Mark and nice to meet you.
A comma in Chinese is as useful as "and" in English.

23. 朋友 péngyou *n.* friend
24. 她 tā *pron.* she, her
25. 我们 wǒmen *pron.* we, us
26. 同学 tóngxué *n.* classmate, schoolmate

Proper Nouns (专有名词)

1.	张国中	Zhāng Guózhōng	a Chinese name
	张	Zhāng	a surname
2.	马克	Mǎkè	(a transliteration of the name) Mark
3.	玛丽	Mǎlì	(a transliteration of the name) Mary
4.	美国	Měiguó	the United States

Useful Words & Expressions (补充词汇与短语)

Words

1. 听	tīng	*v.*	to listen
2. 说	shuō	*v.*	to speak, to say
3. 读	dú	*v.*	to read (aloud)
4. 写	xiě	*v.*	to write
5. 课	kè	*n.*	lesson, course
6. 生词	shēngcí	*n.*	new words
7. 上课	shàng kè	*VO*	to attend class, to have class, to give lessons
8. 学校	xuéxiào	*n.*	school
9. 留学生	liúxuéshēng	*n.*	international student
10. 男朋友	nánpéngyou	*n.*	boy friend
11. 女朋友	nǚpéngyou	*n.*	girl friend

Proper Nouns

1. 中国	Zhōngguó	*PN*	China
2. 英国	Yīngguó	*PN*	Britain
3. 英语	Yīngyǔ	*n.*	English (the language)
4. 法国	Fǎguó	*PN*	France
5. 日本	Rìběn	*PN*	Japan
6. 西班牙	Xībānyá	*PN*	Spain

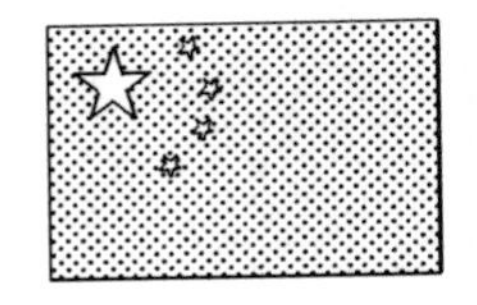

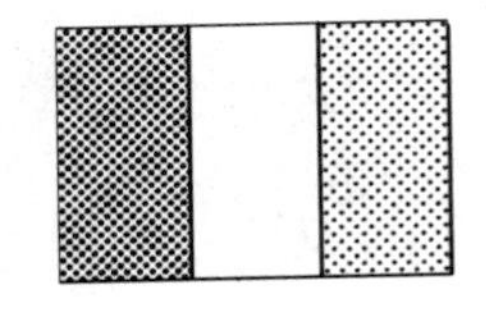
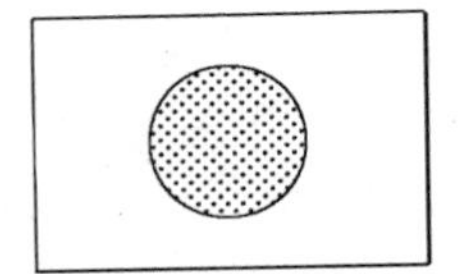

Expressions

1. 你早！	Nǐ zǎo!	Morning!
2. 早上好！	Zǎoshang hǎo!	Good morning!
3. 再见！	Zàijiàn!	See you. / Good-bye.
4. 明天见！	Míngtiān jiàn!	See you tomorrow.
5. 谢谢！	Xièxie!	Thanks.
6. 不用谢。	Bú yòng xiè.	You are welcome.
7. 不客气。	Bú kèqi.	You are welcome.
8. 对不起！	Duìbuqǐ.	Sorry. / Excuse me.
9. 没关系。	Méi guānxi.	That's alright. / My pleasure.

Language Points (语言点)

1. Plural suffix 们 (men) (复数后缀"们")

wǒ 我	I, me	wǒmen 我们	we, us	
nǐ 你	you (sg.)	nǐmen 你们	you (pl.)	
tā / tā 他 / 她	he, him / she, her	tāmen / tāmen 他们 / 她们	they, them	
xuésheng 学生	student	xuésheng (men) 学生(们)	students	sān ge xuésheng 三个[1]学生 three students
péngyou 朋友	friend	péngyou (men) 朋友(们)	friends	sān ge péngyou 三个朋友 three friends
míngzi 名字	name	míngzi 名字	names	sān ge míngzi 三个名字 three names
guójiā 国家	country	guójiā 国家	countries	sān ge guójiā 三个国家 three countries

✻ Can you explain the function of 们 (men)? (你能解释"们"的作用吗？)

Write your explanation here: (把你的发现写在这里)

____

____

____

[1] See the vocabulary of Unit 2 for the usage of 个 (gè).

2. **Basic word order in statement and question with question word (陈述句和带疑问词问句的词序)**

Subject	Adverb	Verb	Attributive	Object
Wǒ (1) 我		shì 是	nǐmen de 你们 的	Hànyǔ lǎoshī. 汉语 老师。
Wǒmen (2) 我们		shì 是		péngyou. 朋友。
Nǐ (3) 你		jiào 叫		shénme míngzi? 什么 名字？
Wǒ (4) 我		jiào 叫		Mǎkè. 马克。
Nǐ (5) 你		shì 是		nǎ guó rén? 哪 国 人？
Wǒ (6) 我	yě 也	shì 是		Měiguórén. 美国人。

✻ What is the word order of a statement in Chinese? Is it the same with that in English? Pay extra attention to the position of adverb. (汉语陈述句的词序是怎样的？和英语一样吗？要特别注意副词的位置)

✻ Is the word order of a question with a question word still the same with that in English? In which way is it different? And does it bear some similarity with the word order of the answer or the statement? (带疑问词的问句的词序和英语的一样吗？怎么不一样？答句和陈述句的词序有相同之处吗？)

Write your summary here: (把你的总结写在这里)

____

____

____

Cultural tips (文化提示)

How do you address people in Chinese? **(如何称呼别人?)**

Mark can address the following people like this:

Zhāng Guózhōng
张 国中 → Zhāng lǎoshī
张 老师

his Chinese teacher, a man of around 50

Wáng 王 xx his landlord, a man of 40	→	Wáng xiānsheng 王 先生 Mr. Wang
Sūn 孙 xx his housemaid, a middle aged woman	→	Sūn āyí 孙 阿姨 Auntie Sun
Zhào 赵 x his boss, the general manager	→	Zhào zǒng 赵 总 G M Zhao
Lǐ Dàmíng 李 大明 his Chinese friend, a boy	→	Lǐ Dàmíng 李 大明
	→	Dàmíng 大明 (when they become close friend)

When you are not sure how to address a person, don't hesitate to ask:

Wǒ gāi zěnme chēnghu nín?	我该怎么称呼您?	How should I address you?
or,		
Nín guì xìng?	您贵姓?	What's your surname?

And the answers would be:

Jiào wǒ Dàmíng ba.	叫我大明吧。	Call me Daming.
or,		
Wǒ xìng Zhāng.	我姓张。	My surname is Zhang.

Exercises (练习)

1. Substitution (替换练习)

Change the underlined words to make new sentences or dialogues. (替换画线部分)

(1) A: Nǐ jiào shénme míngzi?
你叫什么名字?
B: Wǒ jiào Mǎkè.
我叫马克。

(2) A: Nǐ shì nǎ guó rén?
你是哪国人?
B: Wǒ shì Měiguórén.
我是美国人。

(3) Tā jiào Mǎlì, shì Měiguórén. Tā shì Mǎkè de tóngxué.
她叫玛丽,是美国人。她是马克的同学。

(4) Tā jiào Zhāng Guózhōng, tā shì Mǎlì hé Mǎkè de Hànyǔ lǎoshī.
他 叫 张 国中， 他 是 玛丽 和 马克 的 汉语 老师。

2. Sentence construction (组词成句)

Put the words in order to make a proper sentence (组句)

(1) 叫 (jiào) 老师 (lǎoshī) 名字 (míngzi) 什么 (shénme) ?

(2) 哪 (nǎ) 人 (rén) 玛丽 (Mǎlì) 国 (guó) 是 (shì) ?

(3) 玛丽 (Mǎlì) 同学 (tóngxué) 是 (shì) 和 (hé) 马克 (Mǎkè)

(4) 也 (yě) 是 (shì) 朋友 (péngyou) 他们 (tāmen)

Answer the first two questions according to the text. (根据课文内容回答上面的第一和第二个问题)

3. Translation (翻译)

(1) Chinese tea (茶 chá)

(2) teacher from China

(3) my Chinese book (书 shū)

(4) our Chinese course

(5) She is also our Chinese teacher.

(6) They are Chinese students.

(7) Nice to meet you all.

4. Listening (听一听)

Listen to two conversations and answer the following questions in Chinese. (听两个对话，用汉语回答问题)

***Vocabulary* (生词)**

妈妈	māma	*n.*	mum, mother
教	jiāo	*v.*	to teach

Questions for Conversation 1

Nǚ de jiào shénme míngzi?
(1) 女的(the woman) 叫什么名字？

Tā de gōngzuò shì shénme?
(2) 她的工作(job, work)是什么？

Tā shì Zhōngguórén ma?
(3) 她是中国人吗(Is she Chinese)？

Questions for Conversation 2

Nán de shì nǎ guó rén?
(1) 男的(the man)是哪国人？

Shuí yě shì cóng Xībānyá lái de?
(2) 谁也是从西班牙来的？(who's also from Spain?)

Nán de hé nǚ de dōu shì zhège xuéxiào de lǎoshī ma?
(3) 男的和女的都是这个学校的老师吗？
(Are the man and the woman both teachers in this school?)

Nǚ de jiāo shénme rén?
(4) 女的教什么人？

5. Speaking (说一说)

(1) The teacher will make a self introduction. After listening, introduce the teacher to your partner.

(2) Introduce yourself to your partner.

(3) Change a partner and introduce your previous partner to the new partner.

(4) Group work (4 people): Introduce each other.

(5) Prepare in advance and then introduce your speaking and listening teachers in class.

Unit 2

Cafeteria

1. Nǐ yào shénme?	你要什么？ What do you want?
2. Duōshǎo qián?	多少钱？ How much?
3. Zhège shì shénme?	这个是什么？ What's this?
4. Yǒu chǎofàn ma?	有炒饭吗？ Do you have fired rice?
5. Yào jǐ ge?	要几个？ How many do you want?

kèwén (Text)

(Ⅰ)

Fúwùyuán: Nǐ yào shénme?
Mǎkè: Wǒ yào tǔdòu. Duōshǎo qián?
Fúwùyuán: Liǎng kuài wǔ. Hái yào shénme?
Mǎkè: Zhège shì shénme? Shì jīròu ma?
Fúwùyuán: Duì, Shì jīròu, liù kuài èr. Yào ma?
Mǎkè: Yào.

(Ⅱ)

Mǎkè: Yǒu chǎofàn ma?
Fúwùyuán: Méiyǒu. Yǒu báimǐfàn, yào ma?
Mǎkè: Bú yào. Chǎomiàn ne?
Fúwùyuán: Yě méiyǒu.
Mǎkè: Nàge shì bāozi ma?
Fúwùyuán: Duì, nǐ yào ma?
Mǎkè: Yào.

Fúwùyuán:　　Yào jǐ ge?
Mǎkè:　　Yào liǎng ge.

(Ⅲ)

Mǎkè xǐhuan chī shítáng de cài, bù xǐhuan chī shítáng de fàn. Yīnwèi shítáng zhǐ yǒu báimǐfàn hé bāozi, méiyǒu chǎofàn, yě méiyǒu chǎomiàn.

课　文

(一)

服务员：你要什么？
马　克：我要土豆。多少钱？
服务员：两块五。还要什么？
马　克：这个是什么？是鸡肉吗？
服务员：对，是鸡肉，六块二。要吗？
马　克：要。

(二)

马　克：有炒饭吗？
服务员：没有。有白米饭，要吗？
马　克：不要。炒面呢？
服务员：也没有。
马　克：那个是包子吗？
服务员：对，你要吗？
马　克：要。
服务员：要几个？
马　克：要两个。

(三)

马克喜欢吃食堂的菜，不喜欢吃食堂的饭。因为食堂只有白米饭和包子，没有炒饭，也没有炒面。

Vocabulary (生词语)

1. **食堂**	shítáng	*n.*	cafeteria, canteen
2. **服务员**	fúwùyuán	*n.*	waiter, waitress
服务	fúwù	*n.*	service

……员	yuán		personnel
3. 要	yào	*v.*	to want (sth.), would like to have (sth.)
4. 土豆	tǔdòu	*n.*	potato
5. 多少	duōshǎo	*QW*	how many, how much *e.g.* 多少钱 (duōshǎo qián) how much (money) ***Usage:*** when you use 多少 (duōshǎo) as "how many" in a question, the number in the answer is expected to be large (usually more than ten). *e.g.* 你要多少？(Nǐ yào duōshǎo?) How many do you want? 我要二十个。(Wǒ yào èrshí ge.) I want twenty.
6. 钱	qián	*n.*	money
7. 两	liǎng	*num.*	two ***Usage:*** used before measure words, see Appendix 2.
8. 块	kuài	*MW*	monetary unit, dollar, buck, see Language Points; piece, lump, see Appendix 1
9. 还	hái	*adv.*	also, else, in addition *e.g.* 你还要什么？(Nǐ hái yào shénme?) What else do you want?
10. 这	zhè	*pron.*	this
11. 个	gè	*MW*	used with a wide variety of nouns, see Language Points and Appendix 1
12. 鸡肉	jīròu	*n.*	chicken meat
鸡	jī	*n.*	chicken
肉	ròu	*n.*	meat
13. 吗	ma	*part.*	a question particle
14. 对	duì	*adj.*	correct, right, yes
15. 有	yǒu	*v.*	to have
16. 炒饭	chǎofàn	*n.*	fried rice
炒	chǎo	*v.*	to stir-fry
饭	fàn	*n.*	cooked rice, meal, food
17. 没	méi	*adv.*	not ***Usage:*** only used in 没有 (méiyǒu), the negative form of verb 有 (yǒu).

18. 白米饭	báimǐfàn	*n.*	plain cooked rice
白	bái	*adj.*	white, plain
米	mǐ	*n.*	rice
19. 不	bù	*adv.*	not
20. 炒面	chǎomiàn	*n.*	fried noodles
面	miàn	*n.*	noodles
21. 那	nà	*pron.*	that
22. 包子	bāozi	*n.*	steamed stuffed bun
包	bāo	*n. & v.*	bag; to wrap
……子	zi		noun suffix

e.g.
jiǎozi
饺子 dumpling
kuàizi
筷子 chopsticks
pánzi
盘子 plate

23. 几	jǐ	*QW*	how many

Usage: when you use 几 (jǐ) in the question, the number in the answer is expected to be small (usually less than ten). And you need to add a measure word after 几 (jǐ).

e.g.
Nǐ yào jǐ ge?
A:你 要 几 个? How many do you want?
Wǒ yào liǎng ge.
B:我 要 两 个。I want two.

24. 喜欢	xǐhuan	*v.*	to like, to prefer
25. 吃	chī	*v.*	to eat
26. 菜	cài	*n.*	dish, food (meat or vegetable)

Usage:
shítáng de cài
食堂 的 菜 the food in cafeteria
Zhōngguócài
中国菜 Chinese food

27. 因为	yīnwèi	*conj.*	because
28. 只	zhǐ	*adv.*	only

e.g.
Shítáng zhǐ yǒu mǐfàn hé bāozi.
食堂 只 有 米饭 和 包子。
The cafeteria only provides rice and steamed bun.

Useful Words & Expressions (补充词汇与短语)

Words

1. 牛肉	niúròu	*n.*	beef
2. 羊肉	yángròu	*n.*	mutton
3. 猪肉	zhūròu	*n.*	pork
4. 鱼	yú	*n.*	fish
5. 虾	xiā	*n.*	shrimp
6. 蛋	dàn	*n.*	egg
7. 番茄	fānqié	*n.*	tomato
8. 茄子	qiézi	*n.*	eggplant, aubergine
9. 胡萝卜	húluóbo	*n.*	carrot
10. 黄瓜	huángguā	*n.*	cucumber
11. 青椒	qīngjiāo	*n.*	green pepper
12. 蘑菇	mógu	*n.*	mushroom
13. 西兰花	xīlánhuā	*n.*	broccoli
14. 花菜	huācài	*n.*	cauliflower
15. 生菜	shēngcài	*n.*	lettuce
16. 豆腐	dòufu	*n.*	tofu , bean curd
17. 拉面	lāmiàn	*n.*	hand pulled noodles
18. 啤酒	píjiǔ	*n.*	beer
19. 可乐	kělè	*n.*	coke
20. 矿泉水	kuàngquánshuǐ	*n.*	mineral water
21. 饭店	fàndiàn	*n.*	restaurant
22. 菜单	càidān	*n.*	menu

Expressions

买单!	Mǎi dān!	Bill, please!

Language Points (语言点)

1. Numbers 0–100 and price (数字 0—100 和价钱的表达)

Numbers 0–100

líng 零 0	yī 一 1	èr 二 2	sān 三 3	sì 四 4	wǔ 五 5	liù 六 6	qī 七 7	bā 八 8	jiǔ 九 9
shí 十 10	shíyī 十一 11	shí'èr 十二 12	shísān 十三 13	……					shíjiǔ 十九 19
èrshí 二十 20	èrshíyī 二十一 21	èrshí'èr 二十二 22	……						
sānshí 三十 30	sānshíyī 三十一 31	……							
yìbǎi 一百 100									

Denominations of money

	1.00	0.10	0.01
Spoken:	kuài 块	máo (jiǎo) 毛 (角[1])	fēn 分
Formal:	yuán 元	jiǎo 角	fēn 分

How to read price

(1) ￥2.00	liǎng kuài (qián) 两 块 (钱)
(2) ￥22.00	èrshí'èr kuài 二十二 块
(3) ￥2.20	liǎng kuài èr (máo) 两 块 二 (毛)
(4) ￥0.20	liǎng máo 两 毛
(5) ￥0.02	èr fēn 二 分
(6) ￥0.22	liǎng máo èr (fēn) 两 毛 二 (分)
(7) ￥100.20	yìbǎi kuài líng liǎng máo 一百 块 零 两 毛

✽ Can you summarize when 二 (èr) is used and when 两 (liǎng) is used when you read price? (小结"二"和"两"的用法)

Write your summary here: (把你的总结写在这里)

____

____

____

____

2. Adverbs (副词)

We have learned that adverb 也 (yě) appears before the verb in a sentence (see Unit 1). This unit gives us more examples of adverbs: 还 (hái)、不 (bù)、没 (méi)、只 (zhǐ). (第一课学了副词"也",本课再学几个副词:还、不、没、只)

(1) 还 要 什么?
Hái yào shénme?

[1] Some people, especially those in southern China, prefer using 角 (jiǎo) to 毛 (máo).

Mǎkè bú yào báimǐfàn.
(2) 马克 不 要 白米饭。

Mǎkè bù xǐhuan chī shítáng de fàn.
(3) 马克 不 喜欢 吃 食堂 的 饭。

Shítáng zhǐ yǒu báimǐfàn hé bāozi, méiyǒu chǎofàn, yě méiyǒu chǎomiàn.
(4) 食堂 **只** 有 白米饭 和 包子, **没有** 炒饭, **也** **没有** 炒面。

✲ Do these adverbs also appear before verbs? (这些副词也出现在动词前吗？)

✲ When both 也 (yě) and 没 (méi) are before the verb (see Sentence 4), which adverb is closer to the verb? (当“也”和“没”同时出现在动词前〔见句 4〕,哪个副词离动词更近？)

3. Simple question with question particle 吗 (ma) (带助词“吗”的简单问句)

We have learned question with a question word in Unit 1. In this unit, we learn simple question. Add a question particle 吗 (ma) to a statement and it becomes a simple question. (陈述句后加“吗”就变成简单问句)

	Question with 吗 (ma)	Positive answer	Negative answer
(1)	Nǐ yào báimǐfàn ma? 你 要 白米饭 吗?	Yào. 要。	Bú yào. 不 要。
(2)	Yǒu chǎofàn ma? 有 炒饭 吗?	Yǒu. 有。	Méiyǒu. 没有。
(3)	Shì jīròu ma? 是 鸡肉 吗?	Duì, shì jīròu. 对, 是 鸡肉。	Bú shì. 不 是。
(4)	Nàge shì bāozi ma? 那个 是 包子 吗?	Duì. 对。	Bú shì. 不 是。

✲ Can you find the rule of how to answer a question with 吗 (ma)? (如何回答简单问句？)
Write your findings here: (把你的发现写在这里)

___

___

___

✲ Please change the four questions with 吗 (ma) above into questions with question word. (用疑问词改写上表中的四句简单问句)

___

___

4. **Measure word (1) (量词一)**

Unlike in English, a numeral in Chinese is usually not immediately followed by a noun. A measure word is used in between. So the structure is:

numeral + measure word + noun .

(与英语不同,汉语中数词不能直接用在名词之前,中间需加量词才行。其结构形式为: 数词 + 量词 + 名词)

Commonly used measure words are less than twenty (See Appendix 1). 个 (ge) is by far the most common measure word in Chinese and is used with a whole range of nouns which do not have their own specific measure words. Let's see some examples of 个 (ge): (常用量词不超过20个〔见附录1〕,"个"是最常用的量词)

yí ge míngzi　　liǎng ge bāozi　　sān ge xuésheng　　yìbǎi ge guójiā
一 个 名字　　两 个 包子　　三 个 学生　　一百 个 国家

Measure word is not only used after a numeral, but also after a question word. (量词不仅可以用在数词后,也可以用在疑问词后)

jǐ ge　　duōshǎo ge
e.g. 几 个　　多少 个

Exercises (练习)

1. Substitution (替换练习)

Change the underlined words to make new dialogues. You can use the words in "Useful Words & Expressions". (替换画线部分,可用"补充词汇与短语")

(1)
Nǐ yào shénme?
A: 你 要 什么?
Wǒ yào tǔdòu. Duōshǎo qián?
B: 我 要 土豆。多少 钱?
Liǎng kuài wǔ. Hái yào shénme?
A: 两 块 五。还 要 什么?
Hái yào jīròu.
B: 还 要 鸡肉。

(2)
Yǒu chǎofàn ma?
A: 有 炒饭 吗?
Méiyǒu. Yǒu báimǐfàn, yào ma?
B: 没有。有 白米饭,要 吗?

Bú yào. Chǎomiàn ne?
A: 不要。炒面 呢?
Yě méiyǒu.
B: 也没有。
Nàge shì bāozi ma?
(3) A: 那个是包子吗?
Duì, nǐ yào ma?
B: 对,你要吗?
Yào.
A: 要。
Yào jǐ ge?
B: 要几个?
Yào liǎng ge.
A: 要两个。

2. Sentence construction (组词成句)

(1) jǐ 几　bāozi 包子　nǐ 你　yào 要　ge 个　?

(2) Mǎkè 马克　chī 吃　xǐhuan 喜欢　de 的　shítáng 食堂　bù 不　fàn 饭

(3) yǒu 有　hé 和　shítáng 食堂　báimǐfàn 白米饭　zhǐ 只　bāozi 包子

3. Translation (翻译)

(1) He is not my classmate.

(2) What else do you want?

(3) A: Is this fish? B: Yes.

(4) A: I don't have money. B: Neither do I.

(5) A: Do you know this person? B: Yes.

(6) A: Do you have beer? B: No. We only have water.

(7) This is not my noodles. I want beef noodles, not chicken noodles.

4. Listening (听一听)

(1) Listen to four dialogues and write the prices of the following food according to what you hear. Then listen again and check the food that the people in the dialogues eventually buy. (听四个对话，写出所听到食物的价格，再听一遍，看看顾客最后都买了些什么？)

Vocabulary (生词)

tài guì le 太贵了	too expensive	jīntiān 今天 *n.*	today

Questions for Conversation

① niúròu 牛肉 ￥ ________ ____

② yángròu 羊肉 ￥ ________ ____

③ jīròu 鸡肉 ￥ ________ ____

④ yú 鱼 ￥ ________ ____

⑤ chǎomógu 炒磨菇 ￥ ________ ____

⑥ chǎomiàn 炒面 ￥ ________ ____

(2) Listen to a dialogue and answer the following questions. (听一段对话，回答问题)

Vocabulary (生词)

shǎo 少 *adj.* few, little	duō 多 *adj.* many, much	zǎofàn 早饭 *n.* breakfast

Questions for Conversation

① Shítáng yǒu shénme bāozi?
食堂有什么包子？

② Mǎlì chī shénme bāozi? Tā yào jǐ ge?
玛丽吃什么包子？她要几个？

③ Mǎkè chī shénme bāozi? Tā yào jǐ ge? Jīntiān chī jǐ ge?
马克吃什么包子？他要几个？今天吃几个？

5. Speaking (说一说)

(1) Group work(3-4 people): prepare a 菜单 (càidān) in advance with words learned in this unit. Give this 菜单 (càidān) to a student (and only this student) in another group. (小组活动：3—4人一组。用本课学过的词事先设计一份菜单，然后把菜单交给另一组中的一个

学生〔只给该学生〕)

(2) Group work(3—4 people): the student who was given the new menu plays the role of fúwùyuán 服务员 in shítáng 食堂, and the other students play the role of gùkè 顾客(customers). (小组活动:让另一组中得到菜单的那个同学扮演服务员的角色,小组其他成员扮演顾客的角色)

(3) Pair work: Ask your partner the following questions and then reverse role. (双人练习:用下列问题互相提问)

Nǐ xǐhuan chī shítáng de fàncài ma?
(1) 你 喜欢 吃 食堂 的 饭菜 吗?

Nǐ xǐhuan chī shénme cài? Bù xǐhuan chī shénme cài?
(2) 你 喜欢 吃 什么 菜? 不 喜欢 吃 什么 菜?

Nǐ xǐhuan chī shénme Zhōngguócài?
(3) 你 喜欢 吃 什么 中国菜?

(4) Pair work: Read number 1 to 30. One student read the odd numbers and the other the even numbers. The teacher will write down the time each pair takes. (双人练习:读数字 1—30,一个学生读单数,另一学生读双数,老师记录各组学生读完 1—30 所用的时间,看哪个组读得最快)

Unit 3

Taking Taxi

1. Qù Nánjīng Lù Sìchuān Lù lùkǒu. 去南京路四川路路口。
   Go to the intersection of Nanjing Rd. and Sichuan Rd.
2. Zài xià ge lùkǒu zuǒ guǎi. 在下个路口左拐。
   Turn left at the next intersection.
3. Tíng zài zhèli. 停在这里。
   Stop here.
4. Wǒ fù xiànjīn. 我付现金。
   I pay cash.
5. Qǐng gěi wǒ fāpiào. 请给我发票。
   Please give me the receipt.
6. Děng yíxià. 等一下。
   Wait a second.

kèwén (Text)

(Ⅰ)

Chūzūchē sījī: Xiānsheng nín hǎo! Nín qù nǎli?

Mǎkè: Qù Nánjīng Lù Sìchuān Lù lùkǒu.①

(Ⅱ)

Mǎkè: Shīfu, zài xià ge lùkǒu zuǒ guǎi.

Sījī: Hǎo de. Tíng zài nǎli?

Mǎkè: Tíng zài zhèli.

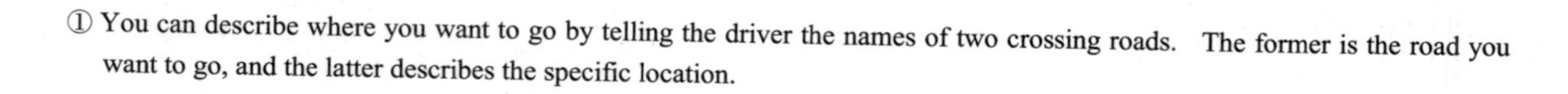

① You can describe where you want to go by telling the driver the names of two crossing roads. The former is the road you want to go, and the latter describes the specific location.

(Ⅲ)

Sījī: Nín fù xiànjīn háishì yòng (jiāotōng)kǎ?
Mǎkè: Wǒ fù xiànjīn. Duōshǎo qián?
Sījī: Èrshí'èr kuài.
Mǎkè: Gěi nín qián. Qǐng gěi wǒ fāpiào.
Sījī: Děng yíxià. …Gěi nín fāpiào.

(Ⅳ)

Zài Shànghǎi zuò chūzūchē, nǐ kěyǐ fù xiànjīn, hái kěyǐ yòng jiāotōngkǎ. Zuò dìtiě hé gōnggòngqìchē yě kěyǐ yòng jiāotōngkǎ, hěn fāngbiàn.

课文

(一)

出租车司机：先生您好！您去哪里？
马　克：　去南京路四川路路口。

(二)

马　克：师傅，在下个路口左拐。
司　机：好的。停在哪里？
马　克：停在这里。

(三)

司　机：您付现金还是用(交通)卡？
马　克：我付现金。多少钱？
司　机：二十二块。
马　克：给您钱。请给我发票。
司　机：等一下。……给您发票。

(四)

在上海坐出租车，你可以付现金，还可以用交通卡。坐地铁和公共汽车也可以用交通卡，很方便。

Vocabulary (生词语)

1. **坐**	zuò	*v.*	to sit, to take (taxi, bus, subway, plane, etc.)
2. **出租车**	chūzūchē	*n.*	taxi
租	zū	*v.*	to rent
车	chē	*n.*	vehicle (with wheels)

3. 司机　sījī　*n.*　driver

4. 先生　xiānsheng　*n.*　mister, sir

5. 您　nín　*pron.*　you

> ***Usage:*** Only have singular form. 您 (nín) is more respectful than 你 (nǐ). It is used to address seniors, customers, etc.

6. 去　qù　*v.*　to go

> ***Usage:*** no preposition is needed between 去 (qù) and the destination.
>
> ***e.g.*** 去 南京 路 (qù Nánjīng Lù)　　去 美国 (qù Měiguó)
>
> And it is the same in the case of 来 (lái) (to come)、回 (huí) (to return) and 到 (dào) (to arrive).
>
> ***e.g.*** 来 中国 (lái Zhōngguó)　　回 学校 (huí xuéxiào)　　到 上海 (dào Shànghǎi)

7. 哪里　nǎli　*QW*　where (also 哪儿 (nǎr), see Cultural Tips)

8. 路口　lùkǒu　*n.*　intersection, crossing

9. 路　lù　*n.*　road

10. 师傅　shīfu　*n.*　master

> ***Usage:*** it is a form of address to show respect for skilled men such as driver, repairman, doorman, etc.

11. 在　zài　*prep.*　in, at, on

12. 下　xià　*adj.*　next

> ***e.g.*** 下 个 路口 (xià ge lùkǒu)　　next intersection
>
> 下 个 星期 (xià ge xīngqī)　　next week
>
> ***Opposite:*** 上 (shàng)　　last
>
> ***e.g.*** 上 个 星期 (shàng ge xīngqī)　　last week

13. 左　zuǒ　*n.*　left

> ***Opposite:*** 右 (yòu)　　right

14. 拐　guǎi　*v.*　to turn, to make a turn

			e.g. zuǒ guǎi 左拐 turn left
15. 好的	hǎo de		okay, alright
16. 停	tíng	*v.*	to stop, to park
17. 这里	zhèli	*pron.*	here (also zhèr 这儿)
18. 付	fù	*v.*	to pay
19. 现金	xiànjīn	*n.*	cash
金	jīn	*n.*	gold
20. 还是	háishì	*conj.*	or

Usage: used in questions asking for choice

e.g. Nǐ qù Nánjīng Lù háishì Sìchuān Lù?
你去南京路还是四川路?
Do you go to Nanjing Rd. or Sichuan Rd.?

"or" in "either... or..." is huòzhě 或者, See Unit 8 Vocabulary.

e.g. Wǒ zuò chūzūchē huòzhě dìtiě.
我坐出租车或者地铁。
I take taxi or subway.

21. 用	yòng	*v.*	to use
22. 交通卡	jiāotōngkǎ	*n.*	transportation card
交通	jiāotōng	*n.*	transportation, traffic
卡	kǎ	*n.*	card
23. 给	gěi	*v.*	to give
24. 请	qǐng	*v.*	please (used in request)
25. 发票	fāpiào	*n.*	receipt
票	piào	*n.*	ticket
26. 等	děng	*v.*	to wait
27. ……一下	yíxià		used after a verb to indicate the briefness of the action (see Language Points)
28. 可以	kěyǐ	*AV*	may, can
29. 地铁	dìtiě	*n.*	subway
30. 公共汽车	gōnggòngqìchē	*n.*	bus
公共	gōnggòng	*adj.*	public
汽车	qìchē	*n.*	car
31. 方便	fāngbiàn	*adj.*	convenient

Proper Nouns (专有名词)

1. 南京路	Nánjīng Lù	Nanjing Rd.
2. 四川路	Sìchuān Lù	Sichuan Rd.

Useful Words & Expressions (补充词汇与短语)

Words

1. 那里	nàli	*pron.*	there
2. 那儿	nàr	*pron.*	there
3. 出口	chūkǒu	*n.*	exit
4. 入口	rùkǒu	*n.*	entrance
5. 机场	jīchǎng	*n.*	airport
6. 火车站	huǒchēzhàn	*n.*	railway station

Proper Nouns

1. 家乐福	Jiālèfú	Carrefour
2. 宜家家居	Yíjiā Jiājū	IKEA
3. 豫园	Yùyuán	the Yu Garden in old town Shanghai
4. 外滩	Wàitān	the Bund, water front

Expressions

1. 一直走。	Yìzhí zǒu.	Go straight (ahead).
2. 走高架。	Zǒu gāojià.	Take the elevated road.
3. 不要走高架。	Bú yào zǒu gāojià.	Don't take the elevated road.
4. 到了。	Dào le.	(We've) arrived. Here we are.
5. 可以停了。	Kěyǐ tíng le.	(You) can stop.
6. 过路口停。	Guò lùkǒu tíng.	Stop after the intersection.
7. 过了，过了！	Guò le, guò le!	(You) have passed it!
8. 在前面调头。	Zài qiánmian diào tóu.	Make a U turn ahead.
9. 今天堵车。	Jīntiān dǔ chē.	There's a traffic jam today.

Language Points (语言点)

1. Preposition 在 (zài) (介词"在")

The preposition 在 (zài) plus a noun indicates a location. (介词"在"(zài)加一个名词表示动作发生的地点)

(1) Sījī zài xià ge lùkǒu zuǒ guǎi.
司机 在 下 个 路口 左 拐。

(2) Mǎkè zài Shànghǎi zuò chūzūchē.
马克 在 上海 坐 出租车。

(3) Chūzūchē tíng zài Nánjīng Lù Sìchuān Lù lùkǒu.
出租车 停 在 南京 路 四川 路路口。

(4) Wǒmen zài xuéxiào shàng kè.
我们 在 学校 上 课。

(5) Sījī zuò zài qiánmian.
司机 坐 在 前面(front)。

(6) Wǒ zhù zài Shànghǎi.
我 住(to live) 在 上海。

✻ Does the "在 (zài) + noun" phrase appear in the same position in each sentence? Can you divide the six sentences into two groups? ② (See foot note for answer.) ("在"+名词在上面各例句中出现的位置一致吗？可否将六个例句分成两组？)

2. V+ 一下 (yíxià) (动词+"一下")

The structure V+ 一下 (yíxià) indicates the briefness of the action. When used in a request, it also makes the manner of speaking moderate and more polite. Sometimes the indication of the briefness of the action is not very strong. (V+"一下"表示动作的短暂。用在祈使句中，有缓和语气和表示礼貌的作用。有时"动作短暂"的意味不强)

(1) Děng yíxià.
等 一下。

(2) Tíng yíxià.
停 一下。

---

② When the 在 (zài) + noun phrase is placed before a verb, it indicates the location where the action takes place. Most sentences in Chinese follow this rule. But when the 在 (zài) + noun phrase is after a verb, it indicates the location where a state lasts. Such sentences are relatively few, which involve verbs such as 停 (tíng)(to stop)、坐 (zuò)(to sit)、住 (zhù)(to live)、待 (dāi)(to stay).

Nǐ kàn yíxià.
(3) 你 看(to look) 一下。

Mǎlì, qǐng nǐ lái yíxià.
(4) 玛丽，请 你 来 一下。

Mǎkè, xiě yíxià nǐ de Hànyǔ míngzi.
(5) 马克，写 一下 你 的 汉语 名字。

Dàjiā dú yíxià dì-sān kè de shēngcí.
(6) 大家 读 一下 第三 课(Lesson 3) 的 生词。

Cultural tips (文化提示)

Regional variations of Mandarin (普通话的地区差异)

Mandarin(Pǔtōnghuà) is the official national standard language of China, which is based on the Beijing dialect. However, other dialects in different regions have some influence on both the pronunciation and the vocabulary of Mandarin. There exist some regional variations. For example, 左拐 (zuǒ guǎi) and 右拐 (yòu guǎi) are standard expressions in Mandarin, but you may hear 大拐 (dà guǎi) and 小拐 (xiǎo guǎi) in Shanghai. Let's compare the following words:

Shànghǎirén shuō Pǔtōnghuà (上海人 说 普通话)	Běijīngrén shuō Pǔtōnghuà (北京人 说 普通话)
nǎli 哪里	nǎr 哪儿
zhèli 这里	zhèr 这儿
xīlánhuā 西兰花	xīlánhuār 西兰花(儿)③
děng yíxià 等 一下	děng yíxiàr 等 一下(儿)
kuàngquánshuǐ 矿泉水	kuàngquánshuǐr 矿泉水(儿)
càidān 菜单	càidānr 菜单(儿)

✻ Which pronunciation sounds better to you? With "-r" or without?

③ In regions where the "-r" sound is popular, the Chinese character 儿 (er) is sometimes omitted in the written form. However, its pinyin spelling "-r" is still required.

Exercises (练习)

1. Substitution (替换练习)

(1) A: Nín qù nǎli? 您去哪里？ B: Qù Nánjīng Lù Sìchuān Lù lùkǒu. 去南京路四川路路口。

(2) A: Tíng zài nǎli? 停在哪里？ B: Tíng zài zhèli. 停在这里。

(3) A: Nín fù xiànjīn háishì yòng kǎ? 您付现金还是用卡？ B: Wǒ fù xiànjīn. 我付现金。

(shì 是 / lǎoshī 老师 / xuésheng 学生)
(shì 是 / tā de tóngxué 他的同学 / péngyou 朋友)
(chī 吃 / niúròu 牛肉 / jīròu 鸡肉)

(4) Zuò chūzūchē, nǐ kěyǐ fù xiànjīn, hái kěyǐ yòng jiāotōngkǎ.
坐出租车，你可以付现金，还可以用交通卡。

(Zài xuéxiào 在学校 / shuō Hànyǔ 说汉语 / shuō Yīngyǔ 说英语)
(Zài shítáng 在食堂 / chī báimǐfàn 吃白米饭 / chī bāozi 吃包子)

2. Ask questions with question words according to the underlined parts (根据画线部分用疑问词提问)

(1) Mǎkè yào chǎofàn hé chǎomiàn.
马克要炒饭和炒面。

(2) Qǐng nín tíng zài lùkǒu.
请您停在路口。

(3) Mǎlì shì Měiguórén.
玛丽是美国人。

(4) Shítáng de yángròu shíwǔ kuài.
食堂的羊肉十五块。

(5) Tā jiào Zhāng Guózhōng.
他叫张国中。

(6) Zài qiánmian diào tóu.
在前面调头。

3. Sentence construction (组词成句)

(1) Wàitān 外滩 wǒ 我 chūzūchē 出租车 zuò 坐 zài 在

(2) zài 在 Nánjīng Lù 南京 路 chūzūchē 出租车 tíng 停

(3) Shànghǎi 上海 Mǎkè 马克 zài 在 xué 学 Hànyǔ 汉语

(4) tā 他 Sìchuān Lù 四川 路 zài 在 zhù 住

(5) shēngcí 生词 de 的 yíxià 一下 dì-sān kè 第三 课 dú 读

4. Translation (翻译)

(1) Stop at the intersection.

(2) Wait a second, please.

(3) Write your Chinese name, please.

(4) A: Please pay ￥22.00. B: Here you are.

(5) Sorry, I don't have cash. Can I use card?

(6) Shall we take a cab or take the subway?

(7) Make a left turn at the next intersection.

(8) They eat noodles in cafeteria.

5. Listening (听一听)

Listen to three dialogues and match the following passengers (chéngkè 乘客) with their destinations and taxi fairs.(听三段对话，画线匹配乘客、目的地和车费)

Vocabulary (生词)

知道	zhīdao	*v.*	to know (sth.)
小姐	xiǎojiě	*n.*	miss, young lady
怎么了?	Zěnme le?		What's up?
忘	wàng	*v.*	to forget
一号门	yī hào mén		Gate 1

chéngkè 1 乘客 1	Jiālèfú 家乐福	¥14
chéngkè 2 乘客 2	Hóngqiáo Jīchǎng 虹桥 机场	¥23
chéngkè 3 乘客 3	Yíjiā Jiājū 宜家 家居	¥40

6. Speaking (说一说)

(1) Group work (3-4 people): Bring a map(dìtú 地图) of Shanghai to class. Show your partners where you live. After exchanging information with each other, find out who are in the same district or close to each other; who is the nearest to school and who the farthest. (小组练习:3—4 人一组。带一幅上海地图到班上。告诉同学你住哪里,同学之间互相交换信息。看看谁跟谁住得近或住在同一个区;谁离学校最近;谁离学校最远)

Useful expressions: (可用的句型)

Nǐ zhù zài nǎli? Wǒ zhù zài···.
① Q: 你 住 在 哪里? A: 我 住 在……。

Wǒ zhù zài··· qū. Shuí yě zhù zài zhège qū?
② 我 住 在……区(district)。谁(who) 也 住 在 这个 区?

Shuí lí xuéxiào zuì jìn?
③ 谁 离 学校 最 近? (Who is the nearest to school?)

Shuí lí xuéxiào zuì yuǎn?
④ 谁 离 学校 最 远? (Who is the farthest to school?)

(2) Pair work: (双人练习)

chūzūchē sījī
Student A: 出租车 司机

chéngkè, cóng xuéxiào zuò chūzūchē huí jiā
Student B: 乘客, 从(from) 学校 坐 出租车 回 家

Unit 4

Buying Fruits and Telephone Card

mǎi shuǐguǒ hé diànhuàkǎ
买 水果 和 电话卡

1. Xiāngjiāo duōshǎo qián yì jīn? 香蕉多少钱一斤？ How much is banana per jin?
2. Tài guì le. Piányi yìdiǎn ba. 太贵了。便宜一点吧。 Too expensive. Cheaper.
3. Nín yào nǎ zhǒng? 您要哪种？ Which (kind) do you want?
4. Kěyǐ piányi yìdiǎn ma? 可以便宜一点吗？ Can it be cheaper?

kèwén (Text)

(Ⅰ)

Mǎkè: Xiāngjiāo duōshǎo qián yì jīn?
Mài shuǐguǒ de: Sì kuài yì jīn.
Mǎkè: Sì kuài? Tài guì le. Piányi yìdiǎn ba.
Mài shuǐguǒ de: Bú guì, zhè shì jìnkǒu de. Chāoshì mài liù kuài ne!
Mǎkè: Píngguǒ duōshǎo qián yì jīn?
Mài shuǐguǒ de: Zhè zhǒng liǎng kuài wǔ yì jīn, nà zhǒng liǎng kuài èr yì jīn.
Mǎkè: Wǒ mǎi zhè zhǒng.
Mài shuǐguǒ de: Yào jǐ jīn?
Mǎkè: Liǎng jīn.
Mài shuǐguǒ de: Yígòng wǔ kuài qián.

(Ⅱ)

Mǎkè: Qǐng wèn, yǒu diànhuàkǎ ma?
Mài kǎ de: Yǒu, zhèxiē dōu shì diànhuàkǎ.

	Nín yào nǎ zhǒng?
Mǎkè:	Nǎ zhǒng kěyǐ dǎ guójì diànhuà?
Mài kǎ de:	Zhè liǎng zhǒng dōu kěyǐ. Nǐ mǎi zhè zhǒng ba, dàjiā dōu mǎi zhè zhǒng.
Mǎkè:	Duōshǎo qián yì zhāng?
Mài kǎ de:	Nín yào wǔshí de háishì yìbǎi de?
Mǎkè:	Yìbǎi de.
Mài kǎ de:	Sìshí kuài qián yì zhāng.
Mǎkè:	Mǎi liǎng zhāng, nǐ kěyǐ piányi yìdiǎn ma?
Mài kǎ de:	Kěyǐ, gěi wǒ qīshíwǔ kuài ba.

课 文

（一）

马　　克：香蕉多少钱一斤？
卖水果的：四块一斤。
马　　克：四块？太贵了。便宜一点吧。
卖水果的：不贵，这是进口的。超市卖六块呢！
马　　克：苹果多少钱一斤？
卖水果的：这种两块五一斤，那种两块二一斤。
马　　克：我买这种。
卖水果的：要几斤？
马　　克：两斤。
卖水果的：一共五块钱。

（二）

马　克：请问，有电话卡吗？
卖卡的：有，这些都是电话卡。您要哪种？
马　克：哪种可以打国际电话？
卖卡的：这两种都可以。你买这种吧，大家都买这种。
马　克：多少钱一张？
卖卡的：您要五十的还是一百的？
马　克：一百的。
卖卡的：四十块钱一张。
马　克：买两张，你可以便宜一点吗？
卖卡的：可以，给我七十五块吧。

Vocabulary (生词语)

No.	Word	Pinyin	Part of speech	Meaning
1.	买	mǎi	*v.*	to buy
2.	水果	shuǐguǒ	*n.*	fruit
	水	shuǐ	*n.*	water
3.	电话	diànhuà	*n.*	telephone, phone call
	电	diàn	*n.*	electricity
4.	香蕉	xiāngjiāo	*n.*	banana
5.	斤	jīn	*MW*	a Chinese unit of weight, equal to 1/2 kg (see Cultural Tips)
6.	卖	mài	*v.*	to sell *e.g.* mài shuǐguǒ de 卖水果的 — fruit seller
7.	贵	guì	*adj.*	expensive
8.	太	tài	*adv.*	too, excessively ***Usage:*** often used with le 了 to form a tài 太 …… le 了 structure. *e.g.* Tài guì le! 太贵了！ — Too expensive! Tài hǎo le! 太好了！ — Great!
9.	便宜	piányi	*adj.*	cheap
10.	一点	yìdiǎn	*num.*	a bit, a little ***Usage:*** When yìdiǎn 一点 is placed after an adjective, it makes the degree of the adjective a bit higher than the original. *e.g.* piányi yìdiǎn 便宜一点 — a bit cheaper hǎo yìdiǎn 好一点 — better
11.	吧	ba	*part.*	***Usage:*** denoting suggestion or request, see Language Points
12.	进口	jìnkǒu	*v. & adj.*	to import; imported
13.	超市	chāoshì	*n.*	supermarket, short form of chāojí 超级 (super) shìchǎng 市场 (market)
14.	呢	ne	*part.*	***Usage:*** used at the end of a statement to make an emphasis.

15. 苹果	píngguǒ	*n.*	apple
16. 种	zhǒng	*MW*	type, kind
17. 一共	yígòng	*adv.*	altogether, in all
			e.g. Yígòng duōshǎo qián? 一共多少钱?
18. 请问	qǐng wèn		excuse me, may I ask...
			Usage: only used before the question that you are going to ask.
问	wèn	*v.*	to ask
19. 这些	zhèxiē	*pron.*	these
			Usage: other useful phrases with 些 (xiē) are: 那些 (nàxiē) those 哪些 (nǎxiē) which ones (more than one) 一些 (yìxiē) some, a number of
20. 都	dōu	*adv.*	all, both
			Usage: same with the adverb 也 (yě), see Unit 2 Language Points: 2. Adverbs.
21. 打	dǎ	*v.*	to make (a phone call)
22. 国际	guójì	*adj.*	international
23. 张	zhāng	*MW*	sheet, piece
			Usage: used for flat objects such as 卡 (kǎ)、纸 (zhǐ) (paper)、CD、床 (chuáng) (bed)、桌子 (zhuōzi) (table). See Appendix 1.
24. 百	bǎi	*num.*	hundred

Useful Words & Expressions (补充词汇与短语)

Words

1. 橘子	júzi	*n.*	tangerine, mandarin orange
2. 橙子	chéngzi	*n.*	orange
3. 桃子	táozi	*n.*	peach
4. 西瓜	xīguā	*n.*	water melon

5. 木瓜	mùguā	*n.*	papaya
6. 哈密瓜	hāmìguā	*n.*	Hami melon
7. 猕猴桃	míhóutáo	*n.*	kiwi fruit
8. 芒果	mángguǒ	*n.*	mango
9. 草莓	cǎoméi	*n.*	strawberry
10. 葡萄	pútáo	*n.*	grape
11. 梨	lí	*n.*	pear

Language Points (语言点)

1. Particle 吧 (ba) denoting suggestion or request (助词“吧”表示建议或请求)

The particle 吧 (ba) is placed at the end of a sentence to denote a suggestion or a request. It also makes the tone of speech softer. (助词“吧”放在句末表示建议或请求，也缓和了语气)

e.g.

(1) Tài guì le, piányi yìdiǎn ba.
太贵了，便宜一点吧。

(2) Zhè liǎng zhǒng dōu kěyǐ dǎ guójì diànhuà, nǐ mǎi zhè zhǒng ba.
这两种都可以打国际电话，你买这种吧。

(3) Gěi wǒ qīshíwǔ kuài ba.
给我七十五块吧。

(4) Chūzūchē tài guì le, zuò dìtiě ba.
出租车太贵了，坐地铁吧。

(5) Jiāotōngkǎ hěn fāngbiàn, mǎi yì zhāng ba.
交通卡很方便，买一张吧。

(6) Dào le, tíng zài zhèli ba.
到了，停在这里吧。

(7) Wǒ bù xǐhuan shítáng de fàncài, wǒmen qù fàndiàn ba.
我不喜欢食堂的饭菜，我们去饭店吧。

(8) Wǒ dǒng Hànyǔ, nǐ shuō Hànyǔ ba.
我懂(to understand)汉语，你说汉语吧。

2. 的 (de) in noun phrase (名词短语中的“的”)

We have learned 的 (de) indicating possession in Unit 1. In this unit we discuss 的 (de) in a broader sense. 的 (de) usually appears in a noun phrase. It introduces the additional information about the noun or noun pharse. The structure of a noun phrase with 的 (de) is:

de
additional information① + 的 + noun / noun phrase.
(第一课我们学了"的"表示所有,本课讨论"的"的更多用法。"的"通常出现在名词短语中,引出修饰名词的成分。一般的结构为: 修饰性成分 + "的" + 名词 / 名词短语)
e.g.

nǐmen de lǎoshī
(1) 你们 的 老师

Zhāng lǎoshī de xuésheng
(2) 张 老师 的 学生

xué Yīngyǔ de xuésheng
(3) 学 英语 的 学生

jìnkǒu de xiāngjiāo
(4) 进口 的 香蕉 imported banana

piányi de píngguǒ
(5) 便宜 的 苹果

wǔshí de diànhuàkǎ
(6) 五十 的 电话卡 the telephone card whose face value is fifty *kuài*

de
The noun after 的 can be omitted if it is clear from the context. (如果上下文很清楚,则"的"后面的名词可以省略) e.g.

Zhè shì jìnkǒu de (xiāngjiāo).
(1) 这 是 进口 的 (香 蕉)。

Nín yào wǔshí de (kǎ) háishi yìbǎi de (kǎ)?
(2) 您 要 五十 的 (卡) 还是 一百 的 (卡)?

de
In some phrases, the noun after 的 is omitted all the time regardless of the context. (在某些短语中,"的"后面的名词总是省略的) e.g.

mài shuǐguǒ de rén de
(1) 卖 水果 的 fruit seller (人 is omitted after 的)

mài kǎ de rén de
(2) 卖 卡 的 card seller (人 is omitted after 的)

nán de rén de Nàge nán de shì Mǎlì de nánpéngyou.
(3) 男 的 man (人 is omitted after 的) 那个 男 的 是 玛丽 的 男朋友。

nǚ de rén de
(4) 女 的 woman (人 is omitted after 的)

chī de dōngxi de
(5) 吃 的 food (informal) (东西〔thing, stuff〕is omitted after 的)

Shítáng yǒu shénme chī de?
食堂 有 什么 吃 的?

hē de dōngxi de
(6) 喝 的 drinks (informal) (东西 is omitted after 的)

de
Sometimes we don't need or don't necessarily need 的 to link the noun and its additional information (usually an adjective). (有时在名词和它的修饰成分〔通常是形容词〕之间不一定要用"的") e.g.

① The additional information can be another noun, noun phrase, pronoun, adjective, numeral, verb or verb phrase.

jīròu bāozi jīròu de bāozi
(1) 鸡肉 包子 (not 鸡肉 的 包子)

guójì diànhuà guójì de diànhuà
(2) 国际 电话 (not 国际 的 电话)

jìnkǒu xiāngjiāo jìnkǒu de xiāngjiāo
(3) 进口 香蕉 (also 进口 的 香蕉)

nánpéngyou nán de péngyou
(4) 男朋友 (not 男 的 朋友, which means “male friend”)

hǎopéngyou hǎo de péngyou, hěn hǎo de péngyou
(5) 好朋友 (not 好 的 朋友, but 很 好 的 朋友)

wǒ jiā wǒ de jiā
(6) 我 家 (also 我 的 家)

3. Measure word (2) (量词二)

As we have learned in Unit 2, measure word is used after a numeral or question word 几 (jǐ) and 多少 (duōshǎo). In this unit we also find measure word is used after pronoun 这 (zhè), 那 (nà) and question word 哪 (nǎ). (第二课已学过，数词、疑问词“几”和“多少”之后要加量词。在本课中，我们看到代词“这”、“那”和疑问词“哪”后面也用量词。)

e.g. 这种 (zhè zhǒng) (this kind) 那种 (nà zhǒng) (that kind) 哪种 (nǎ zhǒng) (which kind)

Let’s summarize the usage of measure word with the noun 学生 (xuésheng) and measure word 个 (gè), the noun 卡 (kǎ) and measure word 种 (zhǒng). (我们以名词“学生”和量词“个”、名词“卡”和量词“种”为例来总结一下量词的用法)

xuésheng (gè) 学生 (个):		kǎ (zhǒng) 卡 (种):	
yí ge xuésheng 一个 学生	a student	yì zhǒng kǎ 一 种 卡	one kind of card
jǐ ge xuésheng 几 个 学生	how many students	jǐ zhǒng kǎ 几 种 卡	how many kinds of cards
duōshǎo (ge) xuésheng 多少 (个) 学生	how many students	duōshǎo zhǒng kǎ 多少 种 卡	how many kinds of cards
zhège xuésheng 这个 学生	this student	zhè zhǒng kǎ 这 种 卡	this kind of card
nàge xuésheng 那个 学生	that student	nà zhǒng kǎ 那 种 卡	that kind of card
nǎge xuésheng 哪个 学生	which student	nǎ zhǒng kǎ 哪 种 卡	which kind of card

Cultural tips (文化提示)

The Chinese measure of weight **斤 (jīn) (量词"斤")**

As *pound* is used in some countries, 斤 (jīn) (500g) is used by Chinese in daily life. Fruits, vegetables, even human body use 斤 (jīn) as measure of weight. Smaller than 斤 (jīn) is 两 (liǎng) (50g). Noodles, rice, dumplings and so on can be ordered by 两 (liǎng) in cafeteria or small eatery. (在中国,"斤"是使用较为普遍的量词。水果、蔬菜,甚至体重都用"斤"做称量量词,比"斤"小的量词是"两"。在食堂或小饭馆,面条、米饭、饺子等都可以按"两"来买) e.g.

Wǒ yào niúròu lāmiàn.
A: 我 要 牛肉 拉面。

Yào jǐ liǎng?
B: 要 几 两?

Sān liǎng.
A: 三 两。

Exercises (练习)

1. Substitution (替换练习)

You can use the given words and/or those in "Useful Words & Expressions".

(1) A: Xiāngjiāo duōshǎo qián yì jīn?
A: 香蕉 多少 钱 一 斤?

píjiǔ 啤酒	píng 瓶 (bottle)
kāfēi 咖啡 (coffee)	bēi 杯 (cup)
báimǐfàn 白米饭	wǎn 碗 (bowl)

Sì kuài yì jīn.
B: 四 块 一 斤。

(2) Diànhuàkǎ duōshǎo qián yì zhāng?
A: 电话卡 多少 钱 一 张?

jiǎozi 饺子	pán 盘 (plate)
zìxíngchē 自行车 (bicycle)	liàng 辆 (for vehicles with wheels)

méigui 玫瑰 (rose) shù 束 (bunch)
xīguā 西瓜 ge 个

Nín yào wǔshí de háishì yìbǎi de?
B: 您 要 五十 的 还是 一百 的?

yángròu de 羊肉 的 zhūròu de 猪肉 的
piányi de 便宜 的 guì de 贵 的
hóng de 红 (red) 的 bái de 白 的
dà de 大 的 xiǎo de 小 (small) 的

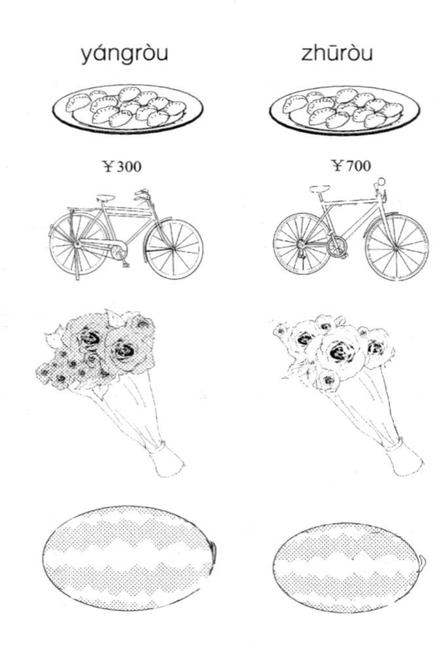

Yìbǎi de.
A: 一百 的。

Qǐng wèn, yǒu diànhuàkǎ ma?
(3) A: 请 问, 有 电话卡 吗?

míhóutáo 猕猴桃
chéngzi 橙子
cǎoméi 草莓
xiāngjiāo 香蕉
mùguā 木瓜

Yǒu, zhèxiē dōu shì diànhuàkǎ. Nín yào nǎ zhǒng?
B: 有, 这些 都 是 电话卡。您 要 哪 种?

Nǎ zhǒng kěyǐ dǎ guójì diànhuà?
A: 哪 种 可以 打 国际 电话?

piányi 便宜
shì jìnkǒu de 是 进口 的
tián 甜 (sweet)
hǎochī 好吃 (delicious)
xīnxiān 新鲜 (fresh)

2. Sentence construction (组词成句)

Organize the following words groups into sentences (all are questions) and match the questions with their corresponding answers below. (联词组成问句,并与下列答案匹配)

(1) 哪 nǎ　要 yào　电话卡 diànhuàkǎ　你 nǐ　种 zhǒng　?

(2) 吗 ma　同学 tóngxué　是 shì　男 的 nán de　你 的 nǐ de　那个 nàge　?

(3) 下 个 xià ge　吗 ma　左 拐 zuǒ guǎi　在 zài　路口 lùkǒu　?

(4) 还是 háishì　公共汽车 gōnggòngqìchē　你 nǐ　地铁 dìtiě　坐 zuò　喜欢 xǐhuan　?

(5) 五 块 钱 wǔ kuài qián　是 shì　这些 zhèxiē　吗 ma　一 斤 yì jīn　都 dōu　?

Answers (答案)

Nǎ zhǒng piányi yìdiǎn?
A: 哪 种 便宜 一点?

Bú shì, wǒ bú rènshi tā.
B: 不 是, 我 不 认识 他。

Bú shì, zhèxiē shì wǔ kuài qián yì jīn, nàxiē shì wǔ kuài qián sān jīn.
C: 不 是, 这些 是 五 块 钱 一 斤,那些 是 五 块 钱 三 斤。

Bú shì, yìzhí zǒu.
D: 不 是,一直 走。

Dōu xǐhuan, yīnwèi dōu hěn fāngbiàn.
E: 都 喜欢, 因为 都 很 方便。

3. Translation (翻译)

(1) Let's wait for him here.

(2) Can I use transportation card?

(3) We have five people altogether. Let's take subway. (一共 yígòng)

(4) These fruits are very expensive, because they are imported.

(5) The two kinds of telephone cards can both make international call. (dōu 都)

(6) I don't want the 100-yuan card. Give me two 50-yuan cards. (yìbǎi de 一百的、wǔshí de 五十的)

4. Listening (听一听)

Listen to the following four dialogues and fill out the form. (听四段对话,完成下表)

Vocabulary **(生词)**

称	chēng	*v.*	to weigh
行	xíng	*adj.*	OK, alright
找	zhǎo	*v.*	to give (change)
下次	xià cì		next time

	Nán de mǎi shénme? 男的买什么?	Duōshǎo qián? 多少钱?	Tā mǎile ma? 他买了吗? (Did he buy?)	Tā fùle duōshǎo qián? 他付了多少钱? (How much did he pay?)
1				
2				
3				
4				

5. Reading (读一读)

xuésheng 学生 =X　　mài DVD de 卖DVD的 =M

Qǐng wèn, nǐ zhèli yǒu hǎokàn de Zhōngguó diànyǐng ma?
X: 请问,你这里有好看 (nice to watch) 的中国电影 (movie) 吗?

Yǒu, zhèxiē dōu shì Zhōngguó diànyǐng. Nǐ zìjǐ tiāo ba.
M: 有,这些都是中国电影。你自己 (self) 挑 (to select) 吧。

Wǒ bù zhīdao nǎxiē hǎokàn. Nǎxiē shì zuì xīn de?
X: 我不知道哪些好看。哪些是最新 (new) 的?

Zhège shì zuì xīn de, nàge yě shì zuì xīn de.
M: 这个是最新的,那个也是最新的。

Zhège hǎokàn háishi nàge hǎokàn?
X: 这个好看还是那个好看?

Dōu hǎokàn. Liǎng ge nǐ dōu mǎi ba.
M: 都 好看。两 个 你 都 买 吧。

Dōu yǒu Yīngwén zìmù ma?
X: 都 有 英文 字幕 (subtitle) 吗？

Dōu yǒu.
M: 都 有。

Duōshǎo qián yì zhāng?
X: 多少 钱 一 张？

Qī kuài yì zhāng, liǎng zhāng yígòng shísì kuài qián.
M: 七 块 一 张， 两 张 一共 十四 块 钱。

Gěi nǐ qián. Rúguǒ zhìliàng bù hǎo, wǒ kěyǐ lái huàn ma?
X: 给 你 钱。如果 (if) 质量 (quality) 不 好，我 可以 来 换 (to change) 吗？

Kěyǐ. Wǒ měi tiān dōu zài zhèli.
M: 可以。我 每 天 (everyday) 都 在 这里。

6. Speaking (说一说)

(1) Pair work (双人练习):

① Read the above dialogue with your partner. (与你的同伴一起朗读上述对话)

② Ask your partner questions according to the content. (根据对话内容向同伴提问)

③ Bring a DVD to the class. Tell your partner about the DVD and the DVD shop. (带一张 DVD 到班里来，向你同伴描述这张 DVD 及 DVD 商店)

(2) Group work(3-4 people):Discuss the following questions and choose a person to summarize what the others say. (小组活动：3—4 人一组讨论下列话题，并选一名代表概述讨论内容)

Nǐ zuì xǐhuan chī nǎ zhǒng shuǐguǒ? Shànghǎi yǒu ma? Duōshǎo qián yì jīn?
① 你 最 喜欢 吃 哪 种 水果？ 上海 有 吗？ 多少 钱 一 斤？

Zài Shànghǎi, nǐ xǐhuan qù nǎli mǎi dōngxi?
② 在 上海，你 喜欢 去 哪里 买 东西？

Zài Zhōngguó, shénme dōngxi hěn guì? Shénme dōngxi hěn piányi?
③ 在 中国， 什么 东西 很 贵？ 什么 东西 很 便宜？

Nǐ yòng diànhuàkǎ dǎ guójì diànhuà ma? Zài nǎli mǎi? Duōshǎo qián yì zhāng?
④ 你 用 电话卡 打 国际 电话 吗？在 哪里 买？ 多少 钱 一 张？

(3) Group work (3 people): Role playing——Each student choose a role and read the relevant instructions. (小组活动：3 人一组分角色表演买东西)

xuésheng A: Zài xuésheng B huòzhě xuésheng C de shāngdiàn mǎi dōngxi:
① **学生 A:** 在 学生 B 或者 学生 C 的 商店 (store) 买 东西：

shuǐ;
✻ **水**；

píjiǔ, bú yào píng de, yào tīng de;
✻ **啤酒**，不 要 瓶 的，要 听 (can) 的；

miànbāo, bú yào tián de;
✼ **面包** (bread)，不 要 甜 的；

jǐ ge chéngzi, yào piányi yìdiǎn de;
✼ 几 (several) 个 **橙子**，要 便宜 一点 的；

zhǐjīn;
✼ **纸巾** (tissue)；

xiānhuā.
✼ **鲜花** (fresh flowers)。

xuésheng B: Nǐ de shāngdiàn yǒu:
② **学生 B**: 你 的 商店 有：

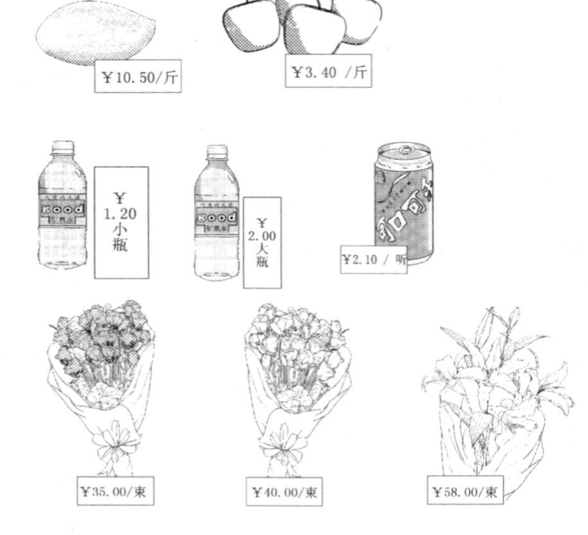

mángguǒ 芒果	jīn ¥10.50 / 斤
píngguǒ 苹果	jīn ¥3.40 / 斤
kělè 可乐	tīng ¥2.10 / 听 (can)
kuàngquánshuǐ 矿泉水	dà píng ¥2.00 / 大 瓶
	xiǎo píng ¥1.20 / 小 瓶
hóngméigui 红玫瑰	shù ¥35 .00/ 束
báiméigui 白玫瑰	shù ¥40 .00/ 束
bǎihé 百合 (lily)	shù ¥58.00 / 束

xuésheng C: Nǐ de shāngdiàn yǒu:
③ **学生 C**: 你 的 商店 有：

Měiguó chéngzi 美国 橙子	jīn ¥7.00 / 斤
Sìchuān chéngzi 四川 橙子	jīn ¥3.80 / 斤
Qīngdǎo píjiǔ 青岛 啤酒	píng ¥3.40 / 瓶
Bǎiwēi píjiǔ 百威 啤酒 (Budwiser)	tīng ¥2.80 / 听 (can)
pútáogān miànbāo 葡萄干 面包 (raisin bread)	ge ¥4.00 / 个
zhǐjīn 纸巾 (tissue)	bāo ¥1.00 / 包 (pack)

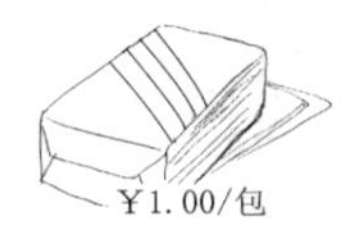

Unit 5

Café

1. Nǐmen yǒu méiyǒu Yīngwén càidān?
   你们有没有英文菜单？
   Do you have a menu in English?
2. Nín yào dà pán de háishì xiǎo pán de?
   您要大盘的还是小盘的？
   Do you want a big plate or a small plate (of food)?
3. Wǒ xiān yào yì bēi bīng chéngzhī.
   我先要一杯冰橙汁。
   I want to have a glass of iced orange juice first.
4. Guò yíhuìr yào kāfēi.
   过一会儿要咖啡。
   I'll order coffee later.
5. Máfan nǐmen kuài yìdiǎn.
   麻烦你们快一点。
   Please be quick.

kèwén (Text)

(I)

Mǎkè: Xiǎojiě! Lái yíxià!
Fúwùyuán: Xiānsheng, nín xūyào shénme?
Mǎkè: Nǐmen yǒu méiyǒu Yīngwén càidān?
Fúwùyuán: Duìbuqǐ, méiyǒu. Zhǐ yǒu Zhōngwén de.

(II)

Fúwùyuán: Nín chī fàn háishì hē kāfēi?
Mǎkè: Dōu yào. Nǐmen zhèli yǒu méiyǒu Yìdàlìmiàn?
Fúwùyuán: Yǒu, wǒmen zhèli de Yìdàlìmiàn fēicháng zhèngzōng. Qǐng wèn, nín yào dà pán de háishì xiǎo pán de?
Mǎkè: Xiǎo pán de.
Fúwùyuán: Hǎo de.

(Ⅲ)

Fúwùyuán: Nín hē shénme kāfēi?
Măkè: Wŏ xiān yào yì bēi bīng chéngzhī. Guò yíhuìr yào kāfēi, kěyǐ ma?
Fúwùyuán: Dāngrán kěyǐ. Nín hái xūyào biéde ma?
Măkè: Bú yào le, xièxie. Máfan nǐmen kuài yìdiăn, hăo ma?
Fúwùyuán: Méi wèntí.

(Ⅳ)

Zuótiān Măkè qùle yì jiā kāfēiguăn. Tā zài nàli chīle yì pán Yìdàlìmiàn, hái hēle yì bēi chéngzhī hé yì bēi kāfēi. Yìdàlìmiàn fēicháng hăochī, búguò kāfēi bú tài zhèngzōng.

课文

(一)

马　克：小姐！来一下！
服务员：先生，您需要什么？
马　克：你们有没有英文菜单？
服务员：对不起，没有。只有中文的。

(二)

服务员：您吃饭还是喝咖啡？
马　克：都要。你们这里有没有意大利面？
服务员：有，我们这里的意大利面非常正宗。请问，您要大盘的还是小盘的？
马　克：小盘的。
服务员：好的。

(三)

服务员：您喝什么咖啡？
马　克：我先要一杯冰橙汁。过一会儿要咖啡，可以吗？
服务员：当然可以。您还需要别的吗？
马　克：不要了，谢谢。麻烦你们快一点，好吗？
服务员：没问题。

(四)

昨天马克去了一家咖啡馆。他在那里吃了一盘意大利面，还喝了一杯橙汁和一杯咖啡。意大利面非常好吃，不过咖啡不太正宗。

Vocabulary (生词语)

1. 咖啡馆	kāfēiguǎn	*n.*	café
……馆	guǎn		a place for commercial, cultural or sports activities
			e.g. fànguǎn 饭馆 — small eatery cháguǎn 茶馆 — tea house bīnguǎn 宾馆 — hotel tǐyùguǎn 体育馆 — stadium túshūguǎn 图书馆 — library
2. 咖啡	kāfēi	*n.*	coffee
3. 小姐	xiǎojiě	*n.*	miss, young lady (also used to address waitress)
小	xiǎo	*adj.*	small
姐	jiě	*n.*	elder sister, usually jiějie 姐姐
4. 来	lái	*v.*	to come
5. 需要	xūyào	*v.*	to need
6. 英文	Yīngwén	*n.*	English (written)
……文	wén		written language
7. 菜单	càidān	*n.*	menu
……单	dān		bill, list
			e.g. Mǎi dān! 买单！ — Bill please! diànhuà zhàngdān 电话账单 — telephone bill
8. 对不起	duìbuqǐ		sorry, excuse me
9. 中文	Zhōngwén	*n.*	Chinese (written)
10. 喝	hē	*v.*	to drink
11. 意大利面	Yìdàlìmiàn	*n.*	spaghetti
意大利	Yìdàlì	*PN*	Italy
12. 非常	fēicháng	*adv.*	very, extremely

			Usage: 非常 (fēicháng) is equal to "very" in English and 很 (hěn) is less in degree. So 很好 (hěn hǎo) is "good" and 非常好 (fēicháng hǎo) is "very good".
13. 正宗	zhèngzōng	*adj.*	authentic, one hundred percent
14. 盘	pán	*MW*	plate
			e.g. 一盘意大利面 (yì pán Yìdàlìmiàn) a plate of spaghetti
			Usage: the noun "plate" is 盘子 (pánzi).
			e.g. 一个盘子 (yí ge pánzi) a plate
15. 先	xiān	*adv.*	first
			Usage: used before a verb.
			e.g. 我先看一下菜单。(Wǒ xiān kàn yíxià càidān.)
16. 杯	bēi	*MW*	cup, glass
			e.g. 一杯咖啡 (yì bēi kāfēi) a cup of coffee
			Usage: the noun "cup, glass" is 杯子 (bēizi).
			e.g. 一个杯子 (yí ge bēizi) a cup
17. 冰	bīng	*n. & adj.*	ice; iced
18. 橙汁	chéngzhī	*n.*	orange juice
……汁	zhī		juice
			e.g. 果汁 (guǒzhī) fruit juice
			苹果汁 (píngguǒzhī) apple juice
19. 过	guò	*v.*	to pass
20. 一会儿	yíhuìr		a while, a few minutes
			e.g. 过一会儿 (guò yíhuìr) after a while, in a few minutes
			等一会儿 (děng yíhuìr) wait a moment
21. 当然	dāngrán	*adv.*	of course
22. 别的	biéde	*pron.& adj.*	other things; other
			e.g. 还要别的吗？(Hái yào biéde ma?)

Want anything else?
Hái yǒu bié de diànhuàkǎ ma?
还有别的电话卡吗?
Do you have other phone cards?

23. 谢谢 xièxie — thank

24. 麻烦 máfan *v. & adj.* — to bother, to trouble; troublesome

Usage: the verb 麻烦 (máfan) is used in a request to make it polite.

e.g. Máfan nín děng yíxià.
麻烦您等一下。
Please wait a moment.

Máfan nín gěi wǒ càidān.
麻烦您给我菜单。
Please give me the menu.

Opposite: 方便 (fāngbiàn)

25. 快 kuài *adj.* — quick, fast

Opposite: 慢 (màn)

26. 问题 wèntí *n.* — problem, question

e.g. Méi wèntí!
没问题! No problem!

27. 昨天 zuótiān *TW* — yesterday
天 tiān *n.* — day, sky

28. 了 le *part.* — used after verb, indicating that an action has taken place, see Language Points

29. 家 jiā *MW* — used for 公司 (gōngsī) (company)、商店 (shāngdiàn) (shop)、医院 (yīyuàn) (hospital) etc.

30. 那里 nàli *pron.* — there

31. 好吃 hǎochī *adj.* — delicious

Usage: similar structures include

hǎohē 好喝 — nice to drink
hǎokàn 好看 — nice to watch, beautiful
hǎotīng 好听 — nice to listen to

32. 不过 búguò *conj.* — but, however

Language Points (语言点)

1. Adjective predicate sentence (形容词谓语句)

✼ Do you remember the basic structure of a Chinese sentence we learned in Unit 1? Read the following sentences and see the difference. (第一课介绍了句子的基本结构。读下列句子,看看和学过的基本结构有何不同)

Wǒ hěn gāoxìng.
① 我 很 高兴。

Jiāotōngkǎ hěn fāngbiàn.
② 交通卡 很 方便。

Nà jiā kāfēiguǎn de Yìdàlìmiàn fēicháng hǎochī, búguò kāfēi bú tài zhèngzōng.
③ 那 家 咖啡馆 的 意大利面 非常 好吃,不过 咖啡 不太 正宗。

Nǐ de xiāngjiāo tài guì le. Bú guì, shì jìnkǒu de.
④ A: 你 的 香蕉 太 贵 了。 B: 不 贵,是 进口 的。

Nǐmen de Yìdàlìmiàn zhèngzōng ma? Fēicháng zhèngzōng.
⑤ A: 你们 的 意大利面 正宗 吗? B: 非常 正宗。

Write what you find here: (把你的发现写在这里)

____

____

____

Note:

(1) **In a statement,** adverbs indicating degree such as 很 (hěn)、非常 (fēicháng)、太 (tài) are always put before the adjectives. In other words, you cannot use the adjective alone in a statement. 很 (hěn) is the most common adverb that appears before an adjective and most of the time it is only structural. So 我 很 高兴 (wǒ hěn gāoxìng) means "I'm happy" and 我 非常 高兴 (wǒ fēicháng gāoxìng) means "I'm very happy".(在形容词谓语句的肯定形式中,形容词前一般有程度副词"很、非常、太"等修饰。换句话说,肯定句中的形容词谓语一般不能单独使用,它们前面常加副词"很",且通常仅是出于语法的需要)

(2) **The negation** of a sentence with adjective is formed by adding 不 (bù) and omitting adverbs like 很 (hěn)、非常 (fēicháng)。(形容词谓语句的否定形式一般不用"很、非常"这类副词) e.g.

Gōnggòngqìchē hěn fāngbiàn. Gōnggòngqìchē bù fāngbiàn.
① 公共汽车 很 方便。→ 公共汽车 不 方便。

Nǐ de xiāngjiāo tài guì le. Wǒ de xiāngjiāo bú guì.
② 你的 香蕉 太 贵 了。→ 我 的 香蕉 不 贵。

bú tài
不 太 means "not very". e.g.

Nà jiā kāfēiguǎn de kāfēi bú tài zhèngzōng. Gōnggòngqìchē bú tài fāngbiàn.
那 家 咖啡馆 的 咖啡 不 太 正宗。 公共汽车 不 太 方便。

(3) **The question** is formed by adding 吗 (ma) at the end of the sentence and adverbs like 很 (hěn)、非常 (fēicháng)、太 (tài) are omitted. (在句末加"吗"构成的形容词谓语句的疑问形式,一般不再用"很、非常、太"这类副词) e.g.

Wǒmen de Yìdàlìmiàn fēicháng zhèngzōng. Nǐmen de Yìdàlìmiàn zhèngzōng ma?
我们 的 意大利面 非常 正宗。→ 你们 的 意大利面 正宗 吗?

2. Affirmative + negative (A—not—A) question (正反问句)

So far the only simple question form we learned is the 吗 (ma) question. In this unit, another question form with the similar function is introduced. Let's see some examples: (目前我们只学了有"吗"的简单问句,本课介绍简单问句的另一种形式)

Nǐmen yǒu méiyǒu Yīngwén càidān?
(1) 你们 有 没有 英文 菜单? ← ____________________

Nǐmen zhèli yǒu méiyǒu Yìdàlìmiàn?
(2) 你们 这里 有 没有 意大利面? ← ____________________

✲ Can you change the two questions back into the 吗 (ma) question? If you can, then you've found the interchanging rule between the two question forms. (你能将上面两句转换成有"吗"的问句吗? 如果你会转换,那么你已经掌握了这两种句型的互换规律)

3. Adj. + 一点 (yìdiǎn) (形容词 + "一点")

We have learned in Unit 4 that when 一点 (yìdiǎn) is used after an adjective, it makes the degree of the adjective stronger. Such a struture is often used in a request. Let's see the following examples: (我们在第四课学过,形容词后加"一点"加强了形容词的程度。形容词 + "一点"的结构常用在祈使句中,下面是一些例子)

Tài guì le, kěyǐ piányi yìdiǎn ma?
(1) (When bargaining) 太 贵 了,可以 便宜 一点 吗?

Máfan nǐmen kuài yìdiǎn.
(2) (If you've been waiting for the food for too long) 麻烦 你们 快 一点。

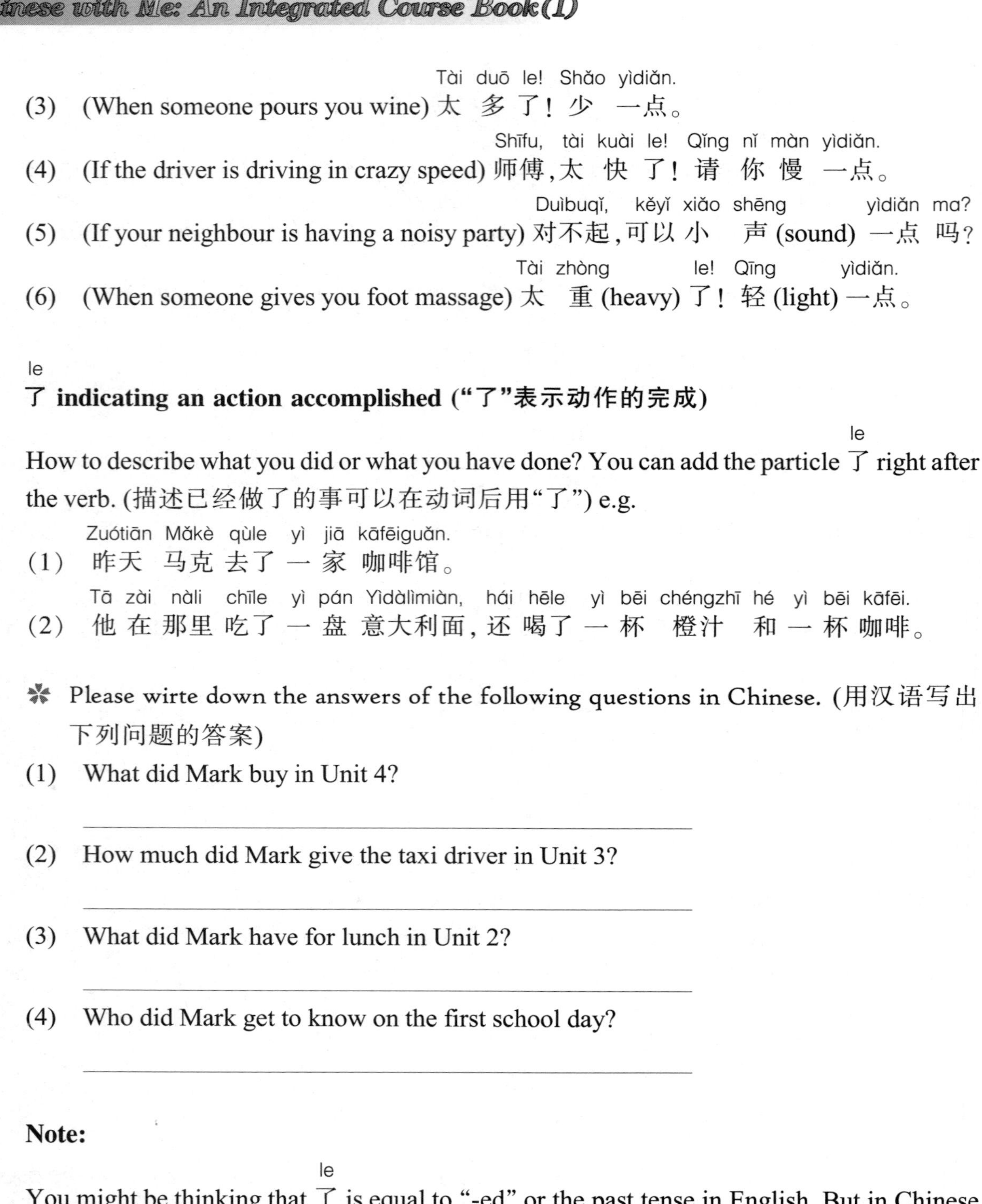

Tài duō le! Shǎo yìdiǎn.
(3) (When someone pours you wine) 太 多 了！少 一点。

Shīfu, tài kuài le! Qǐng nǐ màn yìdiǎn.
(4) (If the driver is driving in crazy speed) 师傅，太 快 了！请 你 慢 一点。

Duìbuqǐ, kěyǐ xiǎo shēng yìdiǎn ma?
(5) (If your neighbour is having a noisy party) 对不起，可以 小 声 (sound) 一点 吗？

Tài zhòng le! Qīng yìdiǎn.
(6) (When someone gives you foot massage) 太 重 (heavy) 了！轻 (light) 一点。

le
4. 了 indicating an action accomplished (“了”表示动作的完成)

How to describe what you did or what you have done? You can add the particle 了 (le) right after the verb. (描述已经做了的事可以在动词后用“了”) e.g.

Zuótiān Mǎkè qùle yì jiā kāfēiguǎn.
(1) 昨天 马克 去了 一 家 咖啡馆。

Tā zài nàli chīle yì pán Yìdàlìmiàn, hái hēle yì bēi chéngzhī hé yì bēi kāfēi.
(2) 他 在 那里 吃了 一 盘 意大利面，还 喝了 一 杯 橙汁 和 一 杯 咖啡。

✽ Please wirte down the answers of the following questions in Chinese. (用汉语写出下列问题的答案)

(1) What did Mark buy in Unit 4?

____

(2) How much did Mark give the taxi driver in Unit 3?

____

(3) What did Mark have for lunch in Unit 2?

____

(4) Who did Mark get to know on the first school day?

____

Note:

You might be thinking that 了 (le) is equal to “-ed” or the past tense in English. But in Chinese what's related with past is not always marked by 了 (le). (“了”并不等于英语的过去时，汉语中对过去的描述有时无需加“了”) e.g.

Yìdàlìmiàn fēicháng hǎochī, búguò kāfēi bú tài zhèngzōng.
意大利面 非常 好吃，不过 咖啡 不 太 正宗。

This was Mark's impression on the food he had yesterday. Since the sentence is not about an action accomplished or something happened, 了 (le) is not used. Moreover, the usage of

le
了 is not limited in what happened in the past only.(“了”并不是只能用于过去时)

Nín hái xūyào biéde ma?
A: 您 还 需要 别的 吗?

Bú yào le.
B: 不 要 了。

This conversation is in present tense, but 了 (le) is used in Mark's answer. The usage of 了 (le) in 不 要 了 (bú yào le) will be discussed in Unit 8. (“了”也可用于现在时,如“不要了”,这将在第8课学习)

Exercises (练习)

1. Substitution (替换练习)

(1) A: 有没有英文菜单? (Yǒu méiyǒu Yīngwén càidān?)
B: 没有,有中文的。(Méiyǒu, yǒu Zhōngwén de.)

qù 去	kāfēiguǎn 咖啡馆
hē 喝	hóngchá 红茶 (black tea)
xǐhuan 喜欢	Yìdàlìcài 意大利菜
chī 吃	ròu 肉

(2) A: 我要一盘意大利面。(Wǒ yào yì pán Yìdàlìmiàn.)
B: 您要大盘的还是小盘的? (Nín yào dà pán de háishì xiǎo pán de?)
A: 小盘的。(Xiǎo pán de.)

kāfēi 咖啡	bīng de 冰的	rè de 热 (hot) 的
bīngjīlíng 冰激凌 (ice cream)	cǎoméi de 草莓的	qiǎokèlì de 巧克力 (chocolate) 的
méigui 玫瑰	hóng de 红的	bái de 白的

(3) 我先要一杯冰橙汁,过一会儿要咖啡。(Wǒ xiān yào yì bēi bīng chéngzhī, guò yíhuìr yào kāfēi.)

chī fàn 吃饭	hē kāfēi 喝咖啡
děng yí ge péngyou 等一个朋友	diǎn cài 点菜 (to order food)
qù mǎi dōngxi 去买东西	huí jiā 回家

Wǒ chīle yì pán Yìdàlìmiàn, hái hēle yì bēi chéngzhī.
(4) 我 吃了一 盘 意大利面，还 喝了一 杯 橙汁。

qùle 去了	Wàitān 外滩	qùle 去了	Nánjīng Lù 南京 路
mǎile 买了	chī de 吃的	mǎile 买了	hē de 喝的
yàole 要了	guǒzhī 果汁	jiā le 加(to add)了	bīngkuài 冰块 (ice cube)
dúle 读了	shēngcí 生词	xiěle 写了	shēngcí 生词

2. Change the 吗 (ma) questions into affirmative and negative questions. (把下列问句改成正反问句。)

Nǐ yòng jiāotōngkǎ ma?
(1) 你 用 交通卡 吗？

Nǐ yǒu Hànyǔ fǔdǎo ma?
(2) 你 有 汉语 辅导 (tutor) 吗？

Nǐ xǐhuan hē Zhōngguóchá ma?
(3) 你 喜欢 喝 中国茶 吗？

Nǐ xǐhuan chī shítáng de fàncài ma?
(4) 你 喜欢 吃 食堂 的 饭菜 吗？

Jīntiān de tiānqì hǎo ma?
(5) 今天 的 天气 (weather) 好 吗？

Jiālèfú chāoshì de dōngxi piányi ma?
(6) 家乐福 超市 的 东西 便宜 吗？

Nǐmen guójiā Zhōngguó fàndiàn de cài zhèngzōng ma?
(7) 你们 国家 中国 饭店 的 菜 正宗 吗？

3. Sentence construction (组词成句)

yī kāfēiguǎn qù jiā tā zuótiān le
(1) 一 咖啡馆 去 家 他 昨天 了

biéde hái yǒu ma cài nǐmen
(2) 别的 还 有 吗 菜 你们 ？

le Yìdàlìmiàn nà tā chī yī kāfēiguǎn jiā pán zài
(3) 了 意大利面 那 他 吃 一 咖啡馆 家 盘 在

lùkǒu nǐ zài wǒ máfan děng
(4) 路口 你 在 我 麻烦 等

Yīngwén yíxià míngzi nǐ máfan xiě nǐ de
(5) 英文 一下 名字 你 麻烦 写 你 的

4. Fill in blanks (填空)

(1) Nǐmen yào jǐ ____ bēizi?
你们要几____杯子?

(2) Wǒ mǎi le yì ____ hěn piányi de cídiǎn.
我买了一____很便宜的词典(dictionary)。

(3) Zhè zhǒng DVD duōshǎo qián yì ____?
这种 DVD 多少钱一____?

(4) Fúwùyuán, qǐng gěi wǒmen liǎng ____ kuàizi、liǎng ____ pánzi.
服务员,请给我们两____筷子、两____盘子。

(5) A: Wǒ mǎi huā. B: Wǒmen zhèli yǒu méigui hé bǎihé, nǐ yào nǎ ____?
A: 我买花。 B: 我们这里有玫瑰和百合,你要哪____?

(6) Shàng ge xīngqī wǒ mǎile yí ____ xīn zìxíngchē, búguò zuótiān diū ____ le.
上个星期我买了一____新自行车,不过昨天丢(to lose)了。

(7) Zài Běijīng yǒu yì ____ zhèngzōng de Zhōngguó cháguǎn, jiào Lǎoshě Cháguǎn.
在北京有一____正宗的中国茶馆,叫“老舍茶馆”。

5. Translation (翻译)

(1) Please be quick.

(2) Can it be cheaper?

(3) The food in the cafeteria is not very good.

(4) Wait a moment. I'll give you the receipt in a few minutes.

(5) It's very convenient to take subway, but there are too many people.

(6) A: I want a plate of fried rice first. B: Sorry, we only have plain rice.

6. Listening (听一听)

Listen to the following three dialogues and fill out the form. (听三段对话,完成下表)

Vocabulary (生词)

汉堡	hànbǎo	*n.*	hamburger
中	zhōng	*adj.*	medium, middle
派	pài	*n.*	pie (a baked food)
带走	dàizǒu	*VC*	take away
沙拉	shālā	*n.*	salad
蔬菜	shūcài	*n.*	vegetable

烤	kǎo	*v.*	to roast
免费	miǎnfèi	*adj.*	free of charge

	Nán de yàole shénme? 男的要了什么?	Tā fùle duōshǎo qián? 他付了多少钱?
1		
2		
3		

7. Speaking (说一说)

(1) Group work: Discuss the questions in Exercise 2 and choose a person to summarize what the others say. (小组讨论:讨论上面练习 2 的问题,请一个人总结)

(2) Pair work: Role playing (双人练习:分角色扮演) —— fúwùyuán hé gùkè (nǐ kěyǐ yòng zhège càidān) 服务员和顾客(你可以用这个菜单)

càidān
菜单

nátiě • 拿铁 (latte)	bēi ￥25/杯	píngguǒzhī • 苹果汁	bēi ￥20/杯
kǎbùqínuò • 卡布其诺	bēi ￥25/杯	mángguǒzhī • 芒果汁	bēi ￥25/杯
mókǎ (bīng / rè) • 摩卡 (冰/热)	bēi ￥28/杯	bīngjīlíng • 冰激凌	ge ￥8/个
hóngchá (bīng / rè) • 红茶 (冰/热)	bēi ￥18/杯	hànbǎo • 汉堡	ge ￥15/个
niúnǎi • 牛奶 (milk)	bēi ￥15/杯	sānmíngzhì • 三明治 (sandwich)	kuài ￥15/块
rèqiǎokèlì • 热巧克力	bēi ￥15/杯	dàngāo • 蛋糕 (cake)	kuài ￥10/块
píjiǔ • 啤酒	píng ￥12/瓶	règǒu • 热狗 (hot dog)	ge ￥10/个

8. Reading (读一读)

le
Read Mark's writing on his visit to Beijing and add 了 where you feel appropriate. (在下文合适的地方加"了")

Shàng ge xīngqī wǒ qù Běijīng. Běijīng de tiānqì fēicháng hǎo. Dì-yī tiān, wǒ xiān qù Tiān'ānmén
上个星期我去北京。北京的天气非常好。第一天,我先去天安门

Guǎngchǎng, ránhòu qù Gùgōng. Gùgōng tài dà! Wǒ zài nàr
广场 (square),然后 (then) 去故宫 (Forbidden City)。故宫太大!我在那儿

pāi hěn duō zhàopiàn. Búguò rén tài duō. Wǎnshang wǒ zài yì jiā fàndiàn
拍 (to take) 很多照片 (photo)。不过人太多。晚上 (evening) 我在一家饭店

chī zhèngzōng de Běijīng kǎoyā, bù piányi, búguò fēicháng hǎochī. Dì-èr tiān wǒ qù
吃正宗的北京烤鸭 (roast duck),不便宜,不过非常好吃。第二天我去

Chángchéng. Zài nàr wǒ rènshi jǐ ge Déguórén, tāmen dōu shì liúxuéshēng, zài Běijīng
长城 (the Great Wall)。在那儿我认识几个德国人,他们都是留学生,在北京

xué Hànyǔ. Tāmen de Hànyǔ fēicháng hǎo, wǒ hěn xiànmù tāmen. Chángchéng hěn cháng,
学汉语。他们的汉语非常好,我很羡慕 (to envy) 他们。长城很长

wǒmen fēicháng lèi, búguò dōu hěn gāoxìng.
(long),我们非常累 (tired),不过都很高兴。

Unit 6

Asking Directions

wèn lù
问路

1. Xǐshǒujiān zài nǎli?	洗手间在哪里？ Where is the washroom?
2. Xiānggǎng Guǎngchǎng lí zhèli yuǎn bù yuǎn?	香港广场离这里远不远？ Is Hongkong Plaza far from here?
3. Dìtiězhàn zěnme zǒu?	地铁站怎么走？ How do you get to the subway station?
4. Shàng lóu yǐhòu yòu guǎi.	上楼以后右拐。 Turn right when you go upstairs.
5. Zǒu lù dàgài wǔ fēnzhōng.	走路大概五分钟。 About five minutes' walk.
6. Máfan nín shuō màn yìdiǎn.	麻烦您说慢一点。 Please say it slowly.

kèwén (Text)

(Ⅰ)

Mǎkè: Xiǎojiě, xǐshǒujiān zài nǎli?
Fúwùyuán: Zài èr lóu, shàng lóu yǐhòu yòu guǎi.

(Ⅱ)

Mǎkè: Lǎoxiānsheng, qǐng wèn Zhōngguó Yínháng zài nǎli?
Lǎo xiānsheng: Zài Xiānggǎng Guǎngchǎng lǐmian.
Mǎkè: Xiānggǎng Guǎngchǎng lí zhèli yuǎn bu yuǎn?

Lǎo xiānsheng: Bù yuǎn, jiù zài dìtiězhàn pángbiān. Zǒu lù dàgài wǔ fēnzhōng.

(Ⅲ)

Mǎkè: Qǐng wèn, dìtiězhàn zěnme zǒu?
Lùrén: Yìzhí zǒu, guò dì-èr ge hónglǜdēng zuǒ guǎi. Dìtiězhàn jiù zài Rénmín Guǎngchǎng xiàmian.
Mǎkè: Zài shénme xiàmian? Máfan nín shuō màn yìdiǎn.
Lùrén: Dìtiězhàn jiù zài Rénmín Guǎngchǎng xiàmian.
Mǎkè: Míngbai le, xièxie.
Lùrén: Bú kèqi.

(Ⅳ)

Mǎkè xiǎng qù yínháng qǔ qián. Tā wèn yí wèi lǎoxiānsheng Zhōngguó Yínháng zài nǎli. Lǎoxiānsheng gàosu tā Zhōngguó Yínháng zài Xiānggǎng Guǎngchǎng lǐmian. Mǎkè wèn tā Xiānggǎng Guǎngchǎng yuǎn bu yuǎn. Lǎoxiānsheng shuō Xiānggǎng Guǎngchǎng jiù zài dìtiězhàn pángbiān, zǒu lù dàgài wǔ fēnzhōng.

课 文

(一)

马　克：小姐，洗手间在哪里？
服务员：在二楼，上楼以后右拐。

(二)

马　克：老先生，请问中国银行在哪里？
老先生：在香港广场里面。
马　克：香港广场离这里远不远？
老先生：不远，就在地铁站旁边。走路大概五分钟。

(三)

马　克：请问，地铁站怎么走？
路　人：一直走，过第二个红绿灯左拐。地铁站就在人民广场下面。
马　克：在什么下面？麻烦您说慢一点。
路　人：地铁站就在人民广场下面。
马　克：明白了，谢谢。
路　人：不客气。

(四)

马克想去银行取钱。他问一位老先生中国银行在哪里。老先生告诉他中国银行在香港广场里面。马克问他香港广场远不远。老先生说香港广场就在地铁站旁边，走路大概五分钟。

Vocabulary (生词语)

1. 洗手间 xǐshǒujiān *n.* washroom, toilet
   洗 xǐ *v.* to wash
   手 shǒu *n.* hand
2. 在 zài *v.* to be at / in /on
   Usage: see Language Points
3. 楼 lóu *n.* floor, building
   e.g. èr lóu 二楼 the second floor
   yí zuò lóu 一座楼 a building
4. 上楼 shàng lóu go upstairs
   上 shàng *v.* to go up
   e.g. shàng chē, shàng fēijī 上车、上飞机 (airplane)
   Opposite: xià 下 to go down
   e.g. xià lóu, xià chē 下楼、下车
5. 以后 yǐhòu *n.* after
   Opposite: yǐqián 以前 before
   Usage: used after verb phrases
   e.g. shàng lóu yǐhòu 上楼以后 after you go upstairs
   The ……以后/以前 (yǐhòu / yǐqián) structure is always placed at the beginning of the sentence, which is opposite to English
   e.g. Shàng lóu yǐhòu yòu guǎi. 上楼以后右拐。 Turn right after going upstairs.
   Xià kè yǐhòu huí jiā. 下课以后回家。 Go home after class.
   后 hòu *n.* back
   Opposite: qián 前 front
6. 右 yòu *n.* right
7. 老 lǎo *adj.* old

8. 银行 yínháng *n.* bank

9. 广场 guǎngchǎng *n.* plaza, square

10. 里面 lǐmian *n.* inside

> **Opposite:** wàimian 外面 outside

11. 离 lí *prep.* from, away

> **Usage:** the structure is: place A 离 (lí) place B + *adj.*
>
> *e.g.* Xiānggǎng Guǎngchǎng lí zhèli bù yuǎn.
> 香港广场离这里不远。
> Hongkong Plaza is not far from here.

12. 远 yuǎn *adj.* far

> **Opposite:** jìn 近 near, close

13. 就 jiù *adv.* just, right

> **Usage:** indicating nearness, used before verb
>
> *e.g.* Xiānggǎng Guǎngchǎng jiù zài dìtiězhàn pángbiān.
> 香港广场就在地铁站旁边。
> Hongkong Plaza is just beside the subway station.

14. 站 zhàn *n.* station, stop

> *e.g.* dìtiězhàn, huǒchēzhàn
> 地铁站、火车站

15. 旁边 pángbiān *n.* side, beside, adjacency

> *e.g.* dìtiězhàn pángbiān 地铁站旁边 beside the subway station

16. 走路 zǒu lù *VO*① to walk, to go on foot

走 zǒu *v.* to walk, to go, to leave

17. 大概 dàgài *adv.* probably, approximately

18. 分钟 fēnzhōng *n.* minute

19. 怎么 zěnme *QW* how

> **Usage:** see Language Points
>
> *e.g.* Zěnme zǒu? 怎么走? How to get there?

20. 路人 lùrén *n.* passerby

21. 一直 yìzhí *adv.* straight; continuously

22. 第…… dì… ordinal prefix

> **Usage:** used before numeral
>
> *e.g.* dì-yī 第一 the first

---

① VO: verb plus object structure. Its function is between verb and verb phrase. The structure can be inserted with other elements sometimes. **See Unit 15 Language Points.**

				dì-èr ge 第二个 — the second one dì-èr tiān 第二天 — the next day see Appendix 2
23.	红绿灯	hónglǜdēng	*n.*	traffic light
	红	hóng	*n.*	red
	绿	lǜ	*n.*	green
	灯	dēng	*n.*	light, lamp
24.	下面	xiàmian	*n.*	bottom, below
				Opposite: shàngmian 上面 top, above
25.	说	shuō	*v.*	to speak, to say
26.	慢	màn	*adj.*	slow
27.	明白	míngbai	*v.*	to understand
28.	不客气	bú kèqi		you are welcome
	客气	kèqi	*adj.*	courteous, polite
29.	想	xiǎng	*AV*	to want to, to wish to (indicating a desire to do something)
				Usage: it is an auxiliary verb, followed by a verb or verb phrase. *e.g.* Mǎkè xiǎng qù yínháng qǔ qián. 马克想去银行取钱。 Mark wanted to withdraw money from bank.
30.	取	qǔ	*v.*	to withdraw (money from bank)
31.	位	wèi	*MW*	for people (respectful)
				e.g. yí wèi xiǎojiě, yí wèi lǎoshī 一位小姐、一位老师
32.	告诉	gàosu	*v.*	to tell

Proper Nouns (专有名词)

1.	香港	Xiānggǎng	Hongkong
2.	中国银行	Zhōngguó Yínháng	Bank of China
3.	香港广场	Xiānggǎng Guǎngchǎng	Hongkong Plaza
4.	人民广场	Rénmín Guǎngchǎng	the People's Square

Language Points (语言点)

1. Localizer (方位词)

The basic localizers are:

zuǒ 左	left	yòu 右	right
shàng 上	top, above	xià 下	bottom, below
qián 前	front	hòu 后	back
lǐ 里	inside	wài 外	outside

Note: biān/miàn 边 / 面(side) is often placed after the above words to form two-syllable words. ("边 / 面"常加在上面的单音节方位词之后构成双音节方位词)

Other words are:(其它方位词还有)

pángbiān 旁边	beside	duìmiàn 对面	opposite
zhōngjiān 中间	middle	fùjìn 附近	vincinity, nearby

You can add other words before localizers locality to describe a more detailed location: (可以在方位词前加其他词描述一个更具体的方位)

(1) Xiānggǎng Guǎngchǎng lǐmian 香港 广场 里面 — inside Hongkong Plaza

(2) dìtiězhàn pángbiān 地铁站 旁边 — beside the subway station

(3) Rénmín Guǎngchǎng xiàmian 人民 广场 下面 — under the People's Square

(4) xuéxiào fùjìn 学校 附近 — near the school

(5) Mǎlì zuǒbian 玛丽 左边 — Mary's left side

2. Verb zài 在 (动词"在")

We learned preposition zài 在 in Unit 3. The sentence structure is:

| subject + zài 在 phrase + verb | or sometimes | subject + verb + zài 在 phrase |

(第三课学了介词"在",它的句子结构是：
主语 +"在"字短语 + 动词 或者 主语 + 动词 +"在"字短语) e.g.

Sījī zài xià ge lùkǒu zuǒ guǎi.
司机 在 下 个 路口 左 拐。

Chūzūchē tíng zài lùkǒu.
出租车 停 在 路口。

In this unit we learn verb 在 (zài) as the only verb in a sentence. Such sentence describes the location of a place or a person.

The sentence structure is: subject + 在 (zài) + phrase of locality.
(本课学习以"在"为动词的句子,这样的句子一般用于描述人或地点的方位。结构是：主语 +"在"+ 表示方位的短语) e.g.

Xǐshǒujiān zài èr lóu.
(1) 洗手间 在 二楼。
The washroom is on the second floor.

Zhōngguó Yínháng zài Xiānggǎng Guǎngchǎng lǐmian.
(2) 中国 银行 在 香港 广场 里面。
Bank of China is inside Hongkong Plaza.

Xiānggǎng Guǎngchǎng zài dìtiězhàn pángbiān.
(3) 香港 广场 在 地铁站 旁边。
Hongkong Plaza is beside the subway station.

Dìtiězhàn zài Rénmín Guǎngchǎng xiàmian.
(4) 地铁站 在 人民 广场 下面。
The subway station is under the People's Square.

Wǒ jiā zài xuéxiào fùjìn.
(5) 我 家 在 学校 附近。
My house is near the school.

Mǎkè zài Mǎlì zuǒbian.
(6) 马克 在 玛丽 左边。
Mark is at Mary's left side.

3. 怎么 (zěnme) + V ("怎么"+动词)

The structure "怎么 (zěnme) + v" means "how to do something". ("怎么 + 动词"结构表示怎么做某事) e.g.

Dìtiězhàn zěnme zǒu?
(1) 地铁站 怎么 走？

Zhè zhǒng diànhuàkǎ zěnme yòng?
(2) 这 种 电话卡 怎么 用？

"Exit" Hànyǔ zěnme shuō?
(3) "Exit" 汉语 怎么 说？

Jiǎozi zěnme zuò?
(4) 饺子 怎么 做(make)?

Wǒmen zěnme qù Rénmín Guǎngchǎng? Zuò dìtiě háishì zuò chūzūchē?
(5) 我们 怎么 去 人民 广场? 坐 地铁 还是 坐 出租车?

4. When 了 (le) is not used in a past tense context (过去的状态何时不用“了”)

Read the last part of the text and you'll find that in describing how an old man helped Mark find Bank of China, no 了 (le) is used. Here are some major rules on when 了 (le) is not used: (课文最后一部分讲述一位老先生如何帮助马克找到中国银行，全段未用“了”。下面讨论不用“了”的几种情况)

(1) When the sentence uses auxiliary verb or verb such as 想、喜欢、觉得 (xiǎng, xǐhuan, juéde) (to feel, think) to describe an intention, desire, preference or impression in the past, don't use 了 (le). (句子包含情态动词或“想”、“喜欢”、“觉得”等表示过去的意图、愿望、喜好或印象的动词时，动词后面不加“了”)

Mǎkè xiǎng qù yínháng qǔ qián.
① 马克 想 去 银行 取 钱。

Tā bù xǐhuan nà jiā kāfēiguǎn de kāfēi, tā juéde bú tài zhèngzōng.
② 他 不 喜欢 那 家 咖啡馆 的 咖啡，他 觉得 不 太 正宗。

(2) When there are verbs such as 问、说、听说 (wèn, shuō, tīngshuō) (to hear)、告诉、知道 (gàosu, zhīdao) and what's asked, said, told or known following the verbs, don't use 了 (le) after these verbs. (“问”、“说”、“听说”、“告诉”、“知道”等词后面如果接了句子，那么这几个词后面不加“了”)

Tā wèn yí wèi lǎo xiānsheng Zhōngguó Yínháng zài nǎli.
① 他 问 一 位 老 先生 中国 银行 在 哪里。

Lǎo xiānsheng gàosu tā Zhōngguó Yínháng zài Xiānggǎng Guǎngchǎng lǐmian.
② 老 先生 告诉 他 中国 银行 在 香港 广场 里面。

Lǎo xiānsheng shuō Xiānggǎng Guǎngchǎng jiù zài dìtiězhàn pángbiān.
③ 老 先生 说 香港 广场 就 在 地铁站 旁边。

Lái Zhōngguó yǐqián, wǒ tīngshuō Hànyǔ hěn nán.
④ 来 中国 以前，我 听说 汉语 很 难(difficult)。

(3) Non-action verbs such as 是、有、在 (shì, yǒu, zài) is not followed by 了 (le) in past tense context. (非行为动词，如“是”、“有”、“在”之后也不用“了”)

In short, verb + 了 (le) indicates an action has been completed or something has taken place. (总之，动词 +“了”表示动作完成或某事发生)

Exercises (练习)

1. Substitution (替换练习)

Zhōngguó Yínháng zài nǎli?
(1) A: 中国 银行 在哪里？
Zài Xiānggǎng Guǎngchǎng lǐmian.
B: 在 香港 广场 里面。

Xiānggǎng Guǎngchǎng zěnme zǒu?
(2) A: 香港 广场 怎么 走？
Yìzhí zǒu, guò dì-èr ge hónglǜdēng zuǒ guǎi.
B: 一直 走，过 第二个 红绿灯 左 拐。

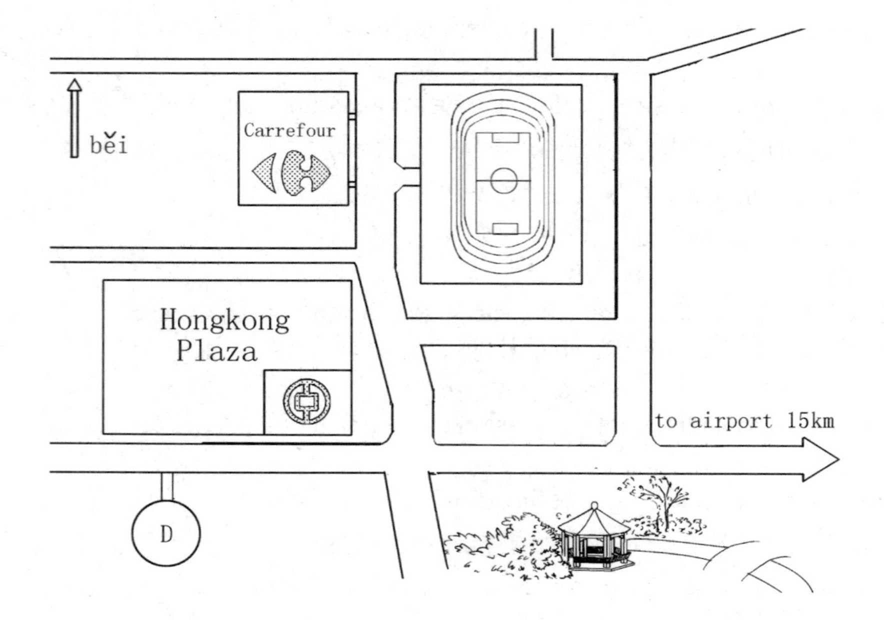

Xiānggǎng Guǎngchǎng lí zhèli yuǎn bu yuǎn?
(3) A: 香港 广场 离这里 远 不 远？
Bù yuǎn, zǒu lù dàgài wǔ fēnzhōng.
B: 不 远，走 路 大概 五 分钟。

Jiālèfú
家乐福
dìtiězhàn
地铁站
gōngyuán
公园(park)
tǐyùguǎn
体育馆
jīchǎng
机场

2. Sentence construction (组词成句)

(1)
dàgài chūzūchē shíwǔ zuò fēnzhōng
大概 出租车 十五 坐 分钟

(2)
ge zuǒ èr dì guǎi guò hónglǜdēng
个 左 二 第 拐 过 红绿灯

(3)
jiā kāfēiguǎn tā wǎnshang zài yì zuótiān
家 咖啡馆 他 晚上 在 一 昨天

(4)
pángbiān Jiālèfú zhù tā zài
旁边 家乐福 住 他 在

(5)
gàosu zài lǐmian Xiānggǎng Guǎngchǎng lǎo xiānsheng Mǎkè jiù
告诉 在 里面 香港 广场 老 先生 马克 就
Zhōngguó Yínháng
中国 银行

3. Answer questions (回答问题)

(1)
Xuéxiào de kāfēidiàn zài nǎli?
学校 的 咖啡店 在 哪里?

(2)
Lǎoshī de bàngōngshì zài nǎli?
老师 的 办公室(office)在哪里?

(3)
Nǐ de jiàoshì zài jǐ lóu?
你 的 教室(classroom)在几楼?

(4)
Nǐ de dìtú hǎoyòng ma? Nǐ zài Shànghǎi xūyào bu xūyào wèn lù?
你 的地图 好用(easy to use) 吗? 你 在 上海 需要 不 需要 问 路?

4. Translation (翻译)

(1) I want to withdraw money from the bank.

(2) Please say it slowly.

(3) Is the People's Square far from here?

(4) His office is on the 7th floor.

(5) Bank of China is on the other side of the street (mǎlù 马路).

(6) Stop in front of Hongkong Plaza, please.

(7) He went to teacher's office after class.

(8) How do you say "airplane" in Chinese?

(9) My Chinese teacher last year (qùnián 去年) was Mr. Zhang. We all liked him.

5. Listening (听一听)

Listen to the following five dialogues twice and fill out the form. (听五段对话，每段对话听两次，然后完成下表)

Vocabulary (生词)

往	wǎng	*prep.*	to, towards
电视	diànshì	*n.*	TV
图书馆	túshūguǎn	*n.*	library
看见	kànjiàn	*VC*	to see
外文书店	Wàiwén Shūdiàn	*PN*	Foreign Language Book Store
磁浮列车	cífúlièchē	*n.*	maglev

	Tā xiǎng qù shénme dìfang? 他想去什么地方(place)?	Nàge dìfang zài nǎli? (Zěnme zǒu?) 那个地方在哪里?(怎么走?)	Tā kěnéng zuò chē qù háishì zǒu lù qù? 他可能(probably)坐车去还是走路去?
duìhuà 对话 1 (dialogue 1)			
duìhuà 对话 2			
duìhuà 对话 3			
duìhuà 对话 4			
duìhuà 对话 5			

6. Speaking (说一说)

Group work: Discuss the following questions and choose a person to summarize what the others say. (小组讨论：讨论下列问题，并选一名学生做总结)

(1) Zài nǐmen guójiā nǐ zuò gōnggòngqìchē ma? Zài zhèr ne? Wèi shénme? 在你们国家你坐公共汽车吗？在这儿呢？为什么(why)?

Lái Zhōngguó yǐhòu, nǐ qùle nǎxiē dìfang? Zhèxiē dìfang lí zhèr yuǎn bu yuǎn?
(2) 来 中国 以后,你去了哪些 地方?这些 地方离 这儿 远 不 远?
Nǐ zěnme qù de?
你 怎么 去 的?

Shànghǎi de jiāotōng hé nǐmen guójiā yǒu shénme bù yíyàng?
(3) 上海 的 交通 和 你们 国家 有 什么 不 一样 (different)?

Unit 7

Making Appointment

yuēhuì
约会

1. Nǐ jì yíxià wǒ de shǒujīhào ba.	你记一下我的手机号吧。 Please write down my mobile phone number.
2. Wǒ dàole yǐhòu gěi nǐ dǎ shǒujī.	我到了以后给你打手机。 I'll call you when I arrive.
3. Nǐ shénme shíhou yǒu kòng ne?	你什么时候有空呢? When do you have time?
4. Wǒmen xiàwǔ liǎng diǎn zài xuéxiào ménkǒu jiàn miàn zěnmeyàng?	我们下午两点在学校门口见面怎么样? How about meeting at the school gate two o'clock in the afternoon?
5. Kěyǐ zài shuō yí biàn ma?	可以再说一遍吗? Can you say it again?

kèwén (Text)

(I)

Wǒ jiào Mǎkè, shì Měiguórén, xiànzài zài Shànghǎi xué Hànyǔ. Wǒ xiǎng zhǎo yí ge huì shuō Yīngyǔ de Zhōngguórén bāngzhù wǒ tígāo Hànyǔ. Wǒ de shǒujīhào shì yāo èr jiǔ yāo yāo bā líng líng líng qī bā. Rúguǒ nǐ xiǎng tígāo Yīngyǔ, wǒmen yě kěyǐ hùxiāng bāngzhù.

(II)

Mǎkè: Wèi?

Lǐ Dàmíng: Nǐ hǎo! Shì Mǎkè ma?

Mǎkè: Duì, wǒ jiù shì. Nín shì…?

Lǐ Dàmíng: Wǒ jiào Lǐ Dàmíng, shì Jiāotōng Dàxué de xuésheng. Wǒ kěyǐ bāngzhù nǐ tígāo Hànyǔ. Wǒ yě xiǎng gēn nǐ liànxí Yīngyǔ.

Mǎkè: Tài hǎo le! Wǒmen kěyǐ hùxiāng bāngzhù.

(Ⅲ)

Lǐ Dàmíng: Nǐ shénme shíhou yǒu kòng ne?

Mǎkè: Wǒ měi xīngqīsān hé xīngqīsì xiàwǔ yǒu kòng. Zhōumò yě xíng.

Lǐ Dàmíng: Nà wǒmen zhōumò jiàn miàn ba. Zhège xīngqītiān zěnmeyàng?

Mǎkè: Xíng. Wǒ jiā lí nǐmen xuéxiào hěn jìn, wǒmen xiàwǔ liǎng diǎn zài xuéxiào ménkǒu jiàn miàn zěnmeyàng?

Lǐ Dàmíng: Xíng. Nǐ jì yíxià wǒ de shǒujīhào ba. Yāo èr wǔ liù sì sān bā bā qī líng yāo.

Mǎkè: Bù hǎo yìsi, kěyǐ zài shuō yí biàn ma?

Lǐ Dàmíng: Méi wèntí. Yāo èr wǔ liù sì sān bā bā qī líng yāo.

Mǎkè: Hǎo de. Wǒ dàole yǐhòu gěi nǐ dǎ shǒujī. Nà wǒmen xīngqītiān jiàn ba.

Lǐ Dàmíng: Xīngqītiān jiàn!

课文

（一）

我叫马克，是美国人，现在在上海学汉语。我想找一个会说英语的中国人帮助我提高汉语。我的手机号是12911800078。如果你想提高英语，我们也可以互相帮助。

（二）

马　克：喂？

李大明：你好！是马克吗？

马　克：对，我就是。您是……？

李大明：我叫李大明，是交通大学的学生。我可以帮助你提高汉语。我也想跟你练习英语。

马　克：太好了！我们可以互相帮助。

（三）

李大明：你什么时候有空呢？

马　克：我每星期三和星期四下午有空。周末也行。

李大明：那我们周末见面吧。这个星期天怎么样？

马　克：行。我家离你们学校很近，我们下午两点在学校门口见面怎么样？

李大明：行。你记一下我的手机号吧。12564388701。

马　克：不好意思，可以再说一遍吗？
李大明：没问题。12564388701。
马　克：好的。我到了以后给你打手机。那我们星期天见吧。
李大明：星期天见！

Vocabulary (生词语)

1. 约会	yuēhuì	*v. & n.*	to make appointment; appointment
2. 现在	xiànzài	*TW*	now
3. 找	zhǎo	*v.*	to look for
4. 会	huì	*AV*	can, know how to
5. 英语	Yīngyǔ	*n.*	English
6. 帮助	bāngzhù	*v. & n.*	to help; help
7. 提高	tígāo	*v. & n.*	to improve; improvement
8. 如果	rúguǒ	*conj.*	if
9. 手机	shǒujī	*n.*	mobile phone
……机	...jī		machine

e.g. 洗衣机 (xǐyījī) washing machine
取款机 (qǔkuǎnjī) ATM

10. 号	hào	*n.*	number, size, date
11. 互相	hùxiāng	*adv.*	each other

Usage: used before verb
e.g. 互相帮助、互相认识、互相学习 (hùxiāng bāngzhù, hùxiāng rènshi, hùxiāng xuéxí)

12. 喂	wèi	*interj.*	Hello? (in phone call)
13. 跟	gēn	*prep.*	with

e.g. 跟我来 (gēn wǒ lái) come with me
see Language Points

14. 练习	liànxí	*v. & n.*	to practice; exercise
15. 时候	shíhou	*n.*	time, moment

e.g. 什么时候 (shénme shíhou) when
这时候 (zhè shíhou) at this moment
有时候 (yǒushíhou) sometimes

16. 空 kòng *n.* free time

17. 呢 ne *part.*

Usage: used after a question with question word to emphasize the interrogative tone.

e.g. Nǐ shénme shíhòu huí jiā ne?
你 什么 时候 回家 呢？

18. 每 měi *pron.* every, each

e.g. měi tiān, měi ge xīngqī
每天、每个星期

Usage: always used together with 都 (dōu)

e.g. Wǒ měi tiān dōu shàng kè.
我每天都上课。

Tā měi ge xīngqī dōu gēn yí ge Měiguó péngyou liànxí Yīngyǔ.
他每个星期都跟一个美国朋友练习英语。

19. 星期 xīngqī *n.* week

20. 下午 xiàwǔ *TW* afternoon

21. 周末 zhōumò *TW* weekend

22. 行 xíng *adj.* OK, alright

23. 那 nà *conj.* in that case, then

24. 见面 jiàn miàn *VO* to meet

见 jiàn *v.* to see, to meet

25. 星期天 xīngqītiān *TW* Sunday, see Language Points for names of other days in a week

26. 怎么样 zěnmeyàng *QW* how about

Usage: used at the end of a sentence to make a suggestion

e.g. Zhège xīngqītiān zěnmeyàng?
这个星期天怎么样？
How about this Sunday?

Wǒmen qù shūdiàn mǎi yì běn cídiǎn zěnmeyàng?
我们去书店买一本词典怎么样？
Let's go to the bookstore to buy a dictionary. What do you think?

27. 近 jìn *adj.* near, close

28. 点 diǎn *n.* o'clock, point

e.g. Xiànzài jǐ diǎn?
现在几点？ What time is it now?

29. 学校 xuéxiào *n.* school

30.	门口	ménkǒu	*n.*	entrance (usually with a door or gate)
	门	mén	*n.*	door
				e.g. dàmén 大门 gate
31.	记	jì	*v.*	to write down, to take (notes)
32.	不好意思	bù hǎo yìsi		sorry, be ashamed of
	意思	yìsi	*n.*	meaning
				e.g. Shénme yìsi? 什么 意思? What does it mean? yǒu yìsi 有 意思 interesting
33.	再	zài	*adv.*	again, see Unit 8 Language Points
34.	遍	biàn	*MW*	time (number of times)
				Usage: used with verbs such as tīng shuō dú xiě kàn 听、说、读、写、看 ***e.g.*** Qǐng dàjiā dú liǎng biàn shēngcí. 请 大家 读 两 遍 生词。 Nǐ kěyǐ zài shuō yí biàn ma? 你可以 再 说 一 遍 吗? Wǒmen xiān tīng yí biàn, ránhòu zuò liànxí. 我们 先 听 一 遍, 然后 做 练习。
35.	到	dào	*v.*	to arrive
36.	给	gěi	*prep.*	to, for
				e.g. gěi wǒ dǎ diànhuà 给 我 打 电话 call me see Language Points

Proper Nouns (专有名词)

1.	李大明	Lǐ Dàmíng	a Chinese person's name
2.	李	Lǐ	a surname

Language Points (语言点)

1. Time & Dates (时间和日期的表达)

First bear in mind that in both time and dates, large concept is always placed before small concept in Chinese. (汉语表示时间和日期时,大单位在前,小单位在后)

(1) Time (时间)

Words often used are:(常用的时间词有)

diǎn fēn kè bàn chà
点(o'clock)、分(minute)、刻(quarter)、半(half)、差(short of). e.g.

Xiànzài jǐ diǎn?
现在 几点? What time is it now?

yì diǎn bàn / yì diǎn sānshí (fēn)
1:30 一点 半/一点 三十 (分)

yì diǎn líng wǔ fēn
1:05 一点 零五分

liǎng diǎn yí kè / liǎng diǎn shíwǔ (fēn)
2:15 两点 一刻/两点 十五 (分)

liǎng diǎn wǔshíwǔ (fēn) / chà wǔ fēn sān diǎn
2:55 两点 五十五(分)/差五分三点

shí'èr diǎn sān kè / shí'èr diǎn sìshíwǔ (fēn) / chà yí kè yì diǎn
12:45 十二点 三刻/十二点 四十五(分)/差一刻一点

líng diǎn / bànyè shí'èr diǎn
0:00 零点/半夜十二点

You can add words such as 凌晨 (língchén) (before dawn, around 01:00—05:00)、早上 (zǎoshang) (early morning, around 05:00—08:00)、上午 (shàngwǔ) (late morning, around 08:00—12:00)、中午 (zhōngwǔ) (noon, around 12:00)、下午 (xiàwǔ) (afternoon, around 12:00—17:00)、晚上 (wǎnshang) (evening, around 18:00—23:00)、半夜 (bànyè) (midnight, around 0:00) to make the time told more precise. (可以在时间词前加"凌晨"、"早上"、"上午"、"中午"、"下午"、"晚上"、"半夜"等,使时间更精确) e.g.

língchén sān diǎn líng wǔ fēn
3: 05 a.m. 凌晨 三点零五分

xiàwǔ sān diǎn líng wǔ fēn
3: 05 p.m. 下午 三点零五分

zǎoshang liù diǎn yí kè
6: 15 a.m. 早上 六点一刻

wǎnshang liù diǎn yí kè
6: 15 p.m. 晚上 六点一刻

shàngwǔ jiǔ diǎn sān kè
9:45 a.m. 上午 九点三刻

wǎnshang jiǔ diǎn sān kè
9:45 p.m. 晚上 九点三刻

zhōngwǔ shí'èr diǎn
12: 00 中午 十二点

bànyè shí'èr diǎn/líng diǎn
0: 00 半夜 十二点/零点

(2) Dates (日期)

Words often used are:(常用的日期词有)

nián yuè hào / rì xīngqī / zhōu
年(year)、月(month)、号 / 日[①] (date)、星期 / 周(week). e.g.

Oct 1st, 1997 — yī jiǔ jiǔ qī nián shíyuè yī hào / rì
一 九 九 七 年 十月 一号 / 日

Aug 8th, 2008 — èr líng líng bā nián bāyuè bā hào / rì
二 零 零 八 年 八月 八 号 / 日

Monday — xīngqīyī / zhōuyī
星期一 / 周一

Friday — xīngqīwǔ / zhōuwǔ
星期五 / 周五

Saturday — xīngqīliù / zhōuliù
星期六 / 周六

Sunday — xīngqītiān / xīngqīrì / zhōurì
星期天 / 星期日 / 周日

Useful Expressions Related with Time: (下表列出的是跟时间有关的有用表达)

	Last	This	Next	The first	Every	Which
nián 年 Year	qùnián 去年	jīnnián 今年	míngnián 明年	dì-yī nián 第一年	měi nián 每 年	nǎ yì nián 哪 一 年
yuè 月 Month	shàng ge yuè 上 个 月	zhège yuè 这个 月	xià ge yuè 下 个 月	dì-yī ge yuè 第一个 月	měi ge yuè 每 个 月	nǎge yuè/jǐ yuè 哪个 月/几 月
xīngqī 星期 Week	shàng (ge) xīngqī 上 (个) 星期	zhè (ge) xīngqī 这 (个) 星期	xià (ge) xīngqī 下(个) 星期	dì-yī ge xīngqī 第一个星期	měi (ge) xīngqī 每 (个) 星期	nǎge xīngqī 哪个 星期
zhōu 周 Week	shàng zhōu 上 周	zhè zhōu 这 周	xià zhōu 下 周	dì-yī zhōu 第一 周	měi zhōu 每 周	nǎ yì zhōu 哪 一 周
tiān 天 Day	zuótiān 昨天	jīntiān 今天	míngtiān 明天	dì-yī tiān 第一天	měi tiān 每 天	nǎ tiān/ jǐ hào 哪 天 / 几号
zhōumò 周末 Weekend	shàng (ge) 上 (个) zhōumò 周末	zhè(ge) 这(个) zhōumò 周末	xià (ge) 下(个) zhōumò 周末	dì-yī ge 第一个 zhōumò 周末	měi ge 每 个 zhōumò 周末	nǎge 哪个 zhōumò 周末

(3) Time and dates (日期和时间的综合表达)

① shàng ge yuè shíyī hào
上 个 月 十一 号

② měi xīngqīsān hé xīngqīsì xiàwǔ
每 星期三 和 星期四 下午

③ zuótiān wǎnshang shíyī diǎn
昨天 晚上 十一 点

---

① rì 日 is more formal than hào 号。

shàng ge xīngqīliù zǎoshang qī diǎn bàn
④ 上 个 星期六 早上 七 点 半

qùnián shí'èr yuè èrshísì hào wǎnshang shí diǎn
⑤ 去年 十二月 二十四 号 晚上 十 点

2. Time adverbials in a sentence (在句中如何放置时间状语)

✻ Read the following sentences. Can you find the rule on where to place a time adverbial in a sentence? (读下列句子，找找时间状语在句中的位置有何规律？)

Zuótiān wǎnshang Mǎkè qùle yì jiā kāfēiguǎn.
(1) 昨天 晚上 马克 去了 一 家 咖啡馆。

Xuéxiào de shítáng jīntiān méiyǒu yángròu, zhǐ yǒu jīròu.
(2) 学校 的 食堂 今天 没有 羊肉， 只有 鸡肉。

Nǐ shénme shíhòu yǒu kòng ne?
(3) A: 你 什么 时候 有 空 呢？

Wǒ měi xīngqīsān hé xīngqīsì xiàwǔ dōu yǒu kòng.
B: 我 每 星期三 和 星期四 下午 都 有 空。

Nà wǒmen zhège zhōumò jiàn miàn ba.
(4) 那 我们 这个 周末 见 面 吧。

Nà wǒmen míngtiān jiàn ba.
(5) 那 我们 明天 见 吧。

Write your findings here: (把你的发现写在这里)

____

____

____

____

✻ Read more sentences. Can you write a formula on how to place both time and place adverbials in a sentence? (再读几个句子，能找出时间、地点状语共同出现时的放置规律吗？)

Mǎkè xiànzài zài Shànghǎi de yí ge Hànyǔ xuéxiào xué Hànyǔ.
(1) 马克 现在 在 上海 的 一个 汉语 学校 学 汉语。

Wǒmen xiàwǔ liǎng diǎn zài xuéxiào ménkǒu jiàn miàn zěnmeyàng?
(2) 我们 下午 两 点 在 学校 门口 见 面 怎么样？

Wǒ míngtiān wǎnshang bā diǎn bàn zài jiànshēnfáng děng nǐ.
(3) 我 明天 晚上 八 点 半 在 健身房(gym) 等 你。

Měi ge xīngqītiān shàngwǔ shí diǎn dào shí'èr diǎn zài Huáihǎi Gōngyuán dōu yǒu Yīngyǔjiǎo.
(4) 每 个 星期天 上午 十 点 到(to)十二 点 在 淮海 公园 都 有 英语角(English corner)。

Write your formula here: (把你发现的规律写在这里)

____

____

____

3. Prepositional phrase with 给 (gěi) (to, for) and 跟 (gēn) (with) (带"给"和"跟"的介词短语)

✲ Read the following sentences. Can you find what kind of word is added to preposition 给 (gěi) and 跟 (gēn) to form a prepositional phrase? Where does a prepositional phrase appear in a sentence? (读下列句子,看看介词"给"、"跟"和后面的什么词构成一个介词短语?这样的介词短语出现在句中什么位置?)

Dàmíng gěi Mǎkè dǎle yí ge diànhuà.
(1) 大明 给 马克 打了 一个 电话。

Zhāng lǎoshī gěi wǒmen shàng tīnglì kè.
(2) 张 老师 给 我们 上 听力(listening)课。

Míngtiān shì bàba de shēngrì, wǒ gěi tā mǎile yí ge xīnshǒujī.
(3) 明天 是 爸爸(dad, father)的 生日(birthday),我 给 他 买了 一个 新手机。

Mǎkè xīngqītiān gēn Dàmíng jiàn miàn.
(4) 马克 星期天 跟 大明 见 面。

Gēn wǒ lái ba, lǎoshī de bàngōngshì jiù zài lǐmian.
(5) 跟 我 来 吧,老师 的 办公室 就 在 里面。

Nǐ gēn wǒmen zǒu ba. Wǒmen zhīdao qìchēzhàn zài nǎli.
(6) 你 跟 我们 走 吧。 我们 知道 汽车站 在 哪里。

Write your findings here: (把你的发现写在这里)

____

____

____

✲ Read more examples. Do you find anything new in these sentences? (再看几个句子,有什么新发现?)

Nǐ kěyǐ gěi tā dǎ shǒujī.
(1) 你 可以 给 他 打 手机。

Wǒ xiǎng gēn nǐ liànxí Hànyǔ.
(2) 我 想 跟 你 练习 汉语。

Nǐ kěyǐ gěi wǒ kāi yì zhāng fāpiào ma?
(3) 你 可以 给 我 开(to make out) 一 张 发票 吗?

Mǎkè fēicháng xǐhuan gēn Lǐ Dàmíng liáo tiān.
(4) 马克 非常 喜欢 跟 李大明 聊 天(to chat)。

Write your findings here: (把你的发现写在这里)

---

4. Telephone numbers (如何读电话号码)

Chinese people read telephone or mobile phone numbers by three or four digits at a time. 1 is often pronounced as yāo. (汉语中读电话号码是三位一顿或四位一顿的，"1"通常读成"yāo") e.g.

12911800078: yāo èr jiǔ yāo/yāo bā líng líng/líng qī bā
一 二 九一 / 一 八 零 零 / 零七八

or yāo èr jiǔ / yāoyāo bā líng/ línglíngqībā
一 二 九 / 一 一 八 零 / 零零七八

12564388701: yāo èr wǔ liù / sì sān bā bā / qī líng yāo
一 二 五 六 / 四 三 八八 / 七 零 一

or yāo èr wǔ / liù sì sān bā / bā qī líng yāo
一 二 五 / 六 四 三 八 / 八 七 零 一

66470008: liù liù sì qī / líng líng líng bā
六六四七 / 零 零 零 八

"Triple zero" in Chinese is "三 个 零" (sān ge líng), e.g. 66470008 六 六 四七/三 个 零 /八 (liù liù sì qī /sān ge líng /bā)

Exercises (练习)

1. Tell the following time, dates or phone numbers (说出下列时间、日期和电话号码)

6:30 a.m.	8:15 a.m.	7:05 p.m.	12:50
00:00	20:45	24th Dec, 2000	1st Oct, 1949
12911800077	021—66338008		

2. Substitution (替换练习)

(1) Nǐ jì yíxià wǒ de shǒujīhào ba.
你 记 一下 我 的 手机号 吧。

wǒ de diànhuà
我 的 电话

wǒ de dìzhǐ
我 的 地址(address)

tā de e-mail dìzhǐ
她的 e-mail 地址

shíjiān hé dìzhǐ
时间(time)和 地址

(2) A: Wǒ xiǎng gēn nǐ liànxí Yīngyǔ
我 想 跟你练习 英语。

gēn nǐ liáo tiān
跟 你 聊 天
gēn nǐ xué zuò Zhōngguócài
跟 你 学 做 中国菜
qǐng nǐ chī fàn
请(to treat, to invite) 你 吃 饭
qǐng nǐ kàn diànyǐng
请 你 看 电影

B: Xíng.
行。

A: Nǐ shénme shíhou yǒu kòng ne?
你 什么 时候 有 空 呢？

B: Wǒ xīngqīsān hé xīngqīsì xiàwǔ yǒu kòng.
我 星期三 和 星期四 下午 有 空。

A: Wǒmen xīngqīsān xiàwǔ liǎng diǎn zài xuéxiào ménkǒu jiàn miàn zěnmeyàng?
我们 星期三 下午 两 点 在 学校 门口 见 面 怎么样？

B: Méi wèntí.
没 问题。

3. Sentence construction (组词成句)

(1) chāoshì 超市 / wǒ 我 / de 的 / lí 离 / jiā 家 / hěn jìn 很近

(2) dōu 都 / wǒ 我 / kòng 空 / xīngqīyī 星期一 / shàngwǔ 上午 / měi 每 / méi 没

(3) dǎ 打 / wǒ 我 / dìtiězhàn 地铁站 / shǒujī 手机 / yǐhòu 以后 / gěi 给 / dàole 到了 / nǐ 你

(4) shàngwǔ 上午 / ménkǒu 门口 / zěnmeyàng 怎么样 / wǒmen 我们 / shídiǎn 十点 / jiàn miàn 见面 / bīnguǎn 宾馆 / míngtiān 明天 / zài 在？

(5) yí ge 一个 / wǒ 我 / xiǎng 想 / tígāo 提高 / zhǎo 找 / Zhōngguórén 中国人 / wǒ 我 / bāngzhù 帮助 / Hànyǔ 汉语

4. Answer questions (回答问题)

(1) Cóng xīngqīyī dào xīngqīwǔ, nǐ měi tiān shàngwǔ dōu yǒu kè ma?
从 星期一 到 星期五，你 每 天 上午 都 有 课 吗？

Nǐmen xīngqījǐ yǒu tīnglì kè? Xīngqījǐ yǒu kǒuyǔ kè?
(2) 你们 星期几 有 听力 课？星期几 有 口语(speaking) 课？

Xuéxiào jǐ diǎn shàng kè? Jǐ diǎn xià kè?
(3) 学校 几 点 上 课？几 点 下 课？

Nǐ de shēngrì shì jǐ yuè jǐ hào?
(4) 你 的 生日 是 几 月 几 号？

5. Translation (翻译)

(1) I want to practice English with you.

(2) I like chatting with taxi drivers.

(3) When do you meet your new tutor?

(4) We have speaking class at 1:10 every Wednesday afternoon.

(5) He went home at 0:00 last night.

(6) A: Excuse me, how do I get to the subway station?

B: Follow me. I'm also going there.

(7) A: I want to go to supermarket after class.

B: Could you buy a bottle of milk for me?

6. Listening (听一听)

Qǐng tīng liǎng biàn "Mǎkè de xīngqīyī", ránhòu tián kòng:
(1) 请 听 两 遍 "马克 的 星期一" 然后 填 空(fill in the blanks):

***Vocabulary* (生词)**

起床	qǐ chuáng	*VO*	to get up
出门	chū mén	*VO*	to leave home
午饭	wǔfàn	*n.*	lunch
运动	yùndòng	*n.*	sports
晚饭	wǎnfàn	*n.*	dinner
节目	jiémù	*n.*	program
家人	jiārén	*n.*	family member
睡觉	shuì jiào	*VO*	to sleep

1		qǐ chuáng 起 床	6		qù jiànshēnfáng 去 健身房
2	7:30 am		7	5:00 pm	
3		chū mén 出 门	8		kàn diànshì 看 电视
4	8:30 am		9	10:30 pm	
5		xià kè 下 课	10		shuì jiào 睡 觉

(2) Listen to two dialogues and see if the following statements are true.
(听两个对话,看下面的话对不对)

Xiànzài shì wǔ diǎn sìshí.
① 现在 是 五 点 四十。( )

Yínháng měi tiān wǔ diǎn bàn guān mén.
② 银行 每 天 五 点 半 关(to close)门。( )

Xīngqīliù yínháng guān mén.
③ 星期六 银行 关 门。( )

Xiànzài yínháng guān mén le.
④ 现在 银行 关 门 了。( )

(3) Listen to two dialogues and answer the questions. (听两个对话,回答问题)

duìhuà
对话 1:

Nán de hé nǚde nǎ ge rén shì liúxuéshēng?
① 男 的 和 女的 哪 个 人 是 留学生?

Wèi shénme nán de gěi nǚ de dǎ diànhuà?
② 为 什么 男 的 给 女 的 打 电话?

Tāmen shénme shíhou zài nǎli jiàn?
③ 他们 什么 时候,在 哪里 见?

duìhuà
对话 2:

Zhè liǎng ge rén jǐ diǎn zài nǎli jiàn miàn?
① 这 两 个 人 几 点 在 哪里 见 面?

Tāmen xiān qù chī fàn háishì xiān qù dǎ wǎngqiú?
② 他们 先 去 吃 饭 还是 先 去 打 网球(to play tennis)?

7. Reading (读一读)

Hànyǔjiǎo
汉语角

shíjiān: měi zhōuyī, èr, sì, wǔ xiàwǔ liǎng diǎn dào sì diǎn
✲ **时间**：每 周一、二、四、五 下午 两 点 到 四 点

dìfang: liúxuéshēnglóu yī lóu dàtáng
✲ **地方**：留学生楼 一 楼 大堂(lobby)

wèishénme: bāngzhù liúxuéshēng tígāo Hànyǔ
✲ **为什么**：帮助 留学生 提高 汉语

shuí kěyǐ cānjiā liúxuéshēng dōu kěyǐ cānjiā
✲ **谁 可以 参加**(participate)：留学生 都 可以 参加

lǎoshī: Jiāotōng Dàxué de liǎng ge Hànyǔ lǎoshī, hái yǒu yìxiē Zhōngguó xuéshēng, dàjiā kěyǐ hùxiāng bāngzhù.
✲ **老师**：交通 大学 的 两 个 汉语 老师，还 有 一些 中国 学生，大家 可以 互相 帮助。

zuò shénme: kěyǐ gēn lǎoshī、tóngxué liáo tiān, kěyǐ wèn wèntí, hái kěyǐ hē dàtáng de kāfēi.
✲ **做 什么**：可以 跟 老师、同学 聊 天，可以 问 问题，还 可以 喝 大堂 的 咖啡。

Yǒu xìngqù ma? Huānyíng dàjiā lái cānjiā!!
有 兴趣(interest) 吗？ 欢迎(welcome)大家 来 参加!!

8. Speaking (说一说)

(1) Group work: Discuss the following questions and choose a person to summarize what the others say. (小组讨论：讨论下列问题，由一人总结)

① Nǐ měi tiān jǐ diǎn qǐ chuáng, jǐ diǎn chū mén, jǐ diǎn dào xuéxiào?
你 每 天 几 点 起 床， 几 点 出 门，几 点 到 学校？

② Nǐmen guójiā de yínháng yìbān jǐ diǎn guān mén?
你们 国家 的 银行 一般(usually)几 点 关 门？

③ Nǐmen guójiā de rén yìbān jǐ diǎn chī wǎnfàn?
你们 国家 的 人 一般 几 点 吃 晚饭？

④ Nǐmen guójiā de Guóqìng Jié shì jǐ yuè jǐ hào? Nǐ zhīdào Zhōngguó de Guóqìng Jié shì shénme shíhou ma?
你们 国家 的 国庆 节(National Day)是 几 月 几号？你 知道 中国 的 国庆 节 是 什么 时候 吗？

(2) Pair work: (choose two tasks) (双人练习〔选做两个〕)

① Dǎ diànhuà qǐng nǐ de péngyou qù Hànyǔjiǎo.
打 电话 请 你 的 朋友 去 汉语角。
(See Reading for the information you need.你需要的信息请看上面的“读一读”)

② Gěi nǐ de Zhōngguó péngyou dǎ diànhuà, gàosù tā zhège xīngqītiān nǐ méi kòng
给 你 的 中国 朋友 打 电话，告诉 他 这个 星期天 你 没 空

gēn tā qù mǎi dōngxi le, yīnwèi nǐ de jiārén lái le. Gàosu tā xià ge zhōumò
跟 他 去 买 东西 了,因为 你 的 家人 来 了。告诉 他 下 个 周末
kěyǐ, wèn tā nǎ tiān yǒu kòng.
可以, 问 他 哪 天 有 空。

Dǎ diànhuà qǐng nǐ de péngyou kàn diànyǐng
③ 打 电话 请 你 的 朋友 看 电影。

Please include the following information: (请包含下面的信息)

Shénme shíhou、zài nǎli jiàn miàn; diànyǐngyuàn de míngzi hé dìzhǐ; diànyǐng
什么 时候、在 哪里 见 面; 电影 院(cinema)的 名字 和 地址; 电影
de míngzi; kànwán diànyǐng yǐhòu qù fùjìn de yì jiā Yìdàlì kāfēiguǎn hē
的 名字; 看完 电影 以后 去 附近 的 一 家 意大利 咖啡馆 喝
kāfēi.
咖啡。

9. Writing: (写一写)

Write a notice looking for a language partner or tutor for yourself. (写一则广告,给自己找一个语言伙伴或辅导)

Unit 8

Buying Shoes

mǎi xiézi
买鞋子

1. Zuì piányi duōshǎo qián?	最便宜多少钱？ What is the cheapest price you can offer?
2. Nǐ chuān duō dà hào?	你穿多大号？ What is your size?
3. Wǒ juéde háishì tài guì le.	我觉得还是太贵了。 I think they are still too expensive.
4. Wǒ zài qù biéde dìfang kànkan.	我再去别的地方看看。 I'll go to some other places to have a look.
5. Wǒ shìshi.	我试试。 Let me try them on.
6. Hǎoxiàng yǒudiǎn xiǎo, yǒu dà yìdiǎn de ma?	好像有点小，有大一点的吗？ They seem a bit small, do you have a larger pair?

kèwén (Text)

（Ⅰ）

Mǎkè de xiézi jiù le, tā yào mǎi yì shuāng xīn de. Xià kè yǐhòu tā qùle xuéxiào pángbiān de yì jiā xiédiàn. Tā kànjiàn yì shuāng piàoliang de xiézi.

（Ⅱ）

Mǎkè: Lǎobǎn, zhè shuāng xié zěnme mài?
Mài xié de: Liǎngbǎi bā.
Mǎkè: Yǒudiǎn guì! Zuì piányi duōshǎo qián?
Mài xié de: Liǎngbǎi èr gěi nǐ.
Mǎkè: Wǒ juéde háishì tài guì le, zài piányi yìdiǎn ba.
Mài xié de: Nà nǐ shuō duōshǎo qián?
Mǎkè: Yìbǎi èr.
Mài xié de: Nà bù xíng, zuìshǎo yìbǎi wǔ.
Mǎkè: Suàn le, wǒ zài qù biéde dìfang kànkan.
Mài xié de: Āi! Yìbǎi èr gěi nǐ!

(Ⅲ)

mài xié de: Nǐ chuān duō dà hào?
Mǎkè: Sìshísān hào.
Mài xié de: Zhè shuāng jiù shì sìshísān hào. Nǐ shìshi.
Mǎkè: Hǎoxiàng yǒudiǎn xiǎo, yǒu dà yìdiǎn de ma? Háiyǒu, wǒ bú yào zhè zhǒng hóng de, hēi de huòzhě bái de dōu xíng.
Mài xié de: Wǒ zhǎozhao. Bù hǎo yìsi, hēi de hé bái de dōu méiyǒu le. Xiànzài zhǐ yǒu lán de le, zhè zhǒng lán de zěnmeyàng? Nǐ xǐhuan ma?
Mǎkè: Hái kěyǐ. Wǒ zài shìshi. ... Ǹg, zhè shuāng hěn héshì. Wǒ yào le.

课 文

(一) 马克的鞋子旧了，他要买一双新的。下课以后他去了学校旁边的一家鞋店。他看见一双漂亮的鞋子。

(二)

马　克：老板，这双鞋怎么卖？
卖鞋的：两百八。
马　克：有点贵！最便宜多少钱？
卖鞋的：两百二给你。
马　克：我觉得还是太贵了，再便宜一点吧。
卖鞋的：那你说多少钱？
马　克：一百二。
卖鞋的：那不行，最少一百五。
马　克：算了，我再去别的地方看看。
卖鞋的：哎！一百二给你！

(三)

卖鞋的：你穿多大号？
马　克：四十三号。
卖鞋的：这双就是四十三号。你试试。
马　克：好像有点小，有大一点的吗？还有，我不要这种红的，黑的或者白的都行。
卖鞋的：我找找。不好意思，……黑的和白的都没有了。现在只有蓝的了，这种蓝的怎么样？你喜欢吗？
马　克：还可以。我再试试。……嗯，这双很合适。我要了。

Vocabulary (生词语)

No.	Word	Pinyin	Part of speech	Meaning
1.	旧	jiù	*adj.*	used, old
2.	鞋子	xiézi	*n.*	shoes, also 鞋 (xié)
3.	要	yào	*AV*	to be going to (do), to want to (do) ***Usage:*** see Language Points
4.	双	shuāng	*MW*	pair ***e.g.*** 一双鞋子 (yì shuāng xiézi)
5.	新	xīn	*adj.*	new
6.	下课	xià kè	*VO*	to finish class, to dismiss class
7.	店	diàn	*n.*	shop, store ***Usage:*** 店 (diàn) is usually used in the name of a specific store ***e.g.*** 鞋店 (xiédiàn) 书店 (shūdiàn) 药店 (yàodiàn) (pharmacy) The word for store in general is 商店 (shāngdiàn) ***e.g.*** 一家商店 (yì jiā shāngdiàn)
8.	看见	kànjiàn	*VC*①	to see
9.	漂亮	piàoliang	*adj.*	beautiful, pretty
10.	老板	lǎobǎn	*n.*	boss, employer
11.	有点	yǒudiǎn		a little, somewhat ***Usage:*** see Language Points ***e.g.*** 有点贵 (yǒudiǎn guì) 有点小 (yǒudiǎn xiǎo)
12.	最	zuì	*adv.*	the most, used before an adjective to indicate the superlative degree ***e.g.*** 最便宜 (zuì piányi) 最新 (zuì xīn) 最漂亮 (zuì piàoliang)
13.	觉得	juéde	*v.*	to feel, to think
14.	还是	háishì	*adv.*	still ***e.g.*** 还是太贵了。(Háishì tài guì le.) Still too expensive. 我还是不喜欢。(Wǒ háishì bù xǐhuan.) I still don't like it.
15.	最少	zuìshǎo	*adv.*	the least, at least ***Opposite:*** 最多 (zuìduō) the most, at most

① Verb plus Complement, see Appendix 5.

少	shǎo	*adj.*	little, few
16. 算了	suàn le		forget it, never mind
17. 地方	dìfang	*n.*	place
18. 看	kàn	*v.*	to look, to watch, to see

e.g. kàn yíxià 看一下　kàn diànshì 看电视　kàn péngyou 看朋友

19. 哎	āi	*interj.*	hey, used to draw someone's attention
20. 穿	chuān	*v.*	to wear

Usage: used for clothes or shoes. Another verb 戴 (dài) is for accessories such as jewelry, scarf, hat, or gloves.

21. 多	duō	*QW*	how (large, old, etc)

e.g. duō dà 多大　how large, how old
Nǐ chuān duō dà hào? 你穿多大号？　What's your size?

Usage: see Unit 9 Language Points

22. 试	shì	*v.*	to try, to try on
23. 好像	hǎoxiàng	*v.*	to seem to, to look

e.g. Zhè shuāng xiézi hǎoxiàng yǒudiǎn xiǎo. 这双鞋子好像有点小。
It seems that the shoes are a bit small.
Tā hǎoxiàng fēicháng lèi. 他好像非常累。　He looks very tired.

24. 还有	háiyǒu	*conj.*	what's more, in addition
25. 黑	hēi	*adj.*	black
26. 或者	huòzhě	*conj.*	or (in "either...or...")

Usage: not used in questions asking for choice. Compare with 还是 (háishì) in Unit 3 Vocabulary.

27. 蓝	lán	*adj.*	blue
28. 怎么样	zěnmeyàng	*QW*	how (is sth.)

e.g. Zhè zhǒng lán de zěnmeyàng? 这种蓝的怎么样？
How do you like this blue one?
Tā de Hànyǔ zěnmeyàng? 他的汉语怎么样？　How is his Chinese?
Compare with 怎么样 (zěnmeyàng) as "How about..." in Unit 7.

29. 还可以	hái kěyǐ		moderately good, OK
30. 合适	héshì	*adj.*	suitable, fit

Useful Words & Expressions (补充词汇与短语)

• 颜色①	yánsè	color
1. 黄	huáng	yellow
2. 紫	zǐ	purple
3. 灰	huī	grey
4. 粉红	fěnhóng	pink
5. 橙	chéng	orange
6. 咖啡	kāfēi	coffee
7. 金	jīn	golden
8. 银	yín	silver
9. 深	shēn	dark
10. 浅	qiǎn	light

• 号码	hàomǎ	size
1. 大	dà	large
2. 中	zhōng	medium
3. 小	xiǎo	small
4. 特大	tè dà	extra large
5. 特小	tè xiǎo	extra small

• 式样	shìyàng	style
1. 长	cháng	long
2. 短	duǎn	short
3. 宽	kuān	loose, wide
4. 窄	zhǎi	narrow
5. 厚	hòu	thick
6. 薄	báo	thin

• 衣服	yīfu	clothes	件	jiàn	(MW)
1. T恤	T xù	T-shirt	件	jiàn	
2. 西服	xīfú	suit	件、套	jiàn、tào	

---

① The adjectives of nouns of color are formed by adding 色的 (sè de), e.g. 咖啡色的鞋子 (kāfēisè de xiézi) or 我的鞋子是咖啡色的 (wǒ de xiézi shì kāfēisè de). For 红 (hóng)、绿 (lǜ)、黑 (hēi)、白 (bái)、蓝 (lán)、黄 (huáng)、紫 (zǐ)、灰 (huī)、粉红 (fěnhóng), 色 (sè) can be omitted, e.g. 他的鞋子是白的 (tā de xiézi shì bái de). When the color is before the noun, even 的 (de) can be omitted, e.g. 白鞋子 (bái xiézi).

3. 衬衫	chènshān	shirt	件	jiàn
4. 大衣	dàyī	overcoat	件	jiàn
5. 夹克	jiákè	jacket	件	jiàn
6. 裙子	qúnzi	skirt	条	tiáo
7. 裤子	kùzi	trousers	条	tiáo
8. 牛仔裤	niúzǎikù	jeans(trousers)	条	tiáo
9. 帽子	màozi	hat	个	ge
10. 围巾	wéijīn	scarf	条	tiáo
11. 手套	shǒutào	gloves	副	fù
12. 袜子	wàzi	socks	双	shuāng

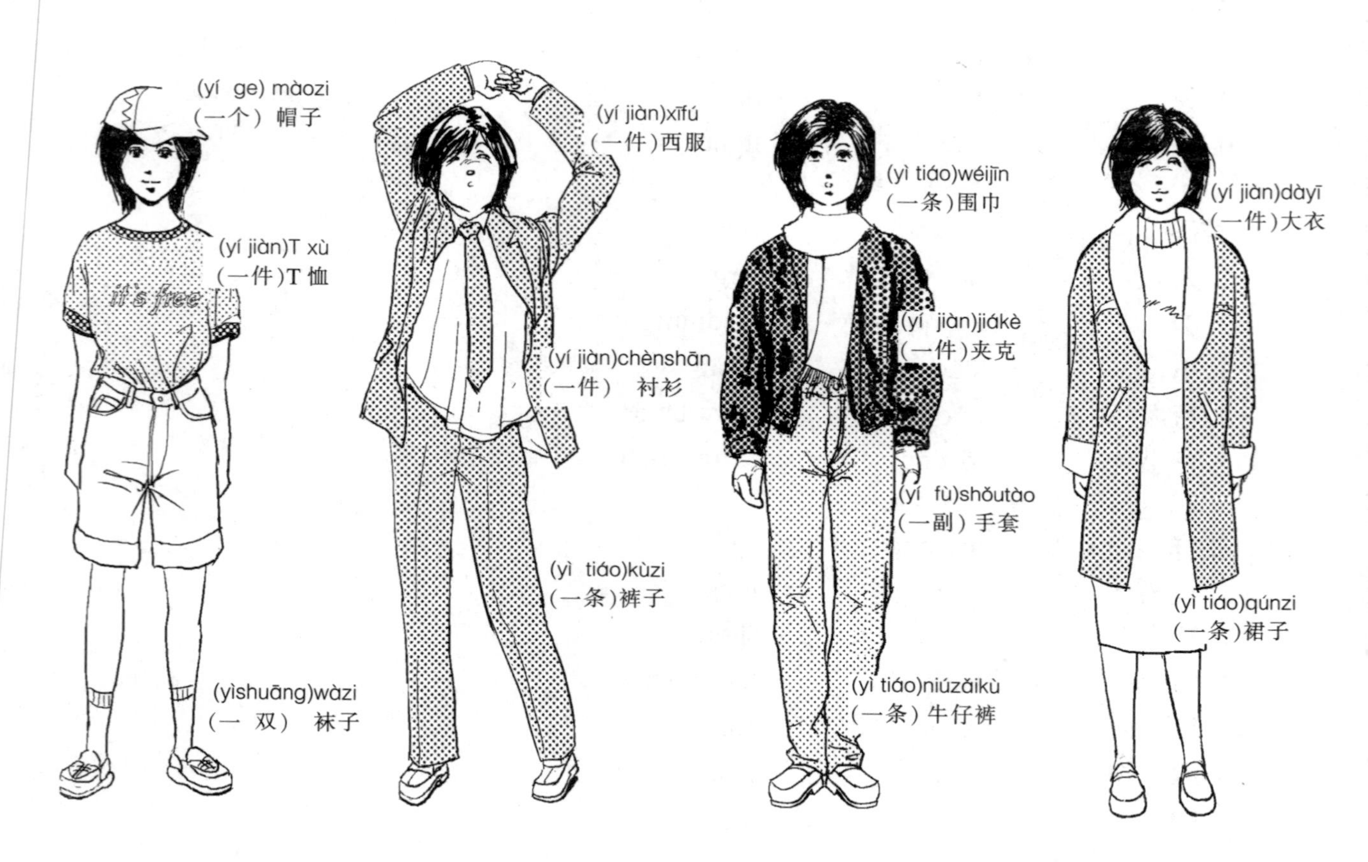

● 料子	liàozi	material, fabric
1. 棉	mián	cotton
2. 麻	má	linen
3. 羊毛	yángmáo	wool
4. 真丝	zhēnsī	silk
5. 真皮	zhēnpí	genuine leather
6. 牛皮	niúpí	cattle hide
7. 羊皮	yángpí	sheepskin

Language Points (语言点)

1. Numbers 100 up (100 以上的数字)

yìbǎi
一百 100

yìbǎi líng èr
一百零二 102

yìbǎi èr(shí)
一百 二(十) 120

yìqiān
一千 1,000

yìqiān yì(bǎi)
一千 一(百) 1,100

yíwàn
一万 10,000

yíwàn yì(qiān)
一万 一(千) 11,000

shíwàn
十万 100,000

shíyī wàn yìqiān
十一万 一千 111,000

yìbǎi wàn
一百万 1,000,000

yìbǎi yīshíyī wàn yìqiān
一百一十一万 一千 1,111,000

yìqiān wàn
一千万 10,000,000

yìqiān èrbǎi wàn
一千 二百万 12,000,000

yíyì
一亿 100,000,000

yíyì èrqiān wàn
一亿 二千万 120,000,000

Note:

(1) 万 (wàn) (ten thousand or 10^4) and 亿 (yì) (one hundred million or 10^8) are two unique digits in Chinese. (汉语有两个独特的单位"万"和"亿")

(2) 二 (èr) in front of digits 百, 千, 万, 亿 (bǎi, qiān, wàn, yì) is interchangeable with 两 (liǎng).("百、千、万、亿"前可用"二",也可用"两") e.g.

200 二百 (èrbǎi) = 两百 (liǎngbǎi); 120,000,000 一亿 二千万 (yíyì èrqiān wàn) = 一亿 两千万 (yíyì liǎngqiān wàn)

(3) Only one 零 (líng) is used between non-empty digits no matter how many empty digits there are in between. (两个数位之间的零不管有几个都用一个"零"表示) e.g.

一万零一百 (yíwàn líng yìbǎi) 10,100; 一万零一十 (yíwàn líng yīshí) 10,010; 一万零一 (yíwàn líng yī) 10,001

2. Verb reduplication (动词重叠)

As we learned in Unit 3, the briefness of an action is expressed by adding 一下 (yíxià) after the verb. In this unit, we learn another way of expressing briefness, that is, repeating (or reduplicating) the verb. Similar to V+ 一下 (yíxià), when the reduplication of verb is used in an request or suggestion, it also makes the manner of speaking moderate and more polite. In verb reduplication, 一 (yī) is sometimes inserted. (和第三课的动词+"一下"相似,动词重叠表示动作短暂。动词重叠用在请求或建议中时,也有缓和语气的作用。有时重叠的动

词间会加上"一")

Let's look at a few examples below: (看下面的例子)

Děng (yì) děng.
(1) 等（一）等。

Wǒ qù biéde dìfang kàn (yí) kàn.
(2) 我 去 别的 地方 看 （一）看。

Nǐ shì (yí) shì.
(3) 你 试（一）试。

Wǒ zhǎo (yì) zhǎo.
(4) 我 找 （一）找。

yíxià
Verb reduplication and V + 一下 are often interchangable. The above sentences can all be

yíxià
changed into V + 一下 form. (动词重叠和动词 +"一下"常可互换，上面句子中的动词重叠形式都可以换成动词 +"一下"形式)

Note:

yíxià
Verb reduplication is different from V + 一下 in two ways: (动词重叠和动词 +"一下"有两点不同)

(1) Verb reduplication also means "try doing something" (动词重叠可表示"尝试"意。) e.g.

Tā zài Shànghǎi zhǐ zhù yí ge wǎnshang. Tā xiǎng xiān qù kànkan Wàitān, ránhòu qù
① 他 在 上海 只 住 一个 晚上。他 想 先 去 看看 外滩，然后 去
Yùyuán chángchang zhèngzōng de Shànghǎi xiǎochī.
豫园 尝尝(to taste, to try)正宗 的 上海 小吃(snack)。

yíxià
So when the request is direct and serious, V + 一下 sounds better than verb reduplication. (对于直接而正式的要求，动词 +"一下"比动词重叠更合适) e.g.

Mǎlì, qǐng nǐ lái yíxià.
② 玛丽，请 你 来 一下。

Mǎkè, xiě yíxià nǐ de Hànyǔ míngzi.
③ 马克，写 一下 你 的 汉语 名字。

Nǐ jì yíxià wǒ de shǒujīhào ba.
④ 你 记 一下 我 的 手机号 吧。

(2) Verb reduplication can also be used to describe habitual or recreational activities. (动词重叠也可描述习惯性或娱乐性活动) e.g.

Wǎnshang tā xǐhuan kànkan shū, tīngting yīnyuè huòzhě gēn péngyou liáoliao
① 晚上 他 喜欢 看看 书，听听 音乐(music)或者 跟 朋友 聊聊
tiān.
天。

wǒ měi ge zhōumò dōu yào yùndòng, yǒushíhou qíqi zìxíngchē, yǒushíhou
② 我 每 个 周末 都 要 运动，有时候 骑骑(to ride)自行车，有时候
pǎopao bù, yǒushíhou dǎda wǎngqiú.
跑跑 步(to run)，有时候 打打 网球。

yǒudiǎn　　　　yìdiǎn

3. 有点+adj. & adj.+一点 (“有点”+形容词和形容词+“一点”)

yìdiǎn

We learned in Unit 5 that when 一点 is placed after an adjective, it makes the degree of the adjective higher. (第五课学过形容词 +“一点”表示程度的增加) e.g.

dà yìdiǎn　　piányi yìdiǎn　　kuài yìdiǎn　　qīng yìdiǎn　　fāngbiàn yìdiǎn
大 一点　　便宜 一点　　快 一点　　轻 一点　　方便 一点

yìdiǎn　　yǒudiǎn

Unlike “adj.＋一点”,“有点＋adj.” means “a bit (too)...”. It implies that something is

yǒudiǎn　　yìdiǎn

not desirable. But “有点＋adj.” can be used together with “adj.＋一点” in a sentence. (“有点”+ 形容词表示某性质、程度不如人意，这和形容词 +“一点”的意义不同，不过二者可在同一句子中共同出现。) e.g.

Lǎobǎn, zhè shuāng xié yǒudiǎn xiǎo, yǒu meiyǒu dà yìdiǎn de?
(1) 老板，这 双 鞋 有点 小，有 没有 大 一点 的？

Zhè zhǒng shǒujī yǒudiǎn guì, nǐ kěyǐ mǎi piányi yìdiǎn de.
(2) 这 种 手机 有点 贵，你 可以 买 便宜 一点 的。

Lǎoshī, wǒmen de Hànyǔkè yǒudiǎn màn, kěyǐ kuài yìdiǎn ma?
(3) 老师，我们 的 汉语课 有点 慢，可以 快 一点 吗？

Nàge bāo yǒudiǎn zhòng, zhège qīng yìdiǎn, gěi nǐ.
(4) 那个 包 有点 重，这个 轻 一点，给 你。

Zuò gōnggòngqìchē yǒudiǎn máfan, zuò dìtiě fāngbiàn yìdiǎn, nǐ zuò dìtiě ba.
(5) 坐 公共汽车 有点 麻烦，坐 地铁 方便 一点，你 坐 地铁 吧。

le

4. 了 indicating a change or a new situation (“了”表示变化或新情况)

le

We have learned 了 after a verb indicating that an action has been accomplished. In this

le　　le

unit, another important usage of 了 is introduced, that is, 了 at the end of a sentence indicating a change or the emergence of a new situation. (我们学过“了”表示动作完成，本课学习“了”的另一个主要用法，即用于句末表示变化或新情况的出现)

Let’s look at some examples and compare the sentences with those in the boxes. (读下列句子，比较无框的句子和有框的句子)

Hēi de hé bái de dōu méiyǒu le.
(1) 黑 的 和 白 的 都 没有 了。

Hēi de hé bái de dōu méiyǒu. 黑 的 和 白 的 都 没有。

Mǎkè de xiézi jiù le, tā yào mǎi yì shuāng xīn de.
(2) 马克 的 鞋子 旧 了，他 要 买 一 双 新 的。

Mǎkè de xiézi hěn jiù. 马克 的 鞋子 很 旧。

Yǔ tíng le, tiānqì hǎo le.
(3) 雨(rain)停 了，天气 好 了。

Tiānqì fēicháng hǎo. 天气 非常 好。

Shàng xīngqī tā bìng le, búguò xiànzài hǎo le.
(4) 上 星期 他 病(sick, sickness)了，不过 现在 好 了。

Tā méiyǒu bìng, shēntǐ hěn hǎo. 他没有病，身体(body, health)很好。

Jīnnián huí jiā tā bú zuò huǒchē le, yīnwèi fēijīpiào piányi le.
(5) 今年回家他不坐火车了，因为飞机票便宜了。

Tā bú zuò huǒchē. Fēijīpiào hěn piányi. 他不坐火车。飞机票很便宜。

Tā bù chōu yān le, yīnwèi tā yǒu nǚpéngyou le.
(6) 他不抽烟(to smoke)了，因为他有女朋友了。

Tā bù chōu yān. Tā yǒu nǚpéngyou. 他不抽烟。他有女朋友。

zài
5. 再

We have learned adverb 再(zài)(again) in Unit 7. Here are some more examples.(第七课学了副词"再"，下面是一些例句) e.g.

Zàijiàn.
(1) 再见。

Qǐng zài shuō yí biàn.
(2) 请再说一遍。

Zài piányi yìdiǎn ba.
(3) 再便宜一点吧。

Wǒ zài qù biéde dìfang kànkan.
(4) 我再去别的地方看看。

Wǒ zài shìshi.
(5) 我再试试。

Wǒ hěn xǐhuan nàge dìfang, zhège zhōumò wǒmen zài qù ba.
(6) 我很喜欢那个地方，这个周末我们再去吧。

Note: 再(zài) is not used in past tense context. Another adverb 又(yòu) is used. ("再"不能用于过去时，过去时中可用副词"又") e.g.

Lǎoshī shuōle yí biàn, xuésheng bù míngbái; lǎoshī yòu shuōle yí biàn, xuésheng míngbai le.
(1) 老师说了一遍，学生不明白；老师又说了一遍，学生明白了。

Wǒ juéde nà jiā xiédiàn de xiézi yǒudiǎn guì, wǒ yòu qù biéde dìfang kànle kàn.
(2) 我觉得那家鞋店的鞋子有点贵，我又去别的地方看了看。

Dì-yī shuāng xié yǒudiǎn xiǎo, lǎobǎn gěi wǒ huànle yì shuāng, wǒ yòu shìle shì, hěn héshì.
(3) 第一双鞋有点小，老板给我换了一双，我又试了试，很合适。

Wǒ hěn xǐhuan nàge dìfang, shàng ge zhōumò wǒmen yòu qù le.
(4) 我很喜欢那个地方，上个周末我们又去了。

xiǎng yào
6. 想 & 要

xiǎng yào
Both 想 and 要 are auxiliary verbs. (“想”和“要”都是情态动词)

xiǎng
✼ 想 indicates a desire to do something. (“想”表示做某事的意愿) e.g.

Mǎkè xiǎng qù yínháng qǔ qián.
(1) 马克 想 去 银行 取 钱。

Mǎkè xiǎng zhǎo yí ge Zhōngguórén bāngzhù tā tígāo Hànyǔ.
(2) 马克 想 找 一个 中国人 帮助 他 提高 汉语。

Tā xiǎng xīngqītiān gēn péngyou tī zúqiú.
(3) 他 想 星期天 跟 朋友 踢 足球(to play football)。

Wǒ xiǎng mǎi yìxiē lǐwù gěi Běijīng de péngyou.
(4) 我 想 买 一些 礼物(gift)给 北京 的 朋友。

bù xiǎng
The negation is 不 想 +V, which means “don't want to do...”。(“想”的否定形式是“不想”+ 动词,意思是“不想做……”)

yào
✼ 要 describes something decided and is going to be realized. (“要”描述的事情是决定要做并将要实现的) e.g.

Xīngqītiān xiàwǔ liǎng diǎn Mǎkè yào gēn Lǐ Dàmíng jiàn miàn.
(1) 星期天 下午 两 点 马克 要 跟 李大明 见 面。

Mǎkè de xiézi jiù le, xiàwǔ tā qùle shāngdiàn, tā yào mǎi yì shuāng xīn de.
(2) 马克 的 鞋子 旧 了,下午 他 去了 商店, 他 要 买 一 双 新 的。

Tā de péngyou xīngqītiān yào gēn nǚpéngyou yuēhuì, mǎile liǎng zhāng diànyǐngpiào.
(3) 他 的 朋友 星期天 要 跟 女朋友 约会,买了 两 张 电影票。

Míngtiān wǒ yào qù Běijīng. mǎile yì zhāng piányi de fēijīpiào
(4) 明天 我 要 去 北京,买了 一 张 便宜 的 飞机票。

bù
The negation is 不+V, which means “not going to do ...”。(“要”的否定形式是“不”+ 动词,意思是“不做……”)

xiǎng
The difference between the two auxiliary verbs is: 想+V is a desire which may not necessarily be realized; while 要+V is decided and is going to be realized. We can put the two auxiliary verbs in the same sentence to make a comparision. (“想”和“要”的区别是:“想”+ 动词表示的意愿不一定要实现,而“要”+ 动词表示决定要做并将会实现。下面把这两个词放在同一句中加以比较)

Mǎkè, xiàwǔ nǐ xiǎng bu xiǎng gēn wǒ qù shāngdiàn mǎi dōngxi?
(1) A: 马克,下午 你 想 不 想 跟 我 去 商店 买 东西?

Bù xiǎng qù, wǒ hěn lèi, yào shuì jiào.
B: 不 想 去,我 很 累,要 睡 觉。

Tā xiǎng xīngqītiān gēn péngyou tī zúqiú, kěshì péngyou xīngqītiān yào gēn nǚpéngyou yuēhuì.
(2) 他 想 星期天 跟 朋友 踢 足球,可是(but)朋友 星期天 要 跟 女朋友 约会。

Míngtiān wǒ yào qù Běijīng wǒ xiǎng mǎi yìxiē lǐwù gěi Běijīng de péngyou, búguò wǒ
(3) 明天 我 要 去 北京，我 想 买 一些 礼物 给 北京 的 朋友，不过 我
bù zhīdao jīntiān yǒu méiyǒu kòng mǎi dōngxi.
不 知道 今天 有 没有 空 买 东西。

Exercises (练习)

1. Substitution (替换练习)

Nǐ chuān duō dà hào de xiézi? Sìshísān hào.
(1) A: 你 穿 多 大 号 的 鞋子？ B: 四十三 号。

Zhè zhǒng lán de nǐ xǐhuan ma? Hái kěyǐ.
(2) A: 这 种 蓝 的 你 喜欢 吗？ B: 还 可以。

jīnsè de
金色 的
chéngsè de
橙色 的
liàozi
料子
shìyàng
式样

Zhè shuāng xiézi hǎoxiàng yǒudiǎn xiǎo, yǒu dà yìdiǎn de ma?
(3) 这 双 鞋子 好像 有点 小，有 大 一点 的 吗？

jiàn 件	yīfu 衣服	guì 贵	piányi 便宜
tiáo 条	kùzi 裤子	duǎn 短	cháng 长
zhǒng 种	yánsè 颜色	qiǎn 浅	shēn 深
jiàn 件	dàyī 大衣	hòu 厚	báo 薄

2. Sentence construction (组词成句)

zhǎozhao biéde zài dìfang wǒ qù
(1) 找找 别的 再 地方 我 去

yǒu yìdiǎn de piányi xiézi meiyǒu
(2) 有 一点 的 便宜 鞋子 没有 ?

háishì tài Mǎkè guì liǎngbǎi èr juéde le
(3) 还是 太 马克 贵 两百 二 觉得 了

qù xuéxiào yì jiā xià kè tā le pángbiān
(4) 去 学校 一家 下课 他 了 旁边
de yǐhòu xiédiàn
的 以后 鞋店

tián kòng
3. 填空

yǒudiǎn yìdiǎn
有点 一点

Zhè jiàn yīfu cháng, yǒu méiyǒu duǎn de?
(1) 这 件 衣服______长，有 没有 短______的？
Zhè běn shū nán, shēngcí yě duō.
(2) 这 本 书 ________难，生词 也______多。
Zhāng lǎoshī shuōhuà kuài, Wáng lǎoshī màn .
(3) 张 老师 说话______快，王 老师 慢______。
Lǎobǎn, jīntiān wǒ bù shūfu , wǒ kěyǐ zǎo huí jiā ma?
(4) 老板，今天 我______不 舒服(comfortable)，我 可以 早______回 家 吗？

yòu zài
又 再

Bù hǎo yìsi! shuō màn yìdiǎn! Wǒ háishi bú tài míngbai.
(1) 不 好 意思！______说 慢 一点！我 还是 不太 明白。
Yínháng xiànzài dàgài yǐjīng guān mén le, nǐ míngtiān qù ba.
(2) 银行 现在 大概 已经(already)关 门 了，你 明天______去 吧。
Wǒ zǎofàn chīle yí kuài sānmíngzhì, wǔfàn chīle yí kuài sānmíngzhì, wǎnfàn wǒ
(3) 我 早饭 吃了 一 块 三明治，午饭______吃了 一 块 三明治，晚饭 我
bù xiǎng chī sānmíngzhì le.
不 想______吃 三明治 了。
Zhè bù diànyǐng tài hǎokàn le, wǒ xiǎng kàn yí biàn.
(4) 这 部(MW) 电影 太 好看 了，我 想______看 一 遍。

xiǎng yào
想 要

xiānsheng : Hòutiān wǒ qù Nánjīng. Nǐ gēn wǒ yìqǐ qù ma?
(1) 先生(husband)：后天 我______去 南京。你______跟 我 一起 去 吗？
tàitai : Dāngrán ! Búguò, hòutiān wǒ shàng kè, suàn le, nǐ zìjǐ qù ba,
太太(wife)：当然______！不过，后天 我______上 课，算 了，你 自己 去吧，
wǒ bù quē kè .
我 不______缺 课(to skip class)。
Wǒ mǎi yí jiàn xīn yīfu , qù nǎli mǎi ne?
(2) A：我______买 一 件 新 衣服，去 哪里 买 呢？
Nǐ mǎi guì yìdiǎn de háishi piányi yìdiǎn de?
B：你 买 贵 一点 的 还是 便宜 一点 的？

4. fānyì 翻译

(1) Let me try.

(2) A: How is this book? B: It's okay.

(3) I want to watch that movie again.

(4) Sorry, we don't have any size S T-shirt now.

(5) I still don't understand. Please say it again.

(6) You look a bit tired. Are you sick?

(7) The rain has stopped, and it becomes hot again.

5. tīng yì tīng 听一听

Listen to four dialogues and fill out the form: (听四段对话，然后填表)

Vocabulary (生词)

讲价	jiǎng jià	*VO*	to bargain
钱包	qiánbāo	*n.*	wallet, purse
式/式样	shì/shìyàng	*n.*	style
特价	tèjià	*n.*	special price
牌子	páizi	*n.*	brand

	1	2	3	4
gùkè mǎi de dōngxi 顾客买的东西				
yánsè 颜色				
hàomǎ 号码				
liàozi 料子				
jiàqian 价钱 (price)				

dú yi dú
6. 读一读

(1) Read the following dialogue and choose the appropriate words to fill in the blanks: (读下面的对话,用合适的词填空)

Note: you can use a word more than once or don't use it at all. (下面的词可以多次使用,也可以不用)

kànkan 看看	wènwen 问问	yǒudiǎn 有点	yìdiǎn 一点	háishì 还是	huòzhě 或者	
háiyǒu 还有	dāngrán 当然	yīnwèi 因为	lǎo 老	jiù 旧	shuāng 双	tiáo 条

Mǎkè: Zhè ______ niúzǎikù duōshǎo qián?
马克:这______牛仔裤 多少 钱?

Lǎobǎn: Sānbǎi bā.
老板:三百 八。

Mǎkè Sānbǎi bā? ______ guì.
马克:三百 八?______贵。

Lǎobǎn: Yìdiǎn yě bú guì. Nǐ ______ zhè páizi, shì CK de, nǐ zài ______ zhè zhìliàng...
老板:一点 也 不(not at all)贵。你______这 牌子,是 CK 的,你 再______这 质量……

Mǎkè: CK de? Shì zhēn de ______ jiǎ de?
马克:CK 的?是 真(real)的______假(fake)的?

Lǎobǎn: ______ shì zhēn de, wǒmen diàn cónglái bú mài jiǎ de. Nǐ kěyǐ ______ zhè wèi xiǎojiě, tā shì wǒmen diàn de ______ gùkè.
老板:______是 真 的,我们 店 从来 不(never)卖 假 的。你 可以______这 位 小姐,她 是 我们 店 的______顾客。

Mǎkè: Kěshì wǒ ______ juéde tài guì le, piányi ______ bù xíng ma?
马克:可是 我______觉得 太 贵 了,便宜______不 行 吗?

Lǎobǎn: Bù hǎo yìsi, yǐjīng hěn piányi le. Wǒ gēn nǐ shuō, wǒmen zhèli mài de dōu shì hǎo dōngxi. Nǐ rúguǒ ______ juéde guì, jiù qù biéde diàn ______ ba.
老板:不 好 意思,已经 很 便宜 了。我 跟 你 说,我们 这里 卖 的 都 是 好 东西。你 如果______觉得 贵,就 去 别的 店______吧。

(2) Read the following sentences and put them in order to form a small passage. (连句成段)

① Xīngqīliù, Mǎkè yòu qùle nà jiā xiédiàn, tā yào tuì nà shuāng xiézi.
星期六,马克 又 去了 那 家 鞋店,他 要 退(to return)那 双 鞋子。

② Mǎkè zài xuéxiào pángbiān de xiédiàn mǎile yì shuāng lánsè de xiézi.
马克 在 学校 旁边 的 鞋店 买了 一 双 蓝色 的 鞋子。

③ Yīnwèi zài zhè jiā xiédiàn, qī tiān yǐnèi kěyǐ tuì, chāoguò qī tiān zhǐ néng huàn. Mǎkè de xié shì bā tiān yǐqián mǎi de.
因为 在 这 家 鞋店,七 天 以内(within)可以 退,超过(to exceed)七 天 只 能(can, be able to)换。马克 的 鞋 是 八 天 以前 买 的。

Xiédiàn de fúwùyuán kànle kàn xiézi de fāpiào, gàosu Măkè, tāmen zhǐ néng gěi
④ 鞋店 的 服务员 看了 看 鞋子 的 发票，告诉 马克，他们 只 能 给
tā huàn yì shuāng, bù néng tuì.
他 换 一 双， 不 能 退。

Kěshì tā chuānle sān tiān, xiézi jiù huài le.
⑤ 可是 他 穿了 三 天，鞋子 就 坏(broken)了。

Măkè hěn bù gāoxìng, tā xiăng gēn xiédiàn de jīnglǐ tántan.
⑥ 马克 很 不 高兴，他 想 跟 鞋店 的 经理(manager)谈谈。

shuō yì shuō
7. 说 一 说

(1) Group work: Discuss the following questions and choose a person to summarize what the others say. (分组讨论下列问题，选出一名代表总结大家的发言)

Zài nǐmen guójiā, zhōumò nǐ yìbān zuò shénme? Zài Zhōngguó ne?
① 在 你们 国家， 周末 你 一般 做 什么？ 在 中国 呢？

Nǐmen guójiā yǒu duōshăo rénkǒu ? Nǐ zhīdào Zhōngguó yǒu duōshăo
② 你们 国家 有 多少 人口(population)？你 知道 中国 有 多少
rénkǒu ma?
人口 吗？

Zài nǐmen guójiā, dàxué yì nián de xuéfèi shì duōshăo? Nǐ juéde nǐ zài zhèli
③ 在 你们 国家，大学 一 年 的 学费(tuition)是 多少？你 觉得 你 在 这里
xué Hànyǔ de xuéfèi guì ma?
学 汉语 的 学费 贵 吗？

(2) Pair work: (双人练习)

① Finish one of the two following tasks: (完成下面任务，二选一)

✽ At the post office (yóujú 邮局): You want to buy a carton (zhǐxiāng 纸箱) for your parcel. The clerk gives you one, but it's a little larger for your parcel. Ask for a smaller one. (在邮局：你想买个纸箱寄包裹。营业员给了你一个，可是有点大，要求换一个小一点的)

✽ At the bookstore: You bought a Chinese book last weekend. It was recommended by a shop assistant. But now you find it a bit too difficult for you. Ask for a change. (在书店：上周末你买了一本汉语书，是一个店员推荐的。可是现在你发现它有点难，要求换一本容易一点儿的)

② Play the roles of 马克 (Măkè) and 服务员 (fúwùyuán) in "读一读" ("dúyìdú") (2). Make a dialogue. (分角色扮演"读一读"(2)中的马克和服务员，进行对话练习)

③ Play the roles of customer and shop assistant, making use of the pictures given below. (分角色扮演顾客和店员，并利用下列图片)

8. 写一写 (xiě yì xiě)

Write your recent shopping experience. (写一写你最近的购物经历)

Information may include: (包括下列信息)

(1) Where?

(2) What did you buy?

(3) How is the look and quality?

(4) How did you bargain?

(5) How much did you pay?

(6) What do you think of the shopping place?

Unit 9

Renting Apartment

zū fángzi
租房子

1. Wǒ xiǎng zū yí tào yí-shì yì-tīng de fángzi. 我想租一套一室一厅的房子。 I want to rent an apartment with one bedroom and one living room.
2. Fángzi shì xīn de, lǐmian shénme dōu yǒu. 房子是新的,里面什么都有。 The apartment is new and it has everything inside.
3. Wòshì cháo nán, wàimian yǒu yí ge yángtái. 卧室朝南,外面有一个阳台。 The bedroom faces south, and there is a balcony outside.
4. Zūjīn kěyǐ gēn fángdōng zài tántan. 租金可以跟房东再谈谈。 You can still negotiate the rent with the landlord.
5. Nǐ dǎsuan zū duō cháng shíjiān? 你打算租多长时间? How long do you plan to rent?

kèwén (Text)

(I)

Zhōngjiè: Xiǎng zū shénmeyàng de fángzi?
Mǎkè: Wǒ xiǎng zū yí tào yí-shì yì-tīng de fángzi, zūjīn liǎngqiān kuài zuǒyòu. Zuìhǎo zài dàxué fùjìn.
Zhōngjiè: Wǒ gěi nǐ zhǎozhao. ...Huàshān Lù shang yǒu yí tào búcuò de fángzi, jiù zài dàxué pángbiān, zǒu lù liǎng fēnzhōng zuǒyòu. Fángzi shì xīn de, lǐmian shénme dōu yǒu. Yí ge yuè liǎngqiān sì, nǐ yǒu méiyǒu xìngqù?
Mǎkè: Hǎoxiàng yǒudiǎn guì. Kěyǐ zài piányi yìdiǎn ma?
Zhōngjiè: Nǐ dǎsuan zū duō cháng shíjiān?

Mǎkè: Bàn nián zuǒyòu.
Zhōngjiè: Nǐ xiān gēn wǒ qù kànkan fángzi ba. Rúguǒ nǐ zhēnde xǐhuan, zūjīn kěyǐ gēn fángdōng zài tántan.
Mǎkè: Xíng.
Zhōngjiè: Nà wǒ xiànzài gěi fángdōng dǎ diànhuà.

(Ⅱ)

Mǎkè gēn zhōngjiè qù kànle fángzi. Nà tào fángzi zhēnde búcuò, kètīng lǐ yǒu liǎng zhāng xīn shāfā, yì zhāng xiǎo kāfēizhuō hé yì tái dà diànshì. Wòshì cháo nán, wàimian yǒu yí ge yángtái. Cóng yángtái shàng kěyǐ kànjiàn xiàmian de huāyuán. Búguò chúfáng yǒudiǎn xiǎo, lǐmian méiyǒu kǎoxiāng. Fángdōng shuō rúguǒ tā zhēnde xiǎng zū, kěyǐ gěi tā mǎi yí ge.

课 文

(一)

中 介：想租什么样的房子？
马 克：我想租一套一室一厅的房子，租金两千块左右。最好在大学附近。
中 介：我给你找找。……华山路上有一套不错的房子，就在大学旁边，走路两分钟左右。房子是新的，里面什么都有。一个月两千四，你有没有兴趣？
马 克：好像有点贵。可以再便宜一点吗？
中 介：你打算租多长时间？
马 克：半年左右。
中 介：你先跟我去看看房子吧。如果你真的喜欢，租金可以跟房东再谈谈。
马 克：行。
中 介：那我现在给房东打电话。

(二)

马克跟中介去看了房子。那套房子真的不错，客厅里有两张新沙发、一张小咖啡桌和一台大电视。卧室朝南，外面有一个阳台。从阳台上可以看见下面的花园。不过厨房有点小，里面没有烤箱。房东说如果他真的想租，可以给他买一个。

Vocabulary (生词语)

1. 房子 fángzi *n.* house, apartment
2. 中介 zhōngjiè *n.* agency, agent
3. 什么样 shénmeyàng *QW* what kind of, how (does it look like)

   e.g. shénmeyàng de fángzi
   什么样 的 房子
   what kind of apartment
   Nǐ mǎi de shāfā shì shénmeyàng de?
   你 买 的 沙发 是 什么样 的？
   How does the sofa you bought look like?

4. 套 tào *MW* set

   e.g. yí tào xīfú, yí tào shū yí tào fángzi
   一套西服 一套书 一套房子

5. 室 shì *n.* room

   Usage: usually used as word component or used in address.
   e.g. wòshì 卧室 bedroom jiàoshì 教室 classroom
   bàngōngshì 办公室 office èr èr líng shì 220 室 Rm. 220
   The word for room in general is fángjiān 房间.

6. 厅 tīng *n.* hall, living room

   Usage: usually used as word component.
   e.g. kètīng 客厅 living room
   cāntīng 餐厅 dinning room, restaurant
   dítīng 迪厅 disco (theque)

7. 租金 zūjīn *n.* rent
8. 千 qiān *num.* thousand
9. 左右 zuǒyòu *n.* about, around

   Usage: used after a number or a measure word (if there is one).
   e.g. liǎngqiān kuài zuǒyòu
   两千 块 左右

10. 最好 zuìhǎo *adv.* most favorable or desirable, had better

    e.g. Fángzi zuìhǎo zài dàxué fùjìn.
    房子 最好 在 大学 附近。

I would prefer an apartment near the university.
Nǐ zuìhǎo xiān qù kànkan.
你 最好 先 去 看看。
You'd better go and have a look first.

11. **附近** fùjìn *n.* vincinity, nearby

12. **不错** búcuò *adj.* pretty good, not bad

Usage: 不错 (búcuò) is better than 还可以 (hái kěyǐ) in degree and a bit below 很好 (hěn hǎo).

13. **什么** shénme *pron.* everything, anything, see Language Points

14. **月** yuè *n.* month

e.g. 三月 (sānyuè) March 三个月 (sān ge yuè) three months

15. **兴趣** xìngqù *n.* interest (in sth.)

16. **打算** dǎsuan *v. & n.* to plan; plan

17. **多长时间** duōcháng shíjiān *QW* how long

时间 shíjiān *n.* time

Usage: 时间 (shíjiān) is the word for time in general.

e.g.
Wǒ méiyǒu shíjiān.
我 没有 时间。 I don't have time.
Shíjiān guò de tài kuài le.
时间 过 得 太 快 了。Time flies.

While 时候 (shíhou) is only used in expressions such as 什么时候 (shénme shíhou) when, 有时候 (yǒushíhou) sometimes, 这时候 (zhè shíhou) at this moment.

18. **半** bàn *num.* half

e.g. 半年 (bàn nián) 半天 (bàn tiān) 半个月 (bàn ge yuè)
see Language Points for more examples

19. **年** nián *n.* year

20. **真的** zhēnde *adv.* really, indeed

e.g.
Wǒ zhēnde bù hē jiǔ.
我 真的 不 喝 酒。
Nà tào fángzi zhēnde búcuò.
那 套 房子 真的 不错。

21.	房东	fángdōng	*n.*	landlord
22.	谈	tán	*v.*	to talk
				e.g. Wǒ xiǎng gēn nǐ tántan. 我想跟你谈谈。I want to talk with you.
23.	客厅	kètīng	*n.*	living room
24.	有	yǒu	*v.*	there is..., see Language Points
25.	沙发	shāfā	*n.*	sofa
26.	咖啡桌	kāfēizhuō	*n.*	coffee table
	桌	zhuō	*n.*	table, usually 桌子 (zhuōzi)
27.	台	tái	*MW*	for large electrical appliances such as 电脑 (diànnǎo) computer、电视 (diànshì)、冰箱 (bīngxiāng) fridge、洗衣机 (xǐyījī)
28.	电视	diànshì	*n.*	TV, TV set
29.	卧室	wòshì	*n.*	bedroom
30.	朝	cháo	*v.*	to face
31.	南	nán	*n.*	south, also 东 (dōng) east、西 (xī) west、北 (běi) north
32.	外面	wàimian	*n.*	outside
33.	阳台	yángtái	*n.*	balcony
34.	从	cóng	*prep.*	from
35.	花园	huāyuán	*n.*	garden
	花	huā	*n.*	flower
36.	厨房	chúfáng	*n.*	kitchen
37.	烤箱	kǎoxiāng	*n.*	oven
	烤	kǎo	*v.*	to roast

Proper Nouns (专有名词)

华山路	Huàshān Lù		Huashan Rd.
山	shān	*n.*	mountain

Language Points (语言点)

1. Duration of time (时段的表达)

The most commonly used expressions on duration of time (下表是常用的时段表达)

	one	half	one and a half
nián 年 year	yì nián 一 年	bàn nián 半 年	yì nián bàn 一 年 半
yuè 月 month	yí ge yuè 一 个 月	bàn ge yuè 半 个 月	yí ge bàn yuè 一 个 半 月
xīngqī 星期 week	yí ge xīngqī 一个星期		
zhōu 周 week	yì zhōu 一 周		
tiān 天 day	yì tiān 一 天	bàn tiān 半 天	yì tiān bàn 一 天 半
xiǎoshí 小时 hour	yí (ge) xiǎoshí 一 (个) 小时	bàn (ge) xiǎoshí 半 (个)小时	yí ge bàn xiǎoshí 一 个 半 小时
fēnzhōng 分钟 minute	yì fēnzhōng 一 分钟	bàn fēnzhōng 半 分钟	yì fēn bàn (zhōng) 一 分 半 (钟)

We have learned time adverbials in Unit 7. A time adverbial usually precedes a verb. (第七课学了时间状语,时间状语一般用在动词前) e.g.

Wǒmen liǎng diǎn zǒu.
(1) 我们 两 点 走。

Wǒ xiǎng xià ge yuè zū.
(2) 我 想 下 个 月 租。

Tā xiǎng míngnián sìyuè xué Hànyǔ.
(3) 他 想 明年 四月 学 汉语。

Tāmen měi tiān shàngwǔ shàng kè.
(4) 他们 每 天 上午 上 课。

✲ Each of the following four sentences contains a duration of time. Can you find the rule on where to place a duration of time in a sentence? (找出下列句中时段短语的位置规律)

Wǒmen dǎsuan zǒu liǎng ge xiǎoshí.
(1) 我们 打算 走 两 个 小时。

Wǒ dǎsuan zū bàn nián.
(2) 我 打算 租 半 年。

Tā xiǎng xué sì ge yuè Hànyǔ.
(3) 他 想 学 四 个 月 汉语。

Tāmen měi tiān shàng bàn tiān kè.
(4) 他们 每 天 上 半 天 课。

Write the rule here: (把你找到的规律写在这里)

___

___

___

✻ Can you change the above sentences with duration of time into past tense? (把上面带时段短语的句子变为过去时)

(1) We walked for two hours.

(2) I rented for half a year.

(3) He learned Chinese for four months.

(4) He had class for half a day yesterday.

2. 有 (yǒu) in the sense of existence (“有”表示存在)

Sentence with verb 有 (yǒu) in the sense of existence describes what is located at a given place. It's equal to the existential sentence "there is..." in English. The sentence structure is: phrase of locality + 有 (yǒu) + object.

(“有”字句描述某地有某事物，相当于英语中的“there is...”。句子结构为：方位短语+“有”+宾语)

(1) Huàshān Lù shàng yǒu yí tào búcuò de fángzi.
华山 路 上 有 一 套 不错 的 房子。

(2) Kètīng lǐ yǒu liǎng zhāng xīn shāfā.
客厅 里 有 两 张 新 沙发。

(3) Wòshì wàimian yǒu yí ge yángtái.
卧室 外面 有 一 个 阳台。

(4) Chúfáng lǐmian méiyǒu kǎoxiāng.
厨房 里面 没有 烤箱。

(5) Èr lóu yǒu yí ge xǐshǒujiān.
二 楼 有 一 个 洗手间。

Note:

The object in 有 (yǒu) sentence is usually quantified and not something particular or specified. (“有”的宾语通常有确定的数量，不是特定的某事物) e.g.

Yí tào búcuò de fángzi
一 套 不错 的 房子

liǎng zhāng xīn shāfā
两 张 新 沙发

So you cannot say:

Wǒ jiā hòumian yǒu Jiālèfú.
∗ 我 家 后面 有 家乐福。
Mǎkè zuǒbian yǒu Mǎlì.
∗ 马克 左边 有 玛丽。

Instead, you'd better say

Wǒ jiā hòumian shì Jiālèfú.
我 家 后面 是 家乐福。
Mǎkè zuǒbian shì Mǎlì.
马克 左边 是 玛丽。

shénme
3. 什么 as "anything, everything" ("什么"表示"任何，所有")

shénme
As we have learned, 什么 means "what". But it also means "anything, everything". ("什么"还有"任何、所有"的意思) e.g.

Fángzi lǐmian shénme dōu yǒu.
(1) 房子 里面 什么 都 有。(The apartment has everything inside.)

Zài zhège fàndiàn, nǐ fù yìbǎi kuài, shénme dōu kěyǐ chī.
(2) 在 这个 饭店，你 付 一百 块，什么 都 可以 吃。(In this restaurant, if you pay 100 kuài, you can eat everything.)

Tā shénme dōu zhīdao, kěshì shénme dōu bú zuò.
(3) 他 什么 都 知道，可是 什么 都 不 做。(He knows everything but does nothing.)

shénme dōu
Note: 什么 is placed before the verb and is always used with 都. ("什么"用于动词前，总是和"都"连用)

duō
4. 多 as "how" ("多"用做疑问词)

duō dà
(1) 多 大 how large, how old

Nǐ chuān duō dà hào de xiézi?
A: 你 穿 多 大 号 的 鞋子？
Sìshísān hào.
B: 四十三 号。

Nǐ de fángzi yǒu duō dà?
A: 你 的 房子 有 多 大？
Yìbǎi píngmǐ
B: 一百 平米(square meter)

Nǐ duō dà?
A: 你 多 大？
Wǒ shísān suì.
B: 我 十三 岁(age)。

duō cháng
(2) 多 长 how long

Chángchéng yǒu duō cháng?
A: 长城 有 多 长？
Dàgài wǔqiān gōnglǐ.
B: 大概 五千 公里(km)。

Nǐ xiǎng zhù duō cháng shíjiān?
A: 你 想 住 多 长 时间？
Liù ge yuè.
B: 六 个 月。

duō yuǎn
(3) 多 远 how far

Zhèr lí tǐyùguǎn yǒu duō yuǎn?
A: 这儿 离 体育馆 有 多 远？

Zuò chūzūchē dàgài shí fēnzhōng.
B: 坐 出租车 大概 十 分钟。

duō gāo
(4) 多 高(tall, high) how tall

Yáo Míng yǒu duō gāo?
A: 姚 明 有 多 高？

Liǎng mǐ èr.
B: 两 米(meter) 二。

Note: If 多(duō)…… is at the end of the question, 有(yǒu) is often placed before 多(duō)……("多……"用于句末时，前面常与"有"搭配)

Exercises (练习)

1. Substitution (替换练习)

Xiǎng zū shénmeyàng de fángzi?
(1) 想 租 什么样 的 房子？

xǐhuan chuān 喜欢 穿	xiézi 鞋子
xǐhuan zhù zài 喜欢 住 在	dìfang 地方
xǐhuan zuò 喜欢 做	gōngzuò 工作

Nǐ dǎsuan zū duō cháng shíjiān?
(2) A: 你 打算 租 多 长 时间？

bàn nián zuǒyòu
B: 半 年 左右。

dǎsuan zài Shànghǎi zhù 打算 在 上海 住
dǎsuan xué 打算 学
zuótiān xuéle 昨天 学了
měitiān yùndòng 每天 运动

2. Fill adverb(s) in proper place(s) of a sentence (把副词放入句中合适的位置)

(1)	Nín xiǎng kànkan biéde dōngxi ma? 您 想 看看 别的 东西 吗？	hái 还
(2)	Wǒ měi xīngqīsān hé xīngqīsì xiàwǔ yǒu kòng. 我 每 星期三 和 星期四 下午 有 空。	dōu 都
(3)	Wǒ xiǎng zū yí tào liǎngqiān kuài de fángzi. 我 想 租 一 套 两千 块 的 房子。	zuǒyòu 左右
(4)	Hēi píxié hé bái píxié méiyǒu le, xiànzài yǒu lán de. 黑 皮鞋 和 白 皮鞋 没有 了，现在 有 蓝 的。	dōu zhǐ 都 只
(5)	Wǒ juéde tài guì le, kěyǐ piányi yìdiǎn ma? 我 觉得 太 贵 了，可以 便宜 一点 吗？	zài háishi 再 还是

Huàshān Lù de nà tào fángzi zài dàxué pángbiān, zǒu lù liǎng fēnzhōng. jiù dàgài
(6) 华山路的那套房子在大学旁边，走路两分钟。 **就** **大概**

Tāmen zhōumò qùle nà jiā shūdiàn, búguò shūdiàn méiyǒu nà běn shū. yòu háishì
(7) 他们周末去了那家书店，不过书店没有那本书。 **又** **还是**

Nǐ gēn wǒ qù kànkan fángzi ba, rúguǒ nǐ zhēnde xǐhuan, zūjīn kěyǐ gēn fángdōng tántan.
(8) 你跟我去看看房子吧，如果你真的喜欢，租金可以跟房东谈谈。

xiān zài
先 **再**

tián kòng
3. 填空

zài gēn guò lí cóng gěi hùxiāng huòzhě
在 跟 过 离 从 给 互相 或者

Nǐ qìchēzhàn děng wǒ, wǒ dàole yǐhòu nǐ dǎ shǒujī.
(1) 你______汽车站等我，我到了以后______你打手机。

Yìzhí zǒu, dì-èr ge hónglǜdēng zuǒ guǎi.
(2) 一直走，______第二个红绿灯左拐。

Nǐ xiànzài máng ma? Wǒ kěyǐ nǐ liáoliao tiān ma?
(3) 你现在忙吗？我可以______你聊聊天吗？

Nǐ tā zài Jiālèfú ménkǒu jiàn miàn ba, tā zhù de dìfang Jiālèfú hěn jìn.
(4) 你______他在家乐福门口见面吧，他住的地方______家乐福很近。

Wǒ xiān yào yì pán Yìdàlìmiàn hé yì bēi guǒzhī, yíhuìr yào kāfēi, kěyǐ ma?
(5) 我先要一盘意大利面和一杯果汁，______一会儿要咖啡，可以吗？

Wǒ bú yào hóng de, hēi de bá de dōu xíng.
(6) A：我不要红的，黑的______白的都行。

hǎo ba, wǒ nǐ zhǎozhao.
B：好吧，我______你找找。

Wǒ kěyǐ bāngzhù nǐ tígāo Hànyǔ, wǒ yě xiǎng nǐ liànxí Yīngyǔ, wǒmen kěyǐ bāngzhù.
(7) 我可以帮助你提高汉语，我也想______你练习英语，我们可以______帮助。

yángtái shàng kěyǐ kànjiàn xiàmian de huāyuán.
(8) ______阳台上可以看见下面的花园。

4. Ask questions with question words according to the underlined parts（根据画线部分用疑问词提问）

Mǎkè chuān tèdàhào de yīfu.
(1) 马克穿<u>特大号</u>的衣服。

Tā dǎsuan zài Shànghǎi zuìshǎo zhù sān nián.
(2) 他打算在上海最少住<u>三</u>年。

Mǎlì dàgài èrshí suì zuǒyòu.
(3) 玛丽 大概 二十 岁 左右。

Běijīng lí Shànghǎi yǒu yìqiānwǔbǎi gōnglǐ.
(4) 北京 离 上海 有 一千五百 公里。

Mǎkè xǐhuan wòshì cháo nán, yǒu yángtái de fángzi.
(5) 马克 喜欢 卧室 朝 南、有 阳台 的 房子。

5. 翻译 (fānyì)

(1) Yesterday he studied for three hours.

(2) He lived there for five years.

(3) He was in that company five years ago.

(4) There are many old houses on Huashan Rd.

(5) There is a beautiful garden ouside the house.

(6) There are many interesting places by the Bund.

(7) Two hundred years ago, Shanghai was a small village (村子 cūnzi).

(8) There is nothing in the bedroom.

6. 读一读 (dú yì dú)

Nǐ hǎo! Wǒ xiǎng zū yí ge fángjiān. Wǒ jiào Mǎlì, Měiguórén, huì shuō Yīngyǔ, Xībānyáyǔ hé yìdiǎn Hànyǔ, rúguǒ nǐ xiǎng chūzū nǐ de yí ge fángjiān huòzhě xiǎng gēn wǒ hé zū yí tào fángzi, qǐng gēn wǒ liánxì! Diànhuà: yāo èr jiǔ yāo liù sān sì sì wǔ liù sì

你好！我想租一个房间。我叫玛丽，美国人，会说英语、西班牙语和一点汉语，如果你想出租(to lease)你的一个房间或者想跟我合租(share to rent)一套房子，请跟我联系(to contact)! 电话：1 2 9 1 6 3 4 4 5 6 4

Fángzi zuìhǎo zài dàxué fùjìn huòzhě zài dìtiězhàn fùjìn.
——房子最好在大学附近或者在地铁站附近。

Jiàqian zuìhǎo piányi yìdiǎn, wǒ háishì xuésheng, méiyǒu hěn duō qián.
——价钱最好便宜一点，我还是学生，没有很多钱。

Rúguǒ nǐ xiǎng gēn wǒ hé zū, Zhōngguórén, wàiguó rén, nán de, nǚ de dōu kěyǐ, búguò zuìhǎo shì bù chōu yān de rén.
——如果你想跟我合租，中国人、外国(foreign country)人、男的、女的都可以，不过最好是不抽烟的人。

tīng yì tīng
7. 听一听

Tīng liǎng ge duìhuà, huídá wèntí:
听 两 个 对话，回答(answer)问题：

Vocabulary (生词)

前天	qiántiān	*n.*	the day before yesterday
电梯	diàntī	*n.*	elevator, lift
安静	ānjìng	*adj.*	quiet

duìhuà
对话 1:

Mǎkè wèi shénme yòu qù zhōngjiè kàn fángzi le?
(1) 马克 为 什么 又 去 中介 看 房子 了？

Mǎkè yào zhǎo duō dà de fángzi?
(2) 马克 要 找 多 大 的 房子？

Dì-yī ge zhōngjiè jièshào de fángzi zài shénme dìfang?
(3) 第一 个 中介 介绍 的 房子 在 什么 地方？

Zūjīn shì duōshǎo? Fángzi zài jǐ lóu?
(4) 租金 是 多少？ 房子 在 几 楼？

duìhuà
对话 2:

Dì-èr ge zhōngjiè jièshào de dì-yī tào fángzi zài nǎli?
(1) 第二 个 中介 介绍 的 第一 套 房子 在 哪里？

Mǎkè yǒu xìngqù ma? Wèi shénme?
(2) 马克 有 兴趣 吗？ 为 什么？

Tāmen jièshào de dì-èr tào fángzi zài nǎli? Zūjīn shì duōshǎo?
(3) 他们 介绍 的 第二 套 房子 在 哪里？租金 是 多少？

Fángzi shì shénmeyàng de?
(4) 房子 是 什么样 的？

shuō yì shuō
8. 说一说

(1) Pair work: (双人练习)

① Describe the neighbourhood of your home to your partner. You can draw a map to make your description clearer. (向对方描述你家周围的环境设施，可以画一幅小地图。)

② Go to a real estate agency and ask them to give you a brochure and explain the information of one apartment on the brochure to you. Then bring the brochure to the class. You play the role of 中介 (zhōngjiè) and your partner plays the role of 想 租 房 (xiǎng zū fáng-)

zi de rén
子的人。(向中介要一份租房信息广告,根据租房信息,你和同学分别扮演租房者和中介)

sān ge rén
(2) Group work (三 个 人): (三人组练习)

xuésheng
✲ 学生 A:

Nǐ shì "dú yì dú" lǐmian de Mǎlì, nǐ yào zū yí ge fángjiān.
Suppose: 你是"读一读"里面的玛丽,你要租一个房间。

xuésheng
✲ 学生 B:

Nǐ gēn yí ge tóngxué hé zūle yí tào liǎng-shì yì-tīng de fángzi. Shàng xīngqī tā huí guó le, nǐ xiǎng zài zhǎo yí ge xīn tóngwū. Nǐ kànjiànle Mǎlì zhǎo fángzi de guǎnggào, nǐ yào gěi tā dǎ yí ge diànhuà, wènwen tā yǒu méiyǒu xìngqù gēn nǐ hé zū.
Suppose: 你跟一个同学合租了一套两室一厅的房子。上星期他回国了,你想再找一个新同屋(roommate)。你看见了玛丽找房子的广告(advertisement),你要给她打一个电话,问问她有没有兴趣跟你合租。

xuésheng
✲ 学生 C:

Nǐ yǒu yí tào sān-shì yì-tīng de fángzi, yǒu yí ge wòshì méiyǒu rén zhù, nǐ dǎsuan chūzū. Nǐ kànjiànle Mǎlì zhǎo fángzi de guǎnggào, nǐ yào gěi tā dǎ yí ge diànhuà, wènwen tā yǒu méiyǒu xìngqù zū nǐ de fángzi, háiyǒu, tā yǒu méiyǒu xìngqù jiāo nǐ Xībānyáyǔ.
Suppose: 你有一套三室一厅的房子,有一个卧室没有人住,你打算出租。你看见了玛丽找房子的广告,你要给她打一个电话,问问她有没有兴趣租你的房子,还有,她有没有兴趣教你西班牙语。

xiě yì xiě
9. 写一写

You plan to study Chinese in Beijing University during the summer vacation (shǔjià 暑假). Write an online advertisement looking for an apartment and a Chinese roommate. (你打算暑假去北京大学学汉语。写一则广告,找一套公寓和一位中国合租室友)

Unit 10

Restaurant

fàndiàn
饭店

1. Wǒ bú tài huì diǎn cài.	我不太会点菜。 I'm not good at ordering food.
2. Xiān lái yí ge..., ránhòu yào yí ge.... .	先来一个……,然后要一个……。 First have a..., then have a....
3. Bú yòng le, hē chá jiù xíng le.	不用了,喝茶就行了。 No need, tea would be fine.
4. Qǐng wèn nǐmen jǐ wèi?	请问你们几位? Excuse me, how many people do you have?
5. Wǒmen kě bu kěyǐ zuò kào chuāng de zhuōzi?	我们可不可以坐靠窗的桌子? Could we sit at the table next to the window?
6. Nín gǎocuò le ba?	您搞错了吧? You must have made a mistake.

kèwén (Text)

(I)

Fúwùyuán: Huānyíng guānglín. Qǐng wèn nǐmen jǐ wèi?
Dàmíng: Liǎng wèi.
Fúwùyuán: Yùdìngle ma?
Dàmíng: Méi yùdìng.
Fúwùyuán: Zuò zhèli kěyǐ ma?
Mǎkè: Zhèli yǒudiǎn chǎo, wǒmen kě bu kěyǐ zuò kào chuāng de nàge zhuōzi?
Fúwùyuán: Duìbuqǐ, yǐjīng yǒurén yùdìng le.
Dàmíng: Suàn le, jiù zuò zhèli ba.
Mǎkè: Hǎo ba.

(Ⅱ)

Mǎkè: Dàmíng, nǐ lái diǎn ba. Wǒ bú tài huì diǎn cài.
Dàmíng: Méi guānxi, suíbiàn diǎn jǐ ge. Wǒ xiān diǎn yí ge hēijiāo niúròu. Zài lái yí ge tāng, nǐ xiǎng hē shénme tāng?
Mǎkè: Suíbiàn, lái yí ge Zhōngguórén cháng hē de tāng ba.
Dàmíng: Nà jiù lái yí ge suānlàtāng ba. Wǒ diǎnle liǎng ge, xiàmian lúndào nǐ diǎn le.
Mǎkè: Nà xiān lái yí ge gōngbào jīdīng, ránhòu yào yí ge tǔdòusī zěnmeyàng?
Dàmíng: Hěn hǎo, wǒ zuì xǐhuan chī tǔdòusī.
Mǎkè: Wǒmen diǎnle liǎng ge hūncài, yí ge sùcài hé yí ge tāng, gòule ba?
Dàmíng: Gòu le. Āi, hái méi diǎn zhǔshí. Yào liǎng wǎn mǐfàn.
Fúwùyuán: Hǎo de, bù lái yìdiǎn yǐnliào ma?
Mǎkè: Bú yòng le, hē chá jiù xíng le.

(Ⅲ)

Dàmíng: Xiǎojiě, nín gǎocuò le ba? Wǒmen méi diǎn dànchǎofàn, wǒmen diǎn de shì liǎng wǎn báimǐfàn.
Fúwùyuán: Shì ma? Wǒ zài qù kàn yíxià. …Bù hǎo yìsi, wǒ gǎocuò le. Wǒ mǎshàng gěi nǐmen huàn.

课文

(一)

服务员：欢迎光临。请问你们几位？
大　明：两位。
服务员：预订了吗？
大　明：没预订。
服务员：坐这里可以吗？
马　克：这里有点吵，我们可不可以坐靠窗的那个桌子？
服务员：对不起，已经有人预订了。
大　明：算了，就坐这里吧。
马　克：好吧。

(二)

马　克：大明，你来点吧。我不太会点菜。
大　明：没关系，随便点几个。我先点一个黑椒牛肉。再来一个汤，你想喝什么汤？
马　克：随便，来一个中国人常喝的汤吧。
大　明：那就来一个酸辣汤吧。我点了两个，下面轮到你点了。
马　克：那先来一个宫爆鸡丁，然后要一个土豆丝怎么样？
大　明：很好，我最喜欢吃土豆丝。
马　克：我们点了两个荤菜、一个素菜和一个汤，够了吧？
大　明：够了。哎，还没点主食。要两碗米饭。
服务员：好的，不来一点饮料吗？
马　克：不用了，喝茶就行了。

(三)

大　明：小姐，您搞错了吧？我们没点蛋炒饭，我们点的是两碗白米饭。
服务员：是吗？我再去看一下。……不好意思，我搞错了。我马上给你们换。

Vocabulary (生词语)

1. **饭店**	fàndiàn	*n.*	restaurant, hotel
2. **欢迎**	huānyíng	*v.*	to welcome
3. **光临**	guānglín	*v.*	to be present, to come (formal and respectful)

e.g. Huānyíng guānglín!
欢迎　光临！
Welcome!/Your presence is welcomed!

4. **预订**	yùdìng	*v.*	to reserve, to book
5. **吵**	chǎo	*adj.*	noisy
6. **靠**	kào	*v.*	to be alongside, to be near
7. **窗**	chuāng	*n.*	window
8. **桌子**	zhuōzi	*n.*	table
9. **已经**	yǐjīng	*adv.*	already

Usage: always used with 了 (le) at the end of the sentence.

e.g. Wǒ yǐjīng yùdìng le.
我 已经 预订 了。
I've made the reservation.

10. 有人	yǒurén	*pron.*	somebody, anybody
			Usage: only used as subject, not as object *e.g.* Yǐjīng yǒurén yùdìng le. 已经 有人 预订 了。 It's reserved. Yǒurén zài fàndiàn fùjìn kànjiàn tā le. 有人 在 饭店 附近 看见 他 了。
11. 点	diǎn	*v.*	to order (food or drinks)
			e.g. diǎn cài 点菜 diǎn yì pán chǎomiàn 点一盘炒面
12. 随便	suíbiàn	*adv.*	at random, in a free and casual way
			e.g. Nǐ suíbiàn diǎn ba. 你随便点吧。 Feel free to order (anything you like). Nǐ xiǎng hē shénme? A:你想喝什么? Suíbiàn. B:随便。(Anything is fine.)
13. 几	jǐ	*num.*	several, some, a few
14. 黑椒	hēijiāo	*n.*	black pepper
15. 牛肉	niúròu	*n.*	beef
16. 再	zài	*adv.*	and then, after that
			Usage: not used in past tense. *e.g.* Xiān diǎn yì pán chǎomiàn, zài diǎn yì pán tǔdòu niúròu. 先点一盘炒面,再点一盘土豆牛肉。
17. 来	lái	*v.*	(let's) have
			Usage: similar to 点 (diǎn) (to order) but more informal, only used in imperative sentence. *e.g.* Xiān lái yí ge hēijiāo niúròu, zài lái yí ge chǎofàn. 先来一个黑椒牛肉,再来一个炒饭。
18. 汤	tāng	*n.*	soup
19. 常	cháng	*adv.*	often, also 常常 (chángcháng)、经常 (jīngcháng)
20. 酸辣汤	suānlàtāng	*n.*	sour and hot soup
酸	suān	*adj.*	sour
辣	là	*adj.*	spicy, hot

21. 下面 xiàmian *n.* next, following

e.g. Xiàmian wǒmen zuò dì-shí kè de liànxí.
下面 我们 做 第十 课的 练习。
Next, let's do the exercise of Lesson 10.

22. 轮到 lúndào *VC* it's (someone's) turn

e.g. Lúndào nǐ le.
轮到 你 了。It's your turn.
Xiàmian lúndào nǐ diǎn le.
下面 轮到 你 点 了。
You are the next to order.

23. 宫爆鸡丁 gōngbào jīdīng spicy chicken cubes fried with peanuts

24. 然后 ránhòu *conj.* and then, after that

Usage: similar to 再 (zài), but 然后 (ránhòu) can be used in past tense.

e.g. Tāmen xiān diǎnle yí ge gōngbào jīdīng,
他们 先 点了 一个 宫爆 鸡丁，
ránhòu yàole yí ge suānlàtāng
然后 要了 一 个 酸辣汤。

25. 丝 sī *n.* silk, thread, shred

e.g. ròusī 肉丝 jīsī 鸡丝 tǔdòusī 土豆丝

26. 荤 hūn *n.* meat or fish diet

e.g. hūncài 荤菜

27. 素 sù *n.* vegetable diet

e.g. sùcài 素菜
Tā chī sù.
他 吃 素。He is a vegeterian.

28. 够 gòu *adj.* enough

Usage: only used as predicate

e.g. Zhèxiē cài gòu le.
这些 菜 够 了。

29. 主食 zhǔshí *n.* staple food (such as rice, noodles, bread)

30. 碗 wǎn *n. & MW* bowl

31. 饮料 yǐnliào *n.* beverage, drinks

32. 不用了 bú yòng le no need

33. 搞错 gǎocuò *VC* to make a mistake, to misunderstand

错 cuò *adj.* incorrect, false, wrong

Opposite: 对 (duì) right, correct

34. 蛋	dàn	*n.*	egg
35. 马上	mǎshàng	*adv.*	immediately, at once
36. 换	huàn	*v.*	to change

Useful Words & Expressions (补充词汇与短语)

Words

1. 胡椒	hújiāo	*n.*	pepper
2. 辣椒	làjiāo	*n.*	chilli, pepper
3. 咖喱	gālí	*n.*	curry
4. 糖	táng	*n.*	sugar, candy
5. 盐	yán	*n.*	salt
6. 醋	cù	*n.*	vinegar
7. 番茄酱	fānqiéjiàng	*n.*	ketchup, tomato sauce
8. 油	yóu	*n.*	oil
9. 酱油	jiàngyóu	*n.*	soy sauce
10. 味精	wèijīng	*n.*	MSG (Monosodium Glutamate)
11. 甜	tián	*adj.*	sweet
12. 咸	xián	*adj.*	salty
13. 油	yóu	*adj.*	oily, greasy
14. 香	xiāng	*adj.*	fragrant, aromatic, savory
15. 鲜	xiān	*adj.*	delicious, tasty
16. 炒	chǎo	*v.*	to stir fry
炒蛋	chǎodàn	*n.*	scrambled egg
17. 烤	kǎo	*v.*	to bake, to grill, to roast
烤羊肉串	kǎoyángròuchuàn	*n.*	kebab, roasted lamb stick
18. 煎	jiān	*v.*	to fry in shallow oil
19. 炸	zhá	*v.*	to deep fry
炸薯条	zháshǔtiáo	*n.*	French fries
20. 烧	shāo	*v.*	to stew after frying
21. 蒸	zhēng	*v.*	to steam
22. 煮	zhǔ	*v.*	to boil
23. 块	kuài	*n.*	piece, lump, block
咖喱鸡块	gālí jīkuài		curried chicken
24. 片	piàn	*n.*	flat and thin piece, slice, flake
生鱼片	shēngyúpiàn	*n.*	sashimi
麦片	màipiàn	*n.*	corn flakes, oatmeal
25. 丁	dīng	*n.*	small cubes of meat or vegetable

Language Points (语言点)

1. Clausal attributives (复杂定语)

We have learned in Unit 4 that particle 的 (de) introduces the additional information about a noun (i.e., attributive). In this unit we discuss more complicated attributives, i.e.,clausal attributives. Let's read the following noun phrases with attributives first: (第 4 课介绍了"定语 + 的 + 名词"。本课讨论更为复杂的定语,请看下列带定语的名词短语。)

kào chuāng de nàge zhuōzi
(1) 靠 窗 的 那个 桌子 the table that is near the window

Zhōngguórén cháng hē de tāng
(2) 中国人 常 喝 的 汤 soup that Chinese people often drink

huì shuō Yīngyǔ de Zhōngguórén
(3) 会 说 英语 的 中国人 Chinese who can speak English

wǒ zhù de dìfang
(4) 我 住 的 地方 the place where I live

wǒmen diǎn de
(5) 我们 点 的 (what) we ordered

nàge shuǐguǒdiàn mài de
(6) 那个 水果店 卖 的 (what) the fruit shop sells

✽ Do you find any rules or relations between the Chinese phrases and the English translations? (能找出汉语短语和英语译文之间的一些规律或关系吗？)

Write your findings here: (把你的发现写在这里)

____

____

We can expand the above noun phrases into sentences either as objects or subjects. (上述名词短语可以在句子中做主语或宾语)

Wǒmen kě bu kěyǐ zuò kào chuāng de nàge zhuōzi?
(1) 我们 可不可以 坐 **靠 窗 的 那个 桌子**？ (as object)

Lái yí ge Zhōngguórén cháng hē de tāng ba.
(2) 来 一 个 **中国人 常 喝 的 汤** 吧。 (as object)

Zhǎo yí ge huì shuō Yīngyǔ de Zhōngguórén bāngzhù wǒ tígāo Hànyǔ.
(3) 找 一 个 **会 说 英语 的 中国人** 帮助 我 提高 汉语。 (as object)

Wǒ zhù de dìfang lí nǐmen xuéxiào hěn jìn.
(4) **我 住 的 地方** 离 你们 学校 很 近。 (as subject)

Wǒmen diǎn de shì liǎng wǎn báimǐfàn.
(5) **我们 点 的** 是 两 碗 白米饭。 (as subject)

Nàge shuǐguǒdiàn mài de dōu shì jìnkǒu shuǐguǒ.
(6) **那个 水果店 卖 的 都 是 进口 水果。** (as subject)

2. The negative and interrogative forms of V + 了 (le) (动词+"了"的否定及问句形式)

We learned "V + 了 (le)" indicating that an action has been accomplished in Unit 5. (第 5 课学了"动词+了"表示动作完成)

Xià kè yǐhòu Mǎkè qùle xiédiàn.
(1) 下课 以后 马克 去了 鞋店。

Tāmen diǎnle liǎng wǎn mǐfàn.
(2) 他们 点了 两 碗 米饭。

Fúwùyuán gǎocuò le.
(3) 服务员 搞错 了。

Mǎkè zuótiān gēn zhōngjiè qù kànle fángzi.
(4) 马克 昨天 跟 中介 去 看了 房子。

Tāmen zuótiān zài nà jiā fàndiàn yùdìngle yí ge zhuōzi.
(5) 他们 昨天 在 那 家 饭店 预订了 一 个 桌子。

✻ The negative and question forms of the above sentences are as follows. Can you summarize the rules of the negative and question forms of a "V + 了 (le)" sentence? (上面五个句子的否定式和疑问式如下。请根据所给句子总结否定式和疑问式的句型)

Xià kè yǐhòu Mǎkè méi qù xiédiàn.
(1) 下课 以后 马克 没 去 鞋店。
Xià kè yǐhòu Mǎkè qù xiédiàn le ma?
下课 以后 马克 去 鞋店 了 吗?
Xià kè yǐhòu Mǎkè yǒu méiyǒu qù xiédiàn?
下课 以后 马克 有 没有 去 鞋店?

Tāmen méi diǎn mǐfàn.
(2) 他们 没 点 米饭。
Tāmen diǎn mǐfàn le ma?
他们 点 米饭 了 吗?
Tāmen yǒu méiyǒu diǎn mǐfàn?
他们 有 没有 点 米饭?

Fúwùyuán méi gǎocuò.
(3) 服务员 没 搞错。
Fúwùyuán gǎocuòle ma?
服务员 搞错了 吗?
Fúwùyuán yǒu méiyǒu gǎocuò?
服务员 有 没有 搞错?

Mǎkè zuótiān méi gēn zhōngjiè qù kàn fángzi.
(4) 马克 昨天 没 跟 中介 去 看 房子。

Mǎkè zuótiān gēn zhōngjiè qù kàn fángzi le ma?
马克 昨天 跟 中介 去 看 房子 了 吗？
Mǎkè zuótiān yǒu méiyǒu gēn zhōngjiè qù kàn fángzi?
马克 昨天 有 没有 跟 中介 去 看 房子？
Tāmen zuótiān méi zài nà jiā fàndiàn yùdìng zhuōzi.
(5) 他们 昨天 没 在 那 家 饭店 预订 桌子。
Tāmen zuótiān zài nà jiā fàndiàn yùdìng zhuōzi le ma?
他们 昨天 在 那 家 饭店 预订 桌子 了 吗？
Tāmen zuótiān yǒu méiyǒu zài nà jiā fàndiàn yùdìng zhuōzi?
他们 昨天 有 没有 在 那 家 饭店 预订 桌子？

Write your summary here: (把你的总结写在这里)

____

____

Sometimes 还 (hái) appears before "没 (méi) + V" to form a "还没 (hái méi) + V" structure, meaning "haven't done yet". ("还没"+ 动词表示现在还没有做某事的意思) e.g.

Wǒmen hái méi diǎn zhǔshí, yào liǎng wǎn mǐfàn ba.
(1) 我们 还 没 点 主食，要 两 碗 米饭 吧。
Wǒmen chī ba. Mǎkè hái méi lái, wǒmen zài děng yíhuìr ba.
(2) A：我们 吃 吧。 B：马克 还 没 来，我们 再 等 一会儿 吧。
Yǐjīng bàn ge xiǎoshí le, wǒmen diǎn de cài zěnme hái méi lái?
(3) 已经 半 个 小时 了，我们 点 的 菜 怎么 还 没 来？

3. Adverb of degree + V (程度副词+动词)

We have learned a few adverbs and expressions indicating degree. They are: 最 (zuì)、太 (tài)、非常 (fēicháng)、很 (hěn)、有点 (yǒudiǎn)、不太 (bú tài). They usually precede adjectives. But they also appear before a few verbs such as 会 (huì)、想 (xiǎng)、喜欢 (xǐhuan)、明白 (míngbai)、担心 (dānxīn) (worry). (我们学过一些表示程度的副词或短语，如：最、太、非常、很、有点、不太。它们常用于形容词前面。也可用于某些动词前，如：会、想、喜欢、明白、担心) e.g.

Nǐ lái diǎn ba, wǒ bú tài huì diǎn cài.
(1) 你 来 点 吧，我 不太 **会** 点 菜。
Lǐ Dàmíng hěn huì jiāo Hànyǔ, Mǎkè yǒule hěn dà de tígāo.
(2) 李大明 很 **会** 教 汉语，马克 有了 很 大 的 提高。
Wǒ zuì xǐhuan chī là de, bú tài xǐhuan chī suān de.
(3) 我 最 **喜欢** 吃 辣 的，不 太 **喜欢** 吃 酸 的。
Mǎkè bú tài xiǎng zū nà tào fángzi, tā juéde wàimiàn yǒu diǎn chǎo.
(4) 马克 不 太 **想** 租 那 套 房子，他 觉得 外面 有 点 吵。

Tā tài xǐhuan nà bù diànyǐng le, tā hěn xiǎng zài kàn yí biàn.
(5) 他太**喜欢**那部电影了,他很**想**再看一遍。

Bā diǎn de fēijī, xiànzài yǐjīng qī diǎn le, chūzūchē hái méi dào jīchǎng, tā yǒudiǎn dānxīn.
(6) 八点的飞机,现在已经七点了,出租车还没到机场,他有点**担心**。

Exercises (练习)

1. Sentence construction (组词成句)

(1) diǎn 点 suíbiàn 随便 ge 个 le 了 jiù 就 jǐ 几 xíng 行 cài 菜

(2) chī 吃 diǎn 点 ge 个 cài 菜 de 的 nǐ 你 yī 一 xǐhuan 喜欢 ba 吧 zuì 最

(3) gěi 给 diànhuà 电话 mǎshàng 马上 nín 您 zuìhǎo 最好 tā 他 yī 一 dǎ 打 ge 个

(4) shì 是 wǒmen 我们 chuāng 窗 de 的 kào 靠 yùdìng 预订 zhuōzi 桌子 de 的

2. tián kòng 填空

suàn le 算了　lúndào 轮到　huānyíng 欢迎　suíbiàn 随便　gǎocuò 搞错　hǎoxiàng 好像
ránhòu 然后　zhēnde 真的　zuìhǎo 最好　hùxiāng 互相　mǎshàng 马上

(1) Xuéxiào měi zhōu dōu yǒu Hànyǔjiǎo, ______ dàjiā lái cānjiā.
学校每周都有汉语角,______大家来参加。

(2) A: Duìbuqǐ, suānlàtāng méiyǒu le, nín diǎn yí ge biéde tāng ba.
对不起,酸辣汤没有了,您点一个别的汤吧。
B: ______, wǒ bù hē tāng le.
______,我不喝汤了。

(3) A: Nǐ xiǎng chī shénme? Yú háishi ròu?
你想吃什么?鱼还是肉?
B: ______, wǒ shénme dōu kěyǐ chī.
______,我什么都可以吃。

(4) Wǒ gēn nǐ liànxíle yíge xiǎoshí Hànyǔ, xiànzài ______ nǐ gēn wǒ liànxí Yīngyǔ le.
我跟你练习了一个小时汉语,现在______你跟我练习英语了。

(5) Tā xiān kànle yíxià càidān, ______ diǎnle yí ge hūncài, liǎng ge sùcài.
他先看了一下菜单,______点了一个荤菜、两个素菜。

Zhè bú shì wǒ yào de yánsè, wǒ yào de shì lánsè.
(6) A: 这 不 是 我 要 的 颜色，我 要 的 是 蓝色。
Bù hǎo yìsi, kěnéng shì wǒ ______ le.
B: 不 好 意思，可能 是 我______了。

Yǐjīng bànyè le, nǐ zěnme hái bú shuì jiào?
(7) A: 已经 半夜 了，你 怎么 还 不 睡 觉？
Nǐ xiān shuì ba, wǒ ______ jiù shuì.
B: 你 先 睡 吧，我______就 睡。

Nǐ xiǎng zū shénmeyàng de fángzi?
(8) A: 你 想 租 什么样 的 房子？
Bú yòng tài dà, búguò wòshì hé kètīng ______ dōu cháo nán.
B: 不 用 太 大，不过 卧室 和 客厅______都 朝 南。

Yǔ ______ yǐjīng tíng le, wǒmen zǒu ba.
(9) 雨______已经 停 了，我们 走 吧。

Nà jiā fàndiàn de cài ______ hěn búcuò, wǒ bù zhīdào tāmen wèi shénme guān mén le.
(10) 那 家 饭店 的 菜______很 不错，我 不 知道 他们 为 什么 关 门 了。

Tāmen dōu shì Měiguórén, dōu zài zhèli xué Hànyǔ, búguò ______ bú rènshi.
(11) 他们 都 是 美国人，都 在 这里 学 汉语，不过______不 认识。

fānyì
3. 翻译

(1) The book he bought is too expensive.

(2) The receipt he gave you is over there.

(3) It's your turn to read the new words. Please read twice.

(4) A: I'm not good at ordering Chinese food.

B: It doesn't matter. Feel free to order.

(5) A: Can we sit here? B: Sorry, it is booked.

(6) He wants to find a Chinese student who speaks English to help him learn Chinese.

dú yì dú
4. 读一读

Read the following sentences and organize them into a passage.

Xiǎo Zhāng shuō xiǎng kāi yì jiā Dōngběi càiguǎn, yīnwèi tā nǚpéngyou shì Dōngběi rén, zuì xǐhuan Dōngběicài.
(1) 小 张 说，想 开 一 家 东北 菜馆，因为 他 女朋友 是 东北 (the Northeast) 人，最 喜欢 东北菜。

Xiǎo Zhāng shuō, xīwàng Xiǎo Lǐ bāng tā zhǎo yí ge kāi fàndiàn zuì héshì de dìfang.
(2) 小张说，希望 (to hope) 小李帮他找一个开饭店最合适的地方。

Suǒyǐ tā xīwàng kāi yì jiā bú tài dà, dànshì huánjìng hé fúwù dōu fēicháng hǎo de Dōngběi càiguǎn.
(3) 所以 (therefore) 他希望开一家不太大、但是环境 (environment) 和服务都非常好的东北菜馆。

Xiǎo Zhāng zài Shànghǎi gōngzuòle wǔ nián yǐhòu, xiǎng kāi yì jiā zìjǐ de fàndiàn, wèn lǎotóngxué Xiǎo Lǐ kě bù kěyǐ bāng tā. Xiǎo Lǐ wèn tā xiǎng kāi yì jiā shénmeyàng de fàndiàn.
(4) 小张在上海工作了五年以后，想开一家自己的饭店，问老同学小李可不可以帮他。小李问他想开一家什么样的饭店。

Xiǎo Lǐ wèn Xiǎo Zhāng, zìjǐ gāi zěnme bāngzhù tā.
(5) 小李问小张，自己该怎么帮助他。

Kěshì Shànghǎi de Dōngběi càiguǎn huánjìng dōu bú tài hǎo, hěn chǎo, yě bú tài gānjìng, hái yǒu hěn duō rén chōu yān.
(6) 可是上海的东北菜馆环境都不太好，很吵，也不太干净 (clean)，还有很多人抽烟。

tīng yì tīng
5. 听一听

Vocabulary (生词)

您贵姓?	Nín guì xìng?		What's your surname?
留	liú	v.	to leave (sth.)
刻钟	kèzhōng	n.	quarter (15 minutes)

Yǒurén gěi fàndiàn dǎle yí ge diànhuà. Qǐng tīngting tā shuōle shénme, ránhòu tián kòng.
(1) 有人给饭店打了一个电话。请听听他说了什么，然后填空。

fàndiàn de míngzi
① 饭店的名字：________

chīfàn de shíjiān
② 吃饭的时间：________

jǐ wèi kèren
③ 几位客人 (guest)：________

dǎ diànhuà de rén xìng shénme
④ 打电话的人姓 (surname) 什么：________

tā yào shénmeyàng de zhuōzi
⑤ 他要什么样的桌子：________

zuòwèi kěyǐ bǎoliú duō cháng shíjiān
⑥ 座位 (seat) 可以保留 (to keep) 多长时间：________

Tīng fàndiàn gùkè hé fúwùyuán de duìhuà, ránhòu tián biǎo.
(2) 听 饭店 顾客 和 服务员 的 对话，然后 填 表 (to fill in the form)。

Vocabulary (生词)

烟灰缸	yānhuīgāng	*n.*	ash tray
拿	ná	*v.*	to bring
收拾	shōushi	*v.*	to clear
打包	dǎ bāo	*VO*	to put into a doggy bag, to take away

duìhuà 对话	Gùkè de yàoqiú shì shénme? 顾客 的 要求 (requirement) 是 什么？	Fúwùyuán kěyǐ mǎnzú zhège yāoqiú ma? 服务员 可以 满足 (to satisfy) 这个 要求 吗？
1		
2		
3		
4		
5		
6		

Tīng yí ge rén de jīnglì, ránhòu kànkan xiàmian de huà shì duì háishì cuò.
(3) 听 一个 人 的 经历 (life experience)，然后 看看 下面 的 话 是 对 (√) 还是 错 (×)。

Vocabulary (生词)

毕业	bì yè	*VO*	to graduate
没意思	méiyìsi	*adj.*	boring
当	dāng	*v.*	to work as, to be
越来越	yuè lái yuè		more and more...
成功	chénggōng	*v. & adj.*	to succeed; successful

Wǒ de dàxué bú zài Shànghǎi.
☐ ①我 的 大学 不 在 上海。

Wǒ zài Dōngběi rènshile wǒ de nǚpéngyou.
☐ ②我 在 东北 认识了 我 的 女朋友。

Èr líng líng sì nián, wǒ hé nǚpéngyou dōu cí zhí le.
☐ ③2004年，我 和 女朋友 都 辞 职 (to quit job, to resign) 了。

Wǒmen de Dōngběi càiguǎn fúwù fēicháng hǎo.
☐ ④我们 的 东北 菜馆 服务 非常 好。

Èr líng líng qī nián, wǒmen zài Nánjīng Lù yòu kāile liǎng jiā fàndiàn.
☐ ⑤2007年，我们 在 南京 路 又 开了 两 家 饭店。

shuō yì shuō
6. 说一说

(1) Pair work: (双人练习)

Xiàmian shì Bìshèngkè cāntīng de càidān.
①下面 是 必胜客 餐厅 的 菜单。

Bìshèngkè cāntīng 必胜客 餐厅 Pizza Hut		wàimài diànhuà 外卖 电话:4008-123-123	
pīsà ● 匹萨 (pizza):			
hǎixiān pīsà 海鲜 (seafood) 匹萨	xiǎo 小:¥55	zhōng 中:¥85	dà 大:¥105
sù pīsà 素 匹萨	xiǎo 小:¥45	zhōng 中:¥65	dà 大:¥85
fàn ● 饭			
gā lí niúròu fàn 咖喱 牛肉 饭	¥28		
gālí jīkuài fàn 咖喱 鸡块 饭	¥28		
yǐnliào ● 饮料:			
Bǎishì kělè 百事 可乐 Pepsi	bēi ¥5/杯	píng ¥10/瓶	
bīng hóngchá 冰 红茶	bēi ¥4.5/杯		
Bǎiwēi píjiǔ 百威 啤酒	bēi ¥10/杯		
biéde ● 别的:			
shuǐguǒ shālā 水果 沙拉	¥22		
píngguǒpài 苹果派	¥15		

Qǐng nǐ dǎ diànhuà jiào wàimài.
✲ 请 你 打 电话 叫 外卖 (take-out food)。

You can use the following expressions: (你可以使用下面的句子)

Wǒ xiǎng jiào wàimài.
我 想 叫 外卖。

Nín de dìzhǐ shì shénme?
您的地址是什么？

Qǐng nín liú yí ge diànhuà.
请您留一个电话。

✻ The teacher will ask two pairs of students to make their conversations in class. Take notes of what they order. (老师要求两组同学在班里演示他们的对话，请把他们所叫的外卖写在下面)

Order 1: ______________________________

____

Order 2: ______________________________

____

Xiàmian shì Xiǎo-Sìchuān Fàndiàn de càidān.
(2) 下面是小四川饭店的菜单。

Xiǎo-Sìchuān Fàndiàn dìng cān diànhuà
小四川饭店订餐电话：64889975

yíngyè shíjiān
营业 (to operate) 时间：10:30—22:00

càidān
菜单

rècài
✻ **热菜**

hūncài
— **荤菜**

gǔlǎoròu
古老肉 (sweet and sour pork)

qīngjiāo ròusī
青椒肉丝

qīngzhēngyú
清蒸鱼

sùcài
— **素菜**

Mápó dòufu
麻婆豆腐 (hot and spicy tofu)

qīngjiāo tǔdòusī
青椒土豆丝

chǎoqiézi
炒茄子

liángcài
✻ **凉菜** (cold dish)

liángbàn huángguā
凉拌黄瓜

shuǐguǒ shālā
水果沙拉

huāshēng
花生 (peanut)

tāng
✻ **汤**

fānqié jīdàntāng
番茄鸡蛋汤

Xīhú niúròugēng
西湖牛肉羹

zhǔshí ✽ 主食	yǐnliào ✽ 饮料
mǐfàn 米饭　dànchǎofàn 蛋炒饭 chǎofàn 炒饭　chǎomiàn 炒面 jiǎozi (niúròu, yángròu, zhūròu) 饺子(牛肉、羊肉、猪肉) xiǎolóngbāo 小笼包 (juicy minibaozi)	pútáojiǔ 葡萄酒 (wine) báijiǔ 白酒 (distilled spirit) píngguǒzhī 苹果汁 kuàngquánshuǐ 矿泉水

Qǐng nǐ dǎ diànhuà yùdìng zuòwèi.
① 请 你 打 电话 预订 座位。

② Play the role of the customer and the waiter. (分角色扮演顾客和服务员)

(3) Group work: (小组练习)

Jièshào yí ge nǐ xǐhuan de zhōngcānguǎn hé tāmen de yí ge hǎochī de cài.
① 介绍 一 个 你 喜欢 的 中餐馆 (Chinese restaurant) 和 他们 的 一 个 好吃 的 菜。

Shuōshuo zài zhōngcānguǎn chī fàn hé zài xīcānguǎn chī fàn yǒu nǎxiē bù yíyàng de dìfang.
② 说说 在 中餐馆 吃 饭 和 在 西餐馆 (Western restaurant) 吃 饭 有 哪些 不 一样 的 地方。

xiě yì xiě
7. 写一写

Shuōshuo zài zhōngcānguǎn chī fàn hé zài xīcānguǎn chī fàn yǒu nǎxiē bù yíyàng de dìfang.
(1) 说说 在 中餐馆 吃 饭 和 在 西餐馆 吃 饭 有 哪些 不 一样 的 地方。

Shuōshuo nǐ de jīnglì. tīng yì tīng
(2) 说说 你 的 经历。(follow the example of “听 一 听”(3))

Unit 11

Party

1. Wǒ jiā yǒu yí ge jùhuì, wǒ xiǎng qǐng nǐ lái wán.	我家有一个聚会，我想请你来玩。 I have a party at home, and I would like to invite you.
2. Huì yǒu shíjǐ ge tóngxué lái.	会有十几个同学来。 More than ten classmates will come.
3. Wǒ bú huì chídào de.	我不会迟到的。 I won't be late.
4. Xūyào wǒ dài shénme dōngxi ma?	需要我带什么东西吗？ Do I need to bring anything?

kèwén (Text)

Mǎkè qù dù jià le, tā zǒule yí ge duō xīngqī. Jīntiān tā lái shàng kè le.

(Ⅰ)

Mǎlì: Mǎkè, nǐ hǎoxiàng shàihēi le. Wán de zěnmeyàng?
Mǎkè: Kāixīn jí le. Nǐ ne? Zuìjìn guò de zěnmeyàng?
Mǎlì: Hái kěyǐ, lǎo yàngzi. Duì le, xīngqīliù wǎnshang nǐ yǒu shíjiān ma? Wǒ jiā yǒu yí ge jùhuì, wǒ xiǎng qǐng nǐ lái wán.
Mǎkè: Hǎo a. Jǐ diǎn kāishǐ ne?
Mǎlì: Qī diǎn bàn.
Mǎkè: Xūyào wǒ dài shénme dōngxi ma?
Mǎlì: Bú yòng le, nǐ dài dùzi lái jiù xíng le. Duì le, zuìhǎo dài yí ge zhàoxiàngjī, huì yǒu shíjǐ ge tóngxué lái ne.
Mǎkè: Shíjǐ ge rén? Nǐ yí ge rén zhǔnbèi, xíng ma?
Mǎlì: Bié dānxīn, huì yǒurén bāng wǒ de. Nà tiān nǐ bié chídào jiù xíng le.
Mǎkè: Wǒ bú huì chídào de. Āi, nǐ hái méi gàosu wǒ nǐ jiā zài nǎr ne.
Mǎlì: Shàng kè le! Bié shuō huà le, wǒ guò yíhuìr gàosu nǐ ba.

(Ⅱ)

Zhōuliù wǎnshang qī diǎn bàn, Mǎkè dàole Mǎlì jiā. Tā gāng jìn kètīng, dēng tūrán hēi le! "Zěnme tíng diàn le?" Mǎkè wèn. Dàjiā dōu bù shuō huà. Zhè shíhou, chúfáng de mén kāi le, Mǎlì cóng chúfáng náchū yí ge dà dàngāo, shàngmian yǒu hěn duō làzhú, dàjiā dōu kāishǐ chàng shēngrìgē. Yuánlái, dàjiā jīntiān gěi Mǎkè guò shēngrì. Nà tiān de jùhuì, Mǎkè kāixīn jí le.

课 文

马克去度假了,他走了一个多星期。今天他来上课了。

(一)

玛　丽:马克,你好像晒黑了。玩得怎么样?
马　克:开心极了。你呢?最近过得怎么样?
玛　丽:还可以,老样子。对了,星期六晚上你有时间吗?我家有一个聚会,我想请你来玩。
马　克:好啊。几点开始呢?
玛　丽:七点半。
马　克:需要我带什么东西吗?
玛　丽:不用了,你带肚子来就行了。对了,最好带一个照相机,会有十几个同学来呢。
马　克:十几个人?你一个人准备,行吗?
玛　丽:别担心,会有人帮我的。那天你别迟到就行了。
马　克:我不会迟到的。哎,你还没告诉我你家在哪儿呢。
玛　丽:上课了!别说话了,我过一会儿告诉你吧。

(二)

周六晚上七点半,马克到了玛丽家。他刚进客厅,灯突然黑了!"怎么停电了?"马克问。大家都不说话。这时候,厨房的门开了,玛丽从厨房拿出一个大蛋糕,上面有很多蜡烛,大家都开始唱生日歌。原来,大家今天给马克过生日。那天的聚会,马克开心极了。

Vocabulary (生词语)

1. 聚会	jùhuì	*n.*	party, get-together
2. 度假	dùjià	*v.*	to go on vacation
假	jià	*n.*	holiday, vacation, leave, also 假期 (jiàqī)
3. 多	duō	*adj.*	more than

Usage: with a number under ten, 多 (duō) is used after the measure word

e.g.
yí ge duō xīngqī　wǔ ge duō xiǎoshí　sān nián duō
一个多星期　五个多小时　三年多

with a number beyond ten, 多 (duō) is used after the numeral and before the measure word.

e.g.
sānshí duō tiān　yìbǎi duō ge rén　sānshí duō nián
三十多天　一百多个人　三十多年

4. 上课	shàng kè	*VO*	to attend class, to have class, to give lessons
5. 晒	shài	*v.*	to expose to the sun, to bask, to dry in the sun

e.g.
shàihēi le
晒黑了　to get sun-tanned

6. 玩	wán	*v.*	to play, to have fun, to engage in some kinds of recreational activities such as leisure travel

e.g.
wán pái
玩牌　to play cards
wán huábǎn
玩滑板　to play skating board
qù Běijīng wán
去北京玩　to visit Beijing
qù tāmen jiā wán
去他们家玩　to visit their house

7. 得	de	*part.*	used after a verb to connect it with a descriptive phrase, usually an adjective, see Unit 14 Language Points
8. 开心	kāixīn	*adj.*	happy
开	kāi	*v.*	to open
心	xīn	*n.*	heart
9. 极了	jí le		extremely, exceedingly

Usage: used after adjective

e.g.
kāixīn jí le　guì jí le
开心极了　贵极了

10. 最近	zuìjìn	*TW*	recently, lately
11. 过	guò	*v.*	to spend (time), to pass (time), to observe (festival, birthday, etc.)

> *e.g.*
> Wǒ huí jiā guò zhōumò.
> 我回家过周末。
> Zuìjìn guò de zěnmeyàng?
> 最近过得怎么样?
> How are you doing recently?
> Wǒ míngtiān guò shēngrì.
> 我明天过生日。

12. 样子	yàngzi	*n.*	appearance, look, pattern, shape

> *e.g.*
> Zhè jiàn yīfu yàngzi hěn hǎokàn.
> 这件衣服样子很好看。
> Nǐ chī shénme?
> A: 你吃什么?
> Lǎoyàngzi, yì pán chǎomiàn.
> B: 老样子 (as usual), 一盘炒面。

13. 对了	duì le		by the way, used when something suddenly occurs to you
14. 晚上	wǎnshang	*TW*	evening
15. 请	qǐng	*v.*	to invite, to treat (sb. to something)

> *e.g.*
> Wǒ xiǎng qǐng nǐ qù wǒ jiā wán.
> 我想请你去我家玩。
> Wǒ qǐng nǐ chī fàn.
> 我请你吃饭。 I'll treat you to a dinner.

16. 开始	kāishǐ	*v.*	to begin, to start
17. 带	dài	*v.*	to bring (something along with)
18. 东西	dōngxi	*n.*	thing, stuff
19. 肚子	dùzi	*n.*	belly, stomach
20. 照相机	zhàoxiàngjī	*n.*	camera
21. 会	huì	*AV*	will, indicating an anticipated event or action in the future, see Language Points
22. 准备	zhǔnbèi	*v. & n.*	to prepare; preparation
23. 别	bié	*adv.*	don't, used when advising somebody not to do something, see Language Points
24. 担心	dānxīn	*v.*	to worry

> *e.g.*
> Bié dānxīn.
> 别担心。 Don't worry.

25. 迟到	chídào	*v.*	to be late, to come late, to arrive late
26. 说话	shuō huà	*VO*	to speak, to talk

27. 刚 gāng *adv.* just (only a moment ago)

> *Usage:* 刚 (gāng) always describes completed actions and 了 (le) is not needed when you use 刚 (gāng).
>
> *e.g.* Wǒ gāng dào.
> 我刚到。 I just arrived.

28. 进 jìn *v.* to enter

> *e.g.* Qǐng jìn!
> 请进！ Come in, please!

29. 突然 tūrán *adv.* suddenly

30. 怎么 zěnme *QW* how come, why, see Language Points

31. 拿出 náchū *VC* to take out
    拿 ná *v.* to hold, to take, to bring
    出 chū *v.* to come out, to go out

32. 蛋糕 dàngāo *n.* cake

33. 上面 shàngmian *n.* top, above

34. 蜡烛 làzhú *n.* canddle

35. 唱 chàng *v.* to sing

36. 生日 shēngrì *n.* birthday
    日 rì *n.* day, date

> *e.g.* shíyuè yī rì
> 十月一日

37. 歌 gē *n.* song

38. 原来 yuánlái *adv.* it turns out to be

> *Usage:* used when you find the reason for something at last
>
> *e.g.* Zuìjìn wǒmen dōu méi kànjiàn tā, zuótiān tā gěi wǒ dǎle ge diànhuà, yuánlái tā qù dùjià le.
> 最近我们都没看见他，昨天他给我打了个电话，原来他去度假了。

Language Points (语言点)

1. 来 (lái) / 去 (qù) +V (“来/去”+动词)

The 来 (lái) / 去 (qù) ＋V structure indicates that the performance of an action involves approaching or moving away from where the speaker is. (“来 / 去”+ 动词表示动作趋向或离开说话

人说话时所在之处) e.g.

Jīntiān tā lái shàng kè le.
(1) 今天 他 来 上 课 了。

Wǒ jiā yǒu yí ge jùhuì, wǒ xiǎng qǐng nǐ lái wán.
(2) 我 家 有 一 个 聚会, 我 想 请 你 来 玩。

Shàng xīngqī Mǎkè qù dùjià le.
(3) 上 星期 马克 去 度假 了。

Xià kè le, wǒmen qù chī fàn ba.
(4) 下 课 了, 我们 去 吃 饭 吧。

Wǒmen qù kàn diànyǐng zěnmeyàng?
(5) 我们 去 看 电影 怎么样?

Note:

(1) 了 (le) is not placed after 来 (lái) / 去 (qù), but the verb after 来 (lái) / 去 (qù) or at the end of a sentence. ("来/去"后面不加"了","了"加在"来/去"后面的动词之后或加在句末)

(2) If the performance of the action involves approaching the speaker's home, even if the speaker's not at home at the moment, 来 (lái) can be used. (see the above Sentence〔2〕) (如果动作趋向说话者的家,即使说话者说话时并不在家,也可以说"来"。见例句〔2〕)

2. 会 (huì) expressing an inference of a future event ("会"表示对将发生之事的推测)

We learned auxiliary verb 会 (huì) (can, know how to) in Unit 7. In this unit 会 (huì) indicates an anticipated event or action in the future. (第7课学过"会"表示拥有某种技能。本课学习"会"的另一个用法,即表示对将来要发生事件或行为的描述)

Míngtiān huì yǒu shíjǐ ge tóngxué lái ne.
(1) 明天 会 有 十几个 同学 来 呢。

More than ten classmates will come (to the party) tomorrow.

Míngtiān huì yǒurén bāng wǒ de.
(2) 明天 会 有人 帮 我 的。

I will have a few people to help me tomorrow.

Wǒ bú huì chídào de.
(3) 我 不会 迟到 的。

I won't be late.

Tā shuō tā wǎnshang huì gěi nǐ dǎ diànhuà.
(4) 他 说 他 晚上 会 给 你 打 电话。

He said he will call you this evening.

Jīntiān bú huì xià yǔ, nǐ bú yòng dài sǎn le.
(5) 今天 不 会 下 雨 (to rain), 你 不 用 带 伞 (umbrella) 了。

It won't rain today. You don't need to bring the umbrella.

Note: Sometimes 的 (de) is placed at the end of a sentence to make an affirmative emphasis. (see Sentence〔2〕、〔3〕) (有时句末会加"的",表示肯定语气。见例句〔2〕、〔3〕)

3. 别 (bié)

Bié dānxīn! Huì yǒurén bāng wǒ de.
(1) 别 担心! 会 有人 帮 我 的。

Nà tiān nǐ bié chídào jiù xíng le.
(2) 那 天 你 别 迟到 就 行 了。

Shàng kè le! Bié shuō huà le!
(3) 上 课 了! 别 说 话 了!

Xièxie nǐ! / Bié kèqi!
(4) A: 谢谢你! B: 别 客气!

Nǐ de jiàqian tài guì le, wǒ zài qù biéde dìfang kànkan.
(5) A: 你 的 价钱 太 贵 了,我 再 去 别的 地方 看看。

Bié zǒu a! Wǒmen zài tántan hǎo ma?
B: 别 走 啊! 我们 再 谈谈 好 吗?

Wǒmen zài diǎn jǐ ge cài ba. / Bié diǎn le, yǐjīng gòu le.
(6) A: 我们 再 点 几 个 菜 吧。 B: 别 点 了,已经 够 了。

Note:

(1) Sometimes 了 (le) is placed at the end of a sentence with 别 (bié) to form a 别……了 (bié……le) structure. It means "Stop doing sth. / Don't do it anymore." (有时"别"的句末有"了",构成"别……了"结构,表示"不要再继续做某事了")

(2) The word 别 (bié) is actually derived from 不要 (bú yào). You can replace all the 别 (bié) in the above sentences with 不要 (bú yào). ("别"字来自"不要"二字的合音。上面各句"别"均可用"不要"替换)

4. 怎么 (zěnme) as "how come"("怎么"表示询问原因)

We learned 怎么 (zěnme) + V (how to do sth.) in Unit 6. In this unit 怎么 (zěnme) means "how come, why" and it carries a tone of surprise, disbelief or complaint. (第 6 课学过"怎么"+ 动词表示如何做某事。本课"怎么"意为"怎么会",表示惊异、不相信或抱怨) e.g.

Zěnme tíng diàn le?
(1) 怎么 停 电 了?

Bā diǎn yǐjīng guò le, tā zěnme hái méi lái?
(2) 八 点 已经 过 了,他 怎么 还 没 来?

Nǐ zěnme chídào le? Jùhuì yǐjīng kāishǐ le.
(3) 你 怎么 迟到 了? 聚会已经 开始 了。

Mǎlì gàosù wǒ jīntiān shì nǐ de shēngrì, nǐ zěnme bú gàosu wǒ?
(4) 玛丽告诉我今天是你的生日，你怎么不告诉我？

Zuótiān tā hái qùle Mǎlì jiā de jùhuì ne, jīntiān zěnme bìng le?
(5) 昨天他还去了玛丽家的聚会呢，今天怎么病了？

5. V + 得 怎么样 (动词+"得怎么样")
(de zěnmeyàng)

We have learned in Unit 8 that 怎么样 (zěnmeyàng) means "how is sth. / how do you like sth.". In this unit, the question V + 得 怎么样 (de zěnmeyàng) expects a comment on an action. (第 8 课学过"怎么样"表示询问对某事物的看法。本课动词 +"得怎么样"表示询问听者对某行为的评价) e.g.

Nǐ wán de zěnmeyàng?
(1) A: 你玩得怎么样？ Did you have fun?
Kāixīn jí le.
B: 开心极了。

Nǐ zuìjìn guò de zěnmeyàng?
(2) A: 你最近过得怎么样？ How are you doing lately?
Hái kěyǐ, lǎoyàngzi.
B: 还可以，老样子。

Nǐ zài xuéxiào chī de zěnmeyàng?
(3) A: 你在学校吃得怎么样？ How is the food at school?
Bú tài hǎo, shítáng de cài měi tiān dōu yíyàng.
B: 不太好，食堂的菜每天都一样。

Nǐ juéde tā chàng de zěnmeyàng?
(4) A: 你觉得他唱得怎么样？ What do you think of his singing skill?
Búcuò.
B: 不错。

Exercises (练习)

1. Sentence construction (组词成句)

(1) 来 (lái) 你 (nǐ) 告诉 (gàosu) 还 (hái) 我 (wǒ) 没 (méi) 谁 (shuí) 会 (huì)

(2) 打算 (dǎsuan) 给 (gěi) 过 (guò) 同学们 (tóngxuémen) 马克 (Mǎkè) 生日 (shēngrì) 明天 (míngtiān)

(3) 玛丽 (Mǎlì) 什么 (shénme) 带 (dài) 不 (bù) 马克 (Mǎkè) 东西 (dōngxi) 需要 (xūyào)

Mǎlì cóng yí ge chúfáng dàngāo náchū shēngrì
(4) 玛丽 从 一个 厨房 蛋糕 拿出 生日

tián kòng
2. 填空

zěnme zěnmeyàng shénmeyàng
怎么 怎么样 什么样

Wǒmen míngtiān qù?
(1) A: 我们 明天 ____________ 去？
Nàr lí zhèr bù yuǎn, zǒu lù qù ba.
B: 那儿 离 这儿 不 远，走 路 去 吧。

Nǐ xiǎng zhǎo de gōngzuò?
(2) A: 你 想 找 ____________ 的 工作？
Suíbiàn, bié tài máng jiù xíng le.
B: 随便，别 太 忙 就 行 了。

Zhè běn cídiǎn ?
(3) A: 这 本 词典 ____________？
Tài xiǎo le, hěn duō cí dōu méiyǒu, bú tài fāngbiàn.
B: 太 小 了，很 多 词 (word) 都 没有，不 太 方便。

Lǎoshī, zhège cí dú?
(4) 老师，这个 词 ____________ 读？

Zhè zhǒng páizi de pútáojiǔ ?
(5) A: 这 种 牌子 的 葡萄酒 ____________？
Hái kěyǐ, nǐ mǎi yì píng shìshi ba.
B: 还 可以，你 买 一 瓶 试试 吧。

Nǐ mǎi de shāfā shì de?
(6) A: 你 买 的 沙发 是 ____________ 的？
Wǒ mǎi de shì yí ge sān-rén de pí shāfā.
B: 我 买 的 是 一 个 三人 的 皮 沙发。

Wǎnshang qù wàimian chī ?
(7) A: 晚上 去 外面 吃 ____________？
Bú yòng le, zài jiā chī ba.
B: 不 用 了，在 家 吃 吧。

Jīntiān de zuòyè zhème duō?
(8) 今天 的 作业 (homework, assignment) ____________ 这么 (so) 多？

Zuótiān de jùhuì nǐmen wán de ?
(9) A: 昨天 的 聚会 你们 玩 得 ____________？
Kāixīn jí le, āi, nǐ méi qù ne?
B: 开心 极 了，哎，你 ____________ 没 去 呢？

Tài guì le, piányi yìdiǎn ?
(10) 太 贵 了，便宜 一点 ____________？

dài jì chuān ná shì lái kāi kào wán huàn
带 记 穿 拿 试 来 开 靠 玩 换

Wǒ zhù zài Huàshān Lù wǔbǎi hào yāo líng líng bā shì, nǐ ________ yíxià wǒ de dìzhǐ ba.
(1) 我住在华山路500号1008室,你________一下我的地址吧。

Míngtiān wǒmen jùhuì de shíhou ________ yìxiē hǎokàn de DVD ba, dàjiā kěyǐ yìqǐ kàn.
(2) 明天我们聚会的时候________一些好看的DVD吧,大家可以一起看。

Zhōumò wǒ yào qù cānjiā yí ge Zhōngguó hūnlǐ, nǐ shuō wǒ yīnggāi ________ shénme yīfu ne?
(3) A: 周末我要去参加一个中国婚礼(wedding),你说我应该(should)________什么衣服呢?

Suíbiàn yìdiǎn ba, bú yòng tài zhèngshì.
B: 随便一点吧,不用太正式(formal)。

Rúguǒ nǐ qù Hángzhōu de Xīhú fùjìn ________, zū yí liàng zìxíngchē huì hěn fāngbiàn.
(4) 如果你去杭州的西湖(West Lake)附近________,租一辆自行车会很方便。

yí ge hēijiāo niúròu zěnmeyàng?
(5) A: ________一个黑椒牛肉怎么样?

Hǎo a, kěyǐ ________ yíxià.
B: 好啊,可以________一下。

Tā de fángjiān ________ hǎi, ________ chuāng jiù kěyǐ kànjiàn hǎi.
(6) 他的房间________海(sea),________窗就可以看见海。

Gùkè cóng bāo lǐ ________ chū tā zuótiān mǎi de shǒujī, tā yào fúwùyuán gěi tā ________ yí ge yánsè.
(7) 顾客从包里________出他昨天买的手机,他要服务员给他________一个颜色。

fānyì
3. 翻译

(1) How are you doing recently?

(2) Do you want me to buy anything for you?

(3) He went on vacation and left for more than a week.

(4) A: How's your weekend? B: Just as usual.

(5) A: Let's go shopping. B: I think it will rain in the afternoon.

(6) A: How come you haven't arrived yet? B: Don't worry, I'll be there in a moment.

dú yì dú
4. 读一读

Lǐ Dàmíng qǐng Mǎkè qù tā jiā wán.
(李大明 请 马克去他家 玩。)

Mǎkè: Bófù bómǔ hǎo! Zhè shì gěi nǐmen de huā.
马克：伯父 (uncle) 伯母 (auntie) 好！这 是 给 你们 的 花。

Dàmíng mā: Zhème piàoliang de huā! Xièxie, nǐ tài kèqi le. Lái, lǐmian zuò.
大明 妈：这么 漂亮 的 花！谢谢，你太客气了。来，里面 坐。

Dàmíng bà: Tīng Dàmíng shuō, nǐ zài zhèli yǐjīng xuéle sì ge duō yuè le. Zài zhèli guò de zěnmeyàng? Xíguàn ma?
大明 爸：听 大明 说，你 在 这里 已经 学了四 个 多 月 了。在 这里 过 得 怎么样？习惯 (to be used to) 吗？

Mǎkè: Gāng lái de shíhou bú tài xíguàn, yǒudiǎn xiǎng jiā, búguò xiànzài yǐjīng dōu xíguàn le. Yìdiǎn yě bù xiǎng jiā le.
马克：刚 来 的 时候 不 太 习惯，有点 想 (to miss) 家，不过 现在 已经 都 习惯 了。一点 也不 想 家 了。

Dàmíng bà: Nǐ bù xiǎng jiā, nǐ jiārén huì xiǎng nǐ de. Jiàqī huí Měiguó ma?
大明 爸：你不 想 家，你 家人 会 想 你 的。假期 回 美国 吗？

Mǎkè: Hái bù zhīdao. Wǒ dǎsuan xiān zài Zhōngguó zhǎozhao gōngzuò.
马克：还 不 知道。我 打算 先 在 中国 找找 工作。

Dàmíng bà: Ǹg, xiànzài dǒng Hànyǔ de lǎowài gōngzuò jīhuì hěn duō. Mǎkè, nǐ de Hànyǔ zhēnde hěn búcuò!
大明 爸：嗯，现在 懂 汉语 的 老外 (foreigner) 工作 机会 (opportunity) 很 多。马克，你 的 汉语 真的 很 不错！

Mǎkè: Nín guòjiǎng le. Wǒ yīnggāi xièxie Dàmíng, yǒule tā, wǒ de Hànyǔ tígāo hěn kuài. Nín bù zhīdao, yǐqián wǒ de fāyīn zāogāo jí le, wǒ shuō"wǒ de lǎobǎn" hǎoxiàng"wǒ de lǎobàn".
马克：您 过奖 (to overpraise) 了。我 应该 谢谢 大明，有了 他，我 的 汉语 提高 很 快。您 不 知道，以前 (in the past) 我 的 发音 (pronunciation) 糟糕 (bad) 极了，我 说"我 的 老板" 好像"我 的 老伴 (old companion, the way old people address their spouses)"。

Dàmíng bà: Mǎkè, zài wǒmen jiā, wǒ de lǎobàn jiù shì wǒ de lǎobǎn. Lǎobànr, wǔfàn wǒmen chī shénme?
大明 爸：马克，在 我们 家，我 的 老伴 就 是 我 的 老板。老伴儿，午饭 我们 吃 什么？

Dàmíng mā: Bié kāi wánxiào le. Mǎkè, wǒ zhǔnbèile jiǎozi hé miàntiáo, kěyǐ ma?
大明 妈：别 开 玩笑 (to make a joke) 了。马克，我 准备了 饺子 和 面条，可以吗？

Mǎkè: Bómǔ, wǒ shénme dōu néng chī. Jīntiān wǒ dàile liǎng ge dùzi! Yí ge fàng jiǎozi, yí ge fàng miàntiáo.
马克：伯母，我 什么 都 能 吃。今天 我 带了 两 个肚子！一个 放 (to put) 饺子，一个 放 面条。

Kànkan xiàmian de jùzi shì duì háishì cuò
看看 下面 的 句子 (sentence) 是 对 (√) 还是 错 (×)：

Mǎkè jiào Dàmíng de bàba māma "bófù", "bómǔ".
□ (1) 马克 叫 大明 的 爸爸 妈妈 "伯父"、"伯母"。

Mǎkè gāng lái Zhōngguó de shíhou, yǒudiǎn bù xíguàn.
□ (2) 马克 刚 来 中国 的 时候，有点 不 习惯。

Jiàqī Mǎkè yào zhǎo gōngzuò, bù huí Měiguó le.
□ (3) 假期 马克 要 找 工作，不 回 美国 了。

Dǒng Hànyǔ de wàiguórén zài Zhōngguó zhǎo gōngzuò gèng róngyì.
□ (4) 懂 汉语 的 外国人 在 中国 找 工作 更 (more) 容易 (easy)。

Rènshi Dàmíng yǐqián, Mǎkè de fāyīn fēicháng bù hǎo.
□ (5) 认识 大明 以前，马克 的 发音 非常 不 好。

Jiǎozi hé miàntiáo dōu shì Mǎkè xǐhuan chī de dōngxi.
□ (6) 饺子 和 面条 都 是 马克 喜欢 吃 的 东西。

tīng yì tīng
5. 听一听

Tīng xiàmian de sān ge duìhuà, ránhòu huídá wèntí.
听 下面 的 三 个 对话，然后 回答 问题。

Vocabulary (生词)

睡懒觉	shuì lǎn jiào	*VO*	to sleep in, to get up late
中心	zhōngxīn	*n.*	center
一起	yìqǐ	*adv.*	together
会员	huìyuán	*n.*	member (of a club, etc)
拍子	pāizi	*n.*	racket
修	xiū	*v.*	to repair
露天	lùtiān	*adj.*	outdoor
接	jiē	*v.*	to pick up (sb.)
球	qiú	*n.*	ball

Zài xīngqīliù de jùhuì shàng, Mǎkè rènshile Mǎlì de Zhōngguó péngyou Zhāng Hóng.
(1) 在 星期六 的 聚会 上，马克 认识了 玛丽 的 中国 朋友 张 红。

Zhāng Hóng zhōumò xǐhuan zuò shénme?
① 张 红 周末 喜欢 做 什么？

Mǎkè chángcháng qù shénme dìfang dǎ wǎngqiú?
② 马克 常常 去 什么 地方 打 网球？

Shuí dǎ wǎngqiú dǎ de zuì hǎo?
③ 谁 打 网球 打 得 最 好？

Zhège zhōumò shuí hé shuí kěnéng huì qù dǎ wǎngqiú?
④ 这个 周末 谁 和 谁 可能 会 去 打 网球？

Mǎkè gěi tǐyùguǎn dǎle yí ge diànhuà.
(2) 马克 给 体育馆 打了一个 电话。

Mǎkè yùdìngle shénme shíhou de chǎngdì?
① 马克 预订了 什么 时候 的 场地(court, venue)?

Chǎngdì shì shénmeyàng de?
② 场地 是 什么样 的?

Tāmen huì dǎ duō cháng shíjiān?
③ 他们 会 打 多 长 时间?

Mǎkè gěi Mǎlì dǎle yí ge diànhuà.
(3) 马克 给玛丽 打了一个 电话。

Míngtiān de tiānqì zěnmeyàng? Tāmen huì qù dǎ wǎngqiú ma?
① 明天 的天气 怎么样? 他们 会 去 打 网球 吗?

Shuí jiā lí tǐyùguǎn zuì jìn? Zuò chē duō cháng shíjiān?
② 谁 家 离 体育馆 最 近? 坐 车 多 长 时间?

Tāmen dǎsuan zěnme qù tǐyùguǎn?
③ 他们 打算 怎么 去 体育馆?

Mǎkè huì dài shénme dōngxi?
④ 马克 会 带 什么 东西?

xiě yì xiě
6. 写一写

Gěi nǐ de tóngxuémen xiě e-mail, qǐng tāmen cānjiā nǐ de jùhuì.
给你的 同学们 写 e-mail, 请 他们 参加 你的聚会。

Information may include: (可以包括下列信息)

wèi shénme
(1) 为 什么

shénme shíhou
(2) 什么 时候

zài nǎli
(3) 在 哪里

yǒu shuí cānjiā
(4) 有 谁 参加

zuò shénme
(5) 做 什么

Unit 12

Asking for a Favor

qǐng rén bāng máng
请人帮忙

1. Dǎrǎo nín le.	打扰您了。 (sorry) to have bothered you.
2. Wǒ xiǎng qǐng nín bāng ge máng.	我想请您帮个忙。 I would like to ask you for a favor.
3. Nà jiù bàituō nín le.	那就拜托您了。 Then I'll place it in your care.
4. Nǐ kěyǐ suíshí gěi wǒ dǎ diànhuà.	你可以随时给我打电话。 You can call me anytime.
5. Shénme shì?	什么事? What's up?

kèwén (Text)

Jīntiān zhōngwǔ, Mǎkè gāng xǐwán wǎn, jiù fāxiàn shuǐchí dǔ le. Tā zhǐhǎo gěi fángdōng jiā dǎle yí ge diànhuà.

(Ⅰ)

Mǎkè: Nǐ hǎo, qǐng wèn Wáng xiānsheng zài ma?
Fángdōng de mǔqin: Tā gāng chūqù. Nín shì nǎ wèi?
Mǎkè: Wǒ shì Mǎkè. Nín zhīdao tā shénme shíhou huílái ma?
Fángdōng de mǔqin: Dàgài èrshí fēnzhōng yǐhòu jiù huílái, nǐ guò bàn ge xiǎoshí zài dǎ ba.
Mǎkè: Xíng. Bù hǎo yìsi, dǎrǎo nín le.

(Ⅱ)

Mǎkè: Nǐ hǎo, wǒ zhǎo Wáng xiānsheng.
Fángdōng Wáng xiānsheng: Wǒ jiù shì, nǐ shì Mǎkè ba?
Mǎkè: Duì. Wáng xiānsheng, bù hǎo yìsi, Wǒ xiǎng qǐng nín bāng ge máng.

Wáng xiānsheng: Shénme shì? Nǐ shuō ba.
Mǎkè: Wǒ de chúfáng yǒudiǎn wèntí, shuǐchí dǔ le. Máfan nín guòlái kàn yíxià, kěyǐ ma?
Wáng xiānsheng: Dāngrán kěyǐ. Wǒ xiàwǔ jiù guòlái, nǐ zài jiā ba?
Mǎkè: Kěnéng huì chūqù mǎi dōngxi. Búguò méi guānxi, nín kěyǐ jìnlái.
Wáng xiānsheng: Hǎo de.
Mǎkè: Nà jiù bàituō nín le.
Wáng xiānsheng: Bié kèqi. Yǐhòu rúguǒ zài xūyào wǒ bāng máng, kěyǐ suíshí gěi wǒ dǎ diànhuà.
Mǎkè: Hǎo de, xièxie nín.

课 文

今天中午,马克刚洗完碗,就发现水池堵了。他只好给房东家打了一个电话。

(一)

马　　克:你好,请问王先生在吗?
房东的母亲:他刚出去。您是哪位?
马　　克:我是马克。您知道他什么时候回来吗?
房东的母亲:大概二十分钟以后就回来,你过半个小时再打吧。
马　　克:行。不好意思,打扰您了。

(二)

马　　克:你好,我找王先生。
房东王先生:我就是,你是马克吧?
马　　克:对。王先生,不好意思,我想请您帮个忙。
王 先 生:什么事?你说吧。
马　　克:我的厨房有点问题,水池堵了。麻烦您过来看一下,可以吗?
王 先 生:当然可以。我下午就过来,你在家吧?
马　　克:可能会出去买东西。不过没关系,您可以进来。
王 先 生:好的。
马　　克:那就拜托您了。
王 先 生:别客气。以后如果再需要我帮忙,可以随时给我打电话。
马　　克:好的,谢谢您。

Vocabulary (生词语)

1. 请 qǐng *v.* to ask (sb. to do sth.)

> *e.g.* Mǎkè qǐng Lǐ Dàmíng bāngzhù tā liànxí Hànyǔ.
> 马克 请 李大明 帮助 他 练习 汉语。
> Wǒ xiǎng qǐng nín bāng máng.
> 我 想 请 您 帮 忙。

2. 帮忙 bāng máng *VO* to help, to do a favor

> ***Usage:*** you cannot place any object after 帮忙 (bāng máng) but can insert (一)个 ((yí) ge) between 帮 (bāng) and 忙 (máng). Let's compare 帮忙 (bāng máng) with 帮助 (bāngzhù):
> Wǒ xiǎng qǐng nǐ bāngzhù wǒ.
> 我 想 请 你 帮助 我。
> I'd like you to help me.
> Wǒ xiǎng qǐng nǐ bāng (ge) máng.
> 我 想 请 你 帮 (个) 忙。
> I'd like you to do me a favor.

3. 今天 jīntiān *TW* today
4. 中午 zhōngwǔ *TW* noon
5. 完 wán *v.* to finish, to complete, to run out, to use up

> ***Usage:*** often used after another verb as complement
> *e.g.*
> xuéwán 学完 finish study
> yòngwán 用完 use up
> shàngwán kè 上完 课 finish class
> xǐwán wǎn 洗完 碗 finish washing bowls

6. 就 jiù *adv.* indicating earliness, briefness, or quickness of an action, see Language Points
7. 发现 fāxiàn *v.* to find, to find out, to discover
8. 水池 shuǐchí *n.* sink, pool
9. 堵 dǔ *v.* to stop up, to block up

> *e.g.*
> dǔ chē 堵 车 have a traffic jam
> Shuǐchí dǔ le. 水池 堵 了。 The sink is blocked up.

10. 只好 zhǐhǎo *adv.* have no choice but (to do sth.)

11. 母亲 mǔqin *n.* mother, more formal than 妈妈 (māma)

Opposite: 父亲 (fùqin) father

12. 出去 chūqù *VC* to go out, also 出来 (chūlái) (to come out), see Languagc Points

13. 哪位 nǎ wèi *QW* who, more respectful than 谁 (shuí)

14. 知道 zhīdao *v.* to know (sth.)

15. 回来 huílái *VC* to come back, also 回去 (huíqù) (to go back)

回 huí *v.* to return

16. 小时 xiǎoshí *n.* hour

17. 打扰 dǎrǎo *v.* to disturb

18. 吧 ba *part.* indicating an estimation for confirmation

e.g.
Nǐ shì Mǎkè ba
你是马克吧？You must be Mark, aren't you?
Jīntiān xiàwǔ nǐ zài jiā ba?
今天下午你在家吧？
You'll be home this afternoon, won't you?

19. 事 shì *n.* matter, affair, business

e.g.
Shénme shì?
什么事？ what's up?
Duìbuqǐ! Méi shì. Méi guānxi.
A：对不起！ B：没事。（=没关系。）
Wǒ yǒu shì, xiān zǒu le.
我有事，先走了。
I have something to take care of. I have to go now.

20. 过来 guòlái *VC* to come over, also 过去 (guòqù) (to go over)

21. 可能 kěnéng *AV* may, maybe, probably, perhaps

22. 没关系 méi guānxi that's alright

23. 进来 jìnlái *VC* to come in, also 进去 (jìnqù) (to go in)

24. 拜托 bàituō *v.* to place sth. in the care of (another person)

Usage: often used after you have asked for a favor. It's a polite way to confirm that you will get the help.

e.g.
Máfan nǐ gěi wǒ mǎi liǎng zhāng qù Běijīng de jīpiào.
A: 麻烦你给我买两张去北京的机票。

Méi wèntí. Wǒ míngtiān jiù gěi nǐ mǎi.
B: 没 问题。我 明天 就 给 你 买。
Nà jiù bàituō nín le!
A: 那 就 拜托 您 了!

25. 以后 yǐhòu *TW* in the future, hereafter

yǐqián
Opposite: 以前 in the past, before, formerly, see Language Points

26. 随时 suíshí *adv.* at all times, any time

Nǐ kěyǐ suíshí gěi wǒ dǎ diànhuà.
e.g. 你 可以 随时 给 我 打 电话。

Proper Nouns (专有名词)

王 Wáng a surname

Language Points (语言点)

lái qù
1. Complement of direction: V + 来 / 去 (趋向补语:动词+"来/去")

In Chinese language, a verb is sometimes closely connected with another verb or adjective as a complement to form a V + complement structure. The complement gives more information on the action. (汉语中动词后常跟有另一个动词或形容词〔称做补语〕,组成"动词 + 补语"结构。补语是对动作的补充说明)

For example, the complement of direction V + 来 (lái) / 去 (qù) that we learn in this unit tells us the direction of an action, i.e., V + 来 (lái) indicates that the action approaches where the speaker or the listener is, while V + 去 (qù) indicates the action leaves where the speaker or the listener is. (例如,本课的趋向补语 +"来 / 去"说明了动作的方向是靠近还是离开说话人或听话人) e.g.

chūlái 出来 come out	chūqù 出去 go out	jìnlái 进来 come in	jìnqù 进去 go in
huílái 回来 come back	huíqù 回去 go back	guòlái 过来 come over	guòqù 过去 go over
shànglái 上来 come up	shàngqù 上去 go up	xiàlái 下来 come down	xiàqù 下去 go down

Fángdōng de mǔqin gàosu Mǎkè: " tā dàgài èrshí fēnzhōng yǐhòu jiù huílái."
(1) 房东 的母亲 告诉 马克:"他大概 二十 分钟 以后就回来。"

Mǎkè gàosu fángdōng:" wǒ kěnéng huì chūqù mǎi dōngxi, búguò nín kěyǐ jìnlái."
(2) 马克 告诉 房东:" 我 可能 会 出去 买 东西, 不过 您 可以 进来。"

Fángdōng dǎ diànhuà gàosu Mǎkè: "wǒ xiàwǔ jiù guòlái."
(3) 房东 打 电话 告诉 马克:"我 下午 就 过来。"

Note:

(1) Since the structure V+ 来 (lái) / 去 (qù) and the context often imply the destination of the action, the destination itself is usually not said. For example, the following expressions are rare in Chinese: (因为动词 +"来 / 去"的结构和上下文往往暗示了动作的目的地,目的地本身一般不用说出来。比如,下面的说法在汉语中很少)

huílái xuéxiào
* 回来 学校

jìnqù chúfáng
* 进去 厨房

Instead we can use: (而说)

huí xuéxiào (huídào xuéxiào)
回 学校 (回到 学校)

jìn chúfáng
进 厨房

(2) We can express the starting point of an action with 从 (cóng)……. e.g.

cóng xǐshǒujiān chūlái
① 从 洗手间 出来 come out of the washroom

cóng yī hào mén chūqù
② 从 一 号 门 出去 go out from No.1 Gate

cóng Běijīng huílái
③ 从 北京 回来 come back from Beijing

cóng wàimian jìnlái
④ 从 外面 进来 come in from outside

cóng mǎlù duìmian guòlái
⑤ 从 马路 对面 过来 come over from the other side of the street

2. 就 (jiù) indicating earliness, briefness or quickness ("就"表示时间早、短、快)

We learned 就 (jiù) (just, right) indicating nearness in Unit 6. (在第 6 课学了"就"表示距离近) e.g.

Xiānggǎng Guǎngchǎng jiù zài dìtiězhàn pángbiān.
香港 广场 就 在 地铁站 旁边。

In this unit we learn 就 (jiù) indicating earliness, briefness or quickness. Here are some examples with and withour 就 (jiù). (本课学习"就"表示时间上 的"早、短、快"。下面是一些有"就"和没有"就"的例句)

Wǒ xiàwǔ guòlái.
(1) 我 下午 过来。I'll come over in the afternoon.

Xià kè yǐhòu tā huí jiā le.
(2) 下课以后他回家了。He went home after class.

Fángdōng dàgài èrshí fēnzhōng yǐhòu huílái.
(3) 房东 大概 二十 分钟 以后 回来。The landlord will be back in 20 minutes.

Mǎkè xǐwán wǎn, fāxiàn shuǐchí dǔ le.
(4) 马克 洗完 碗，发现 水池 堵了。

After washing the bowls, Mark found the sink was blocked up.

Wǒ xiàwǔ jiù guòlái.
(5) 我 下午 **就** 过来。I'll come over right in the afternoon.

Xià kè yǐhòu tā jiù huí jiā le.
(6) 下课以后他**就**回家了。He went home right after class.

Fángdōng dàgài èrshí fēnzhōng yǐhòu jiù huílái.
(7) 房东 大概 二十 分钟 以后**就** 回来。

The landlord will be back in only 20 minutes.

Mǎkè gāng xǐ wán wǎn, jiù fāxiàn shuǐchí dǔ le.
(8) 马克 刚 洗 完 碗，**就** 发现 水池 堵了。

Right after washing the bowls, Mark found the sink was blocked up.

jiù
Note: 就 is always placed before a verb. (“就”总是放在动词前面)

yǐhòu yǐqián
3. 以后 & 以前

We learned time phrases with 以后 (yǐhòu, after...) or 以前 (yǐqián, before...) in Unit 6. (第 6 课学了时间短语“……以后”、“……以前”) e.g.

Shàng lóu yǐhòu yòu guǎi.
(1) 上 楼以后 右 拐。

Chī fàn yǐqián xǐ shǒu.
(2) 吃饭 以前 洗 手。

以后 (yǐhòu) can also be translated as “in, within” and 以前 (yǐqián) as “ago”. (“以后”可译为“in, within”,“以前”可译为“ago”) e.g.

Nǐ bàn ge xiǎoshí yǐhòu zài gěi fángdōng dǎ diànhuà ba.
(1) 你 半个小时 以后 再 给 房东 打 电话 吧。in half an hour

Tā sān tiān yǐqián jiù zǒu le.
(2) 他 三 天 以前 就 走 了。three days ago

yǐ
Note: 以 can be omitted. (“以”可省略)

In this unit we learn 以后 (yǐhòu) and 以前 (yǐqián) used as time words on themselves, meaning “in the future, hereafter” and “in the past, before, formerly” respectively. (本课学习“以后”、“以前”单独使用表示“将来”和“过去”之意) e.g.

Yǐhòu rúguǒ zài xūyào wǒ bāng máng, kěyǐ suíshí gěi wǒ dǎ diànhuà.
(1) 以后 如果 再 需要 我 帮 忙，可以 随时 给 我 打 电话。

Wǒ yǐhòu kěnéng huì zài Zhōngguó zhǎo gōngzuò.
(2) 我 以后 可能 会 在 中国 找 工作。

Wǒ yǐqián zài yì jiā Rìběn gōngsī gōngzuò.
(3) 我 以前 在 一 家 日本 公司 工作。

Yǐqián cóng Shànghǎi dào Běijīng zuò huǒchē xūyào èrshí ge xiǎoshí, xiànzài xūyào shí duō
(4) 以前 从 上海 到 北京 坐 火车 需要 二十 个 小时，现在 需要 十 多

ge xiǎoshí, yǐhòu kěnéng zhǐ xūyào wǔ ge duō xiǎoshí.
个 小时，以后 可能 只 需要 五 个 多 小时。

Exercises (练习)

tián kòng
1. 填 空

huílái / qù 回来 / 去 　 guòlái / qù 过来 / 去 　 chūlái / qù 出来 / 去

jìnlái / qù 进来 / 去 　 shànglái / qù 上来 / 去 　 xiàlái / qù 下来 / 去

Mǎlì dàole Mǎkè jiā ménkǒu, tā gěi Mǎkè dǎ diànhuà:" wǒ xiànzài zài nǐ jiā ménkǒu,
(1) 玛丽 到了 马克 家 门口，她 给 马克 打 电话："我 现在 在 你 家 门口，

nǐ ba."
你______吧。"

Fúwùyuán gàosu gùkè: "duìbuqǐ, lǐmian yǒurén shì yīfu, qǐng nǐ xiān zài zhèli děng
(2) 服务员 告诉 顾客："对不起，里面 有人 试衣服，请 你 先 在 这里 等

yíxià, tā yǐhòu nǐ zài ."
一下，他______以后 你 再______。"

Xiǎo Zhāng gāng cóng lǎobǎn de bàngōngshì , tā hǎoxiàng bú tài kāixīn.
(3) 小 张 刚 从 老板 的 办公室______，他 好像 不 太 开心。

Bàngōngshì de yí ge lǎoshī gàosu Mǎkè:" Zhāng lǎoshī bú zài, tā gāng ."
(4) 办公室 的 一个 老师 告诉 马克："张 老师 不 在，他 刚______。"

Mǎkè qù dùjià le, zuótiān gāng cóng Tàiguó
(5) 马克 去 度假 了，昨天 刚 从 泰国 (Thailand)______。

Mǎlì zài gōngyuán lǐ mí lù le, yí wèi lǎoxiānsheng gàosu tā:" nǐ
(6) 玛丽 在 公园 里 迷 路 (to lose one's way) 了，一 位 老先生 告诉 她："你

kěyǐ cóng zhè tiáo lù ."
可以 从 这 条 路_______。"

Fángdōng gàosu tā mǔqin:" Mǎkè de chúfáng yǒudiǎn wèntí, wǒ xiàwǔ kàn yíxià,
(7) 房东 告诉 他 母亲："马克 的 厨房 有点 问题，我 下午_______看 一下，

dàgài liǎng ge xiǎoshí yǐhòu ."
大概 两 个 小时 以后______。"

Mǎlì zài Rénmín Guǎngchǎng. Mǎkè zài Rénmín Guǎngchǎng xiàmian de dìtiězhàn. Mǎkè
(8) 玛丽 在 人民 广场。马克 在 人民 广场 下面 的 地铁站。马克

gěi Mǎlì dǎ diànhuà shuō:" wǒ zài dìtiězhàn mǎi piào de dìfang děng nǐ, nǐ ba."
给 玛丽 打 电话 说："我 在 地铁站 买 票 的 地方 等 你，你____吧。"

Mǎlì shuō:" wǒ bù ______ le, nǐ ______ ba. Wǒmen zuò chūzūchē ba, bié zuò dìtiě le." Mǎkè shuō:" xíng wǒ ______. Nǐ zài yī hào kǒu shàngmian děng wǒ ba."
玛丽 说："我 不______了，你______吧。我们 坐 出租车 吧，别 坐 地铁 了。" 马克 说："行，我______。你 在 一 号 口 上面 等 我 吧。"

2. Complete the sentences (完成句子)

(1) Mǎkè de zìxíngchē diū le, tā zhǐhǎo
马克 的 自行车 丢 了，他 只好______________________________。

(2) Tā gāng huídào jiā, jiù fāxiàn
他 刚 回到 家，就 发现______________________________。

(3) Xiǎojiě, wǒ bú tài xǐhuan lán de, máfan nǐ
小姐，我 不 太 喜欢 蓝 的，麻烦 你______________________________。

(4) Xiānsheng, xīn shǒujī rúguǒ qī tiān yǐnèi yǒu shénme wèntí,
先生，新 手机 如果 七 天 以内 有 什么 问题，______________________________。

(5) Kètīng de dìshàng dōu shì shuǐ, wǒ jìn xǐshǒujiān yí kàn, yuánlái
客厅 的 地上 都 是 水，我 进 洗手间 一 看，原来______________________________。

(6) Míngtiān de fēijī shì zǎoshang liù diǎn yí kè de, nǐ zuìhǎo
明天 的 飞机 是 早上 六 点 一刻 的，你 最好______________________________。

(7) Dàole dìtiězhàn wǒ zěnme zhǎo nǐ?
A: 到了 地铁站 我 怎么 找 你？

jiù xíng le.
B: ______________________________就 行 了。

(8) Nǐ xiǎng zū shénmeyàng de fángzi?
A: 你 想 租 什么样 的 房子？

Wòshì zuìhǎo cháo nán, háiyǒu,
B: 卧室 最好 朝 南，还有，______________________________。

(9) Rúguǒ nǐ zhēnde bù xǐhuan xiànzài de gōngzuò, nà
如果 你 真的 不 喜欢 现在 的 工作，那______________________________。

(10) Wǒ bú huì chàng gē.
A: 我 不 会 唱 歌。

Méi guānxi,
B: 没 关系，______________________________。

fānyì
3. 翻译

(1) He went home right after the class was over.

(2) He just went out. You'd better call him again in half an hour.

(3) A: Can I trouble you to come over and have a look?

B: Of course.

(4) A: What's up?

B: I would like to ask you for a favor.

(5) A: I'm sorry . I have disturbed you.

B: That's alright, you can call me anytime.

tīng yì tīng
4. 听一听

Tīng wǔ ge duìhuà, ránhòu huídá wèntí.
(1) 听五个对话，然后回答问题。

Vocabulary (生词)

关机	guān jī	*VO*	to turn off an electronic device
让	ràng	*v.*	to ask (sb. to do sth.)

	1	2	3	4	5
Dǎ diànhuà de rén shì shuí? ① 打电话的人是谁?					
Dǎ diànhuà de rén hé jiē diànhuà de rén hùxiāng rènshi ma? ② 打电话的人和接(to answer)电话的人互相认识吗?					
Dǎ diànhuà de rén yǒu méiyǒu zhǎodào tā xiǎng zhǎo de rén? ③ 打电话的人有没有找到(to find)他想找的人?					

Xiàmian yǒu sān ge duìhuà, měi ge duìhuà lǐ dōu yǒu yí ge rén qǐng lìng yí ge rén bāng máng. Tīng duìhuà, ránhòu shuōshuo měi ge duìhuà lǐ de rén xūyào biérén bāng tā shénme máng.
(2) 下面有三个对话，每个对话里都有一个人请另一个(another)人帮忙。听对话，然后说说每个对话里的人需要别人帮他什么忙。

(In each of the following three dialogues one speaker asks the other to do him/her a favor. Listen to the dialogues and describe what a favor it is in each dialogue.)

Vocabulary (生词)

亲爱的	qīn'ài de		my dear, dear
狗	gǒu	*n.*	dog
怎么办	zěnme bàn		what could (one) do
送	sòng	*v.*	to send
待	dāi	*v.*	to stay
忙	máng	*adj.*	busy
晚	wǎn	*adj.*	late
次	cì	*MW*	time

① ______________________________

② ______________________________

③ ______________________________

5. 说一说 (shuō yì shuō)

Pair work (choose two topics) (双人练习，选做两题)

(1) Wèishēngjiān de xǐshǒuchí lòu shuǐ le. Dǎ diànhuà qǐng wùyè gōngsī de shīfu lái xiū yíxià.
卫生间 (bathroom) 的洗手池漏水(to have a leakage)了。打电话请物业 (estate management) 公司的师傅来修一下。

(2) Nǐ dǎsuàn zhōumò kàn zúqiú bǐsài, kěshì nǐ de diànshìjī huài le. Qǐng nǐ de āyí huòzhě lóuxià de bǎo'ān shīfu bāng nǐ zhǎo yí ge xiū diànshìjī de dìfang.
你打算周末看足球比赛(match, game)，可是你的电视机坏了。请你的阿姨 (house maid) 或者楼下(downstairs)的保安 (security guard) 师傅帮你找一个修电视机的地方。

(3) Nǐ xiǎng zuò cài, tūrán fāxiàn jiālǐ de yán méi le, wèn nǐ de línjū yào yìdiǎn yán.
你想做菜，突然发现家里的盐没了，问你的邻居 (neighbor) 要一点盐。

(4) Nǐ yào huí guó sān ge xīngqī, qǐng péngyou bāng nǐ kān yíxià fángzi, fù yíxià zhège yuè de shuǐ, diàn, méiqì hé diànhuà zhàngdān, gěi yángtái shàng de huā jiāo shuǐ.
你要回国三个星期，请朋友帮你看(to look after)一下房子，付一下这个月的水、电、煤气(gas)和电话账单，给阳台上的花浇水(to water)。

xiě yì xiě
6. 写一写

Nǐ zuìjìn bāng biérén huòzhě biérén bāng nǐ le ma? Xiě yì xiě nǐ de jīnglì.
你最近 帮 别人 或者 别人 帮 你了吗？写一写你的经历。

Unit 13

Travelling by Train

zuò huǒchē lǚxíng
坐火车旅行

1. Xià ge xīngqī jiù yào fàng jià le.	下个星期就要放假了。 The vacation will begin next week.
2. Wǒ yīnggāi zài Hángzhōu wán jǐ tiān?	我应该在杭州玩几天？ How many days should I stay in Hangzhou?
3. Xiànzài hái méi juédìng.	现在还没决定。 Not decided yet.
4. Zuò huǒchē hé zuò qìchē nǎge bǐjiào fāngbiàn?	坐火车和坐汽车哪个比较方便？ Which one is more convienent? By train or bus?
5. Zuò huǒchē yào huā duō cháng shíjiān?	坐火车要花多长时间？ How long will it take to go by train?

kèwén (Text)

Xià ge xīngqī jiù yào fàng jià le, Mǎkè dǎsuan qù lǚxíng. Lǐ Dàmíng gěi tā chūle ge zhǔyi —— qù Hángzhōu, yīnwèi Mǎkè hái méi qùguo Hángzhōu ne.

（Ⅰ）

Mǎkè: Nǐ qùguo jǐ cì Hángzhōu?

Lǐ Dàmíng: Liǎng cì. Búguo zuìjìn jǐ nián méi qùguo.

Mǎkè: Nǐ juéde wǒ yīnggāi zài Hángzhōu wán jǐ tiān?

Lǐ Dàmíng: Zuìhǎo wán sān-sì tiān. Nǐ dǎsuan yí ge rén qù ma?

Mǎkè: Xiànzài hái méi juédìng. Wǒ xiǎng wènwen Mǎlì tāmen yǒu méiyǒu xìngqù. Nǐ shuō zuò huǒchē hé zuò qìchē nǎ ge bǐjiào fāngbiàn?

Lǐ Dàmíng: Chàbuduō. Búguò, zuò huǒchē gèng shūfu yìdiǎn, tèbié shì ruǎnzuò.

Mǎkè: Ruǎnzuò shì shénmeyàng de?

Lǐ Dàmíng: Ruǎnzuò jiù shì shāfā, bǐjiào kuān, ruǎnzuò chēxiāng yě bǐjiào gānjìng. Mǎkè, nǐ hái méi zuòguo Zhōngguó de huǒchē ba?

Măkè: Méi zuòguo, zuò huǒchē yào huā duō cháng shíjiān?

Lǐ Dàmíng: Chàbuduō liǎng ge bàn xiǎoshí ba. Xiànzài jiànle xīn huǒchēzhàn, tīngshuō bú dào liǎng ge xiǎoshí jiù kěyǐ dào Hángzhōu. Zuò huǒchē qù ba. Nǐ yídìng huì juéde yǒuyìsi.

Măkè: Nà wǒ jiù tīng nǐ de, zuò yí cì huǒchē.

(Ⅱ)

(Zài huǒchēzhàn shòupiàotīng)

Măkè: Mǎi yì zhāng qù Hángzhōu de piào.

Shòupiàoyuán: Liǎng diǎn yí kè de, yào yìngzuò háishì ruǎnzuò?

Măkè: Ruǎnzuò. Duōshǎo qián?

Shòupiàoyuán: Sìshí'èr kuài. Zài lóushàng sān hào hòuchētīng. Nǐ zuìhǎo kuài yìdiǎn, chē mǎshàng jiù yào kāi le.

课 文

下个星期就要放假了,马克打算去旅行。李大明给他出了个主意——去杭州,因为马克还没去过杭州呢。

(一)

马　克:你去过几次杭州?

李大明:两次。不过最近几年没去过。

马　克:你觉得我应该在杭州玩几天?

李大明:最好玩三四天。你打算一个人去吗?

马　克:现在还没决定。我想问问玛丽她们有没有兴趣。你说坐火车和坐汽车哪个比较方便?

李大明:差不多。不过,坐火车更舒服一点,特别是软座。

马　克:软座是什么样的?

李大明:软座就是沙发,比较宽,软座车厢也比较干净。马克,你还没坐过中国的火车吧?

马　克:没坐过,坐火车要花多长时间?

李大明：差不多两个半小时吧。现在建了新火车站，听说不到两个小时就可以到杭州。坐火车去吧。你一定会觉得有意思。

马　克：那我就听你的，坐一次火车。

（二）

（在火车站售票厅）

马　克：买一张去杭州的票。

售票员：两点一刻的，要硬座还是软座？

马　克：软座。多少钱？

售票员：四十二块。在楼上三号候车厅。你最好快一点，车马上就要开了。

Vocabulary (生词语)

1. **火车** huǒchē *n.* train
2. **旅行** lǚxíng *v. & n.* to travel; trip, journey, tour
3. **放假** fàng jià *VO* to have a holiday or vacation

   Usage: the subject of the verb 放假 (fàng jià) should be words like 国家、学校、公司、我们 (guójiā、xuéxiào、gōngsī、wǒmen) etc. or even no subject, but not an individual.

   e.g. 国庆节全国放假七天。(Guóqìng Jié quánguó fàng jià qī tiān.)
   There is a seven-day holiday in China during the National Day week.

4. **出** chū *v.* to give (sb. an idea)
5. **主意** zhǔyi *n.* idea
6. **过** guo *part.* indicating a past experience or occurrence which did not continue to the present, see Language Points
7. **次** cì *MW* time (number of times), see Language Points
8. **应该** yīnggāi *AV* should, must
9. **决定** juédìng *v.* to decide
10. **比较** bǐjiào *v. & adj.* to compare; comparatively (more), see Language Points

    e.g. 软座比较舒服。(Ruǎnzuò bǐjiào shūfu.)
    Soft seat is more comfortable.
    这双鞋比较合适，那双有点小。(Zhè shuāng xié bǐjiào héshì, nà shuāng yǒudiǎn xiǎo.)

11.	差不多	chàbuduō	*adj. & adv.*	pretty much the same; around, about

e.g. Zuò huǒchē hé zuò qìchē chàbuduō.
坐 火车 和 坐 汽车 差不多。
Cóng Shànghǎi zuò huǒchē dào Hángzhōu chàbuduō liǎng ge bàn xiǎoshí.
从 上海 坐 火车 到 杭州 差不多 两 个 半 小时。

12.	更	gèng	*adv.*	more, used before an adjective to indicate the comparative degree, see Language Points
13.	舒服	shūfu	*adj.*	comfortable
14.	特别	tèbié	*adj. & adv.*	special; especially, exceedingly

e.g. Zuò huǒchē hěn shūfu, tèbié shì ruǎnzuò.
坐 火车 很 舒服,特别 是 软座。
Zuò cífúlièchē qù jīchǎng tèbié kuài.
坐 磁浮列车 去 机场 特别 快。

15.	软座	ruǎnzuò	*n.*	soft seat (on a train)
	软	ruǎn	*adj.*	soft
16.	宽	kuān	*adj.*	wide, spacious
17.	车厢	chēxiāng	*n.*	compartment (of a train)
18.	干净	gānjìng	*adj.*	clean
	干	gān	*adj.*	dry
19.	花	huā	*v.*	to spend (money, time)
20.	建	jiàn	*v.*	to build
21.	听说	tīngshuō	*v.*	to hear, to be told
	听	tīng	*v.*	to listen
22.	不到	bú dào		less than

e.g. bú dào liǎng ge xiǎoshí
不 到 两 个 小时

23.	一定	yídìng	*adv.*	surely, for sure, definitely

e.g. Wǒ wǎnshang yídìng huì lái.
我 晚上 一定 会 来。
Rúguǒ nǐ qùguo Hángzhōu, nǐ yídìng huì juéde nà shì ge hǎo dìfang.
如果 你 去过 杭州,你 一定 会 觉得 那 是 个 好 地方。

24.	有意思	yǒuyìsi	*adj.*	interesting, funny
25.	售票厅	shòupiàotīng	*n.*	ticket office (a large hall)
26.	刻	kè	*n.*	quarter (used for telling time)
27.	硬座	yìngzuò	*n.*	hard seat (on a train)
	硬	yìng	*adj.*	hard
28.	楼上	lóushàng		upstairs

29. 候车厅 hòuchētīng *n.* waiting room (a big hall)
30. 开 kāi *v.* to drive (a car), to run (a train), to fly (a plane), to navigate (a ship)

Proper Nouns (专有名词)

杭州 Hángzhōu a city of two hours' drive from Shanghai with beautiful lake and other scenic spots

Language Points (语言点)

1. V+过 (guo) indicating experiences (动词+"过"表示经历)

The particle 过 (guo) is used after a verb to denote a past (not recent) experience or occurrence which did not continue to the present. Temporal expressions are often either unspecified or completely absent. The default time for the action or event is 以前 (yǐqián) (in the past, formerly). (动词后加"过"表示过去〔不是最近〕经历或发生之事，而且没有延续至今，有"过"的句子中表示时间的词通常不必出现。一般来说，它暗含的时间就是"以前"。)

(1) Wǒ kànguo zhè bù diànyǐng. Nǐ kànguo ma?
我 看过 这 部 电影。你 看过 吗？

(2) Lǐ Dàmíng qùguo Hángzhōu, Mǎkè méi qùguo.
李大明 去过 杭州， 马克 没 去过。

(3) Nǐ yǒu méiyǒu chīguo zhèngzōng de Sìchuāncài?
你 有 没有 吃过 正宗 的 四川菜？

(4) Nǐ yǒu méiyǒu tīngshuo guo yí jù huà: "shàng yǒu tiāntáng, xià yǒu Sū-Háng"?
你 有 没有 听说 过 一 句 话：" 上 有 天堂，下 有 苏杭"？

✲ Can you summarize the rule of changing a V + 过 (guo) statement into negative form and question form? (你能总结一下将动词 +"过"的陈述句转变成否定句和问句的规律吗？)

Write your summary here: (把你的总结写在这里)

____

____

____

The experiences can be quantified, and the sentence structure is V + 过 (guo) + 几次 (jǐ cì) + object.

(动词 +"过"所表示的事件是可以被量化的，其句子结构为：V+"过"+"几次"+宾语)

e.g.

Nǐ qùguo jǐ cì Hángzhōu?
(1) A: 你 去过 几 次 杭州？

Liǎng cì, búguò zuìjìn jǐ nián méi qùguo.
B: 两 次，不过 最近 几 年 没 去过。

Jǐ nián yǐqián tā zài Sìchuān Lù de Xiǎo-Sìchuān Fàndiàn chīguo yí cì Sìchuāncài.
(2) 几 年 以前 他 在 四川 路 的 小四川 饭店 吃过 一 次 四川菜。

Sometimes 还 (hái) is placed before 没 (méi) +V + 过 (guo) meaning "haven't ...yet". ("没"+ 动词 +"过"前面可以加"还"，表示"还没……") e.g.

Wǒ hái méi kànguo nǐ shuō de nà bù diànyǐng. Zhēnde hěn hǎokàn ma? Wǒ zhōumò
(1) 我 还 没 看过 你 说 的 那 部 电影。 真的 很 好看 吗？我 周末

yě xiǎng qù kàn.
也 想 去 看。

Mǎkè lái Zhōngguó yǐhòu, hái méi zuòguo Zhōngguó de huǒchē, suǒyǐ míngtiān tā dǎsuan
(2) 马克 来 中国 以后，还 没 坐过 中国 的 火车，所以 明天 他 打算

zuò huǒchē qù Hángzhōu.
坐 火车 去 杭州。

Jīnwǎn wǒmen chūqù chī. Xiǎng qù nǎr chī?
(3) A: 今晚 我们 出去 吃。 想 去 哪儿 吃？

Wǒ hái méi chīguo Sìchuāncài, wǒmen qù chángchang Sìchuāncài zěnmeyàng?
B: 我 还 没 吃过 四川菜，我们 去 尝尝 四川菜 怎么样？

Sometimes 从来 (cónglái) (always, at all times) is placed before 没 (méi) + V + 过 (guo) meaning "have never...". ("没"+ 动词 +"过"前面可以加"从来"，表示"从不……")

Wǒ cónglái méi tīngshuō guo zhège dìfang.
(1) 我 从来 没 听说 过 这个 地方。

Tā cónglái méi chídào guo.
(2) 他 从来 没 迟到 过。

2. Question as an object clause (问句做宾语)

Question with question word:

Wǒ yīnggāi zài Hángzhōu wán jǐ tiān?
(1) 我 应该 在 杭州 玩 几 天？

Nǐ juéde wǒ yīnggāi zài Hángzhōu wán jǐ tiān?
你觉得 我 应该 在 杭州 玩 几 天？

Zuò huǒchē gēn zuò qìchē nǎge bǐjiào fāngbiàn?
(2) 坐 火车 跟 坐 汽车 哪个 比较 方便？

Nǐ shuō zuò huǒchē gēn zuò qìchē nǎge bǐjiào fāngbiàn?
你 说 坐 火车 跟 坐 汽车 哪个 比较 方便？

Simple question:

Mǎlì tāmen yǒu xìngqù ma?
(3) 玛丽 她们 有 兴趣 吗？

Wǒ xiǎng wènwen Mǎlì tāmen yǒu méiyǒu xìngqù.
我 想 问问 玛丽她们 有 没有 兴趣。

Wǒ xiǎng wènwen Mǎlì tāmen shì bu shì yǒu xìngqù.
我 想 问问 玛丽她们 是 不 是 有 兴趣。

Mǎkè, nǐ xiàwǔ zài jiā ma?
(4) 马克，你 下午 在 家 吗？

Fángdōng wèn Mǎkè tā xiàwǔ zài bu zài jiā.
房东 问 马克 他 下午 在 不 在 家。

Fángdōng wèn Mǎkè tā xiàwǔ shì bu shì zài jiā.
房东 问 马克 他 下午 是 不 是 在 家。

Tā qùguo Hángzhōu ma?
(5) 他 去过 杭州 吗？

Wǒ bù zhīdao tā yǒu méiyǒu qùguo Hángzhōu.
我 不 知道 他 有 没有 去过 杭州。

Wǒ bù zhīdao tā shì bu shì qùguo Hángzhōu.
我 不 知道 他 是 不 是 去过 杭州。

✻ Can you summarize the rule of changing a question into a clause in another sentence? (你能总结一下将问句转变成另一个句子一部分的规律吗？)

Write your summary here: (把你的总结写在这里)

____

____

____

3. Summary of approximate numbers (约数表达法小结)

sān-sì tiān
三四 天

liǎngqiān kuài zuǒyòu
两千 块 左右

yí ge duō xīngqī
一个 多 星期

jǐ ge cài
几 个 菜

yī-èrshí ge xuésheng
一二十个 学生

chàbuduō liǎng ge bàn xiǎoshí
差不多 两 个 半 小时

sānshí duō fēnzhōng
三十 多 分钟

shíjǐ ge tóngxué
十几 个 同学

liǎng-sānbǎi kuài qián
两三百 块 钱

dàgài èrshí fēnzhōng
大概 二十 分钟

bú dào liǎng ge xiǎoshí
不 到 两 个 小时

4. 次 & 遍 (cì biàn)

We learned 遍 (biàn) in 请再说一遍 (qǐng zài shuō yí biàn) and 次 (cì) in this unit. Both 次 (cì) and 遍 (biàn) can be translated

biàn　　　　　　　　　　　　　　shuō dú kàn tīng xiě xué xiǎng
as "time". But the use of 遍 is limited to verbs such as 说、读、看、听、写、学、想(to
cì
think). In other situations, 次 is often used. ("遍"和"次"都可译为"time",但是"遍"仅限于和"说,读,看,听,写,学,想"等词搭配,而"次"的用途则较广泛)

Qǐng dàjiā dú yí biàn shēngcí.
(1) 请 大家 读 一 遍 生词。

Nà bù diànyǐng wǒ kànle liǎng biàn.
(2) 那 部 电影 我 看了 两 遍。

Nà shǒu gē bù nán, dàjiā xuéle yí biàn jiù dōu huì le.
(3) 那 首(MW) 歌 不 难, 大家 学了 一 遍 就 都 会 了。

Nǐ zài xiǎng yí biàn, zuótiān cóng fàndiàn chūlái yǐhòu nǐ qùle nǎxiē dìfang.
(4) 你再 想 一 遍, 昨天 从 饭店 出来 以后 你 去了 哪些 地方。

cì　　biàn
For a few verbs, both 次 and 遍 can be used, but the meanings are different. (有些动词既可搭配"次",也可搭配"遍",但意义有所不同)

Wǒ cānjiāle yí ge Yīngyǔbān, yígòng yǒu shí cì, búguo wǒ xuéle yí cì
(1) 我 参加了 一 个 英语班(course, class), 一共 有 十 次, 不过 我 学了 一 次
jiù bù xué le, yīnwèi tài nán le.
就 不 学 了, 因为 太 难 了。

Wǒ zài nà jiā diànyǐngyuàn kànguo liǎng cì diànyǐng.
(2) 我 在 那 家 电影院 看过 两 次 电影。

xué yí biàn　xué yí cì,　kàn yí biàn　kàn yí cì
✲ Can you tell the difference between 学 一 遍 & 学一次, 看一 遍 & 看一次?

yìdiǎn bǐjiào gèng
5. 一点、比较 & 更

All the three words can be used with adjectives to make a comparative degree, but there are some differences. (这三个词均可和形容词一起构成比较级,但意义不同)

"L" zì tóu de huǒchē fēicháng màn, "K" zì tóu de huǒchē kuài yìdiǎn.
(1) "L"字 头(initial letter)的 火车 非常 慢,"K"字 头 的 火车 快 一点。

Yìngzuò bú tài shūfu, ruǎnzuò bǐjiào shūfu.
(2) 硬座 不 太 舒服, 软座 比较 舒服。

"T" zì tóu de huǒchē búcuò, búguò "Z" zì tóu hé "D" zì tóu de huǒchē gèng hǎo.
(3) "T"字 头 的 火车 不错, 不过 "Z"字 头 和 "D"字 头 的 火车 更 好。

jiù yào le
6. 就 要……了

jiù yào le
就 要……了 shows that something is about to take place. The structure is:

jiù yào le (time adverbial) + 就 要 + V + 了

.

("就要……了"表示某事将要发生,其结构为: (时间状语)+ "就要" + 动词 + "了")

Xià ge xīngqī jiù yào fàng jià le.
(1) 下个星期就要放假了。

Chē mǎshàng jiù yào kāi le.
(2) 车马上就要开了。

Tā jiù yào huílái le, nǐ xiān zài zhèli děng yíxià ba.
(3) 他就要回来了，你先在这里等一下吧。

Tā xià ge yuè jiù yào jié hūn le, wǒmen yīnggāi sòng shénmeyàng de lǐwù?
(4) 她下个月就要结婚(to marry)了，我们应该送什么样的礼物？

There are a few sentence patterns similar to "就要……了" (jiù yào …… le) such as "要……了" (yào …… le)、"快……了" (kuài …… le)、"快要……了" (kuài yào …… le). Time adverbials are never placed in sentences with "快……了" (kuài …… le) and "快要……了" (kuài yào …… le). The following two sentences are incorrect. (和"就要……了"类似的句型还有"要……了"、"快……了"、"快要……了"，但"快……了"、"快要……了"句中不能出现时间状语。下面两个句子是错误的)

míngtiān kuài xià yǔ le.
＊明天快下雨了。

Wǒmen xià xīngqī kuài yào xuéwán zhè běn shū le.
＊我们下星期快要学完这本书了。

With adverb 就 (jiù) emphasizing the quickness, the event in the pattern of "就要……了" (jiùyào …… le) is the quickest to happen among the four patterns. ("就"强调时间"快"，在上述四个句型中，"就要……了"句中事件发生得最快)

Exercises (练习)

1. Sentence construction (组词成句)

(1)
juéde xué nián zài nǐ jǐ zhèli yīnggāi wǒ
觉得 学 年 在 你 几 这里 应该 我 ?

(2)
nǐ hé shuō gōnggòngqìchē bǐjiào dìtiě nǎge kuài
你 和 说 公共汽车 比较 地铁 哪个 快 ?

(3)
wǒ wènwen méiyǒu xiǎng nǐ yǒu bāng máng kòng
我 问问 没有 想 你 有 帮 忙 空

(4)
liǎng ge tīngshuō jiù xiǎoshí Hángzhōu bú dào kěyǐ dào
两个 听说 就 小时 杭州 不到 可以 到

2. 填空 (tián kòng)

juédìng 决定　tèbié 特别　zhǔyi 主意　chàbuduō 差不多　yǒuyìsi 有意思　yīnggāi 应该

(1) Mǎkè guo shēngrì, wǒ sòng tā shénme ne? Nǐ bāng wǒ chū ge ______ ba.
马克过生日，我送他什么呢？你帮我出个______吧。

(2) Zuò huǒchē lǚxíng hěn ______, ______ shì hé jǐ ge péngyou yìqǐ zuò huǒchē.
坐火车旅行很______，______是和几个朋友一起坐火车。

(3) Xiànzài zuò huǒchē qù Běijīng yào huā shí ge duō xiǎoshí, nǐ ______ zuò fēijī qù.
现在坐火车去北京要花十个多小时，你______坐飞机去。

(4) Zhè tào fángzi hé nà tào ______, Mǎkè dōu bǐjiào xǐhuan, tā hái méi ______ zū nǎ tào.
这套房子和那套______，马克都比较喜欢，他还没______租哪套。

3. 回答问题 (huídá wèntí)

(1) Shànghǎi yǒu duōshǎo rénkǒu? Shìjiè rénkǒu shì duōshǎo?
上海有多少人口？世界(world)人口是多少？

(2) Nǐmen xuéxiào dàgài yǒu duōshǎo liúxuésheng? Duōshǎo Zhōngguó xuésheng?
你们学校大概有多少留学生？多少中国学生？

(3) Nǐ měi tiān dàgài huā duō cháng shíjiān xuéxí Hànyǔ? Nǐ juéde shì tài duō、bú gòu háishi hěn héshì?
你每天大概花多长时间学习汉语？你觉得是太多、不够还是很合适？

(4) Cóng nǐmen guójiā zuò fēijī dào zhèli yào huā duō cháng shíjiān?
从你们国家坐飞机到这里要花多长时间？

(5) Cóng nǐ jiā zuò chūzūchē dào Pǔdōng Jīchǎng yào huā duō cháng shíjiān?
从你家坐出租车到浦东机场要花多长时间？

(6) Nǐ měi tiān shuì duōshǎo ge xiǎoshí?
你每天睡多少个小时？

(7) Měi tiān dàgài yǒu duōshǎo xuésheng lái jiàoshì shàng kè?
每天大概有多少学生来教室上课？

(8) Zài nǐ zhù de chéngshì, qù yí ge pǔtōng de fàndiàn chī fàn, yí ge rén dàgài yào huā duōshǎo qián?
在你住的城市(city)，去一个普通(normal, ordinary)的饭店吃饭，一个人大概要花多少钱？

4. Finish the following sentences with the given words (用指定词语完成句子)

jiù yào …… le
就要……了

(1) Xiànzài yǐjīng sì diǎn sān kè le, yínháng ______.
现在已经四点三刻了，银行______。

(2) ______, wǒmen yīnggāi sòng tā shénme lǐwù ne?
______，我们应该送他什么礼物呢？

zuìhǎo
最好

Tā zuìjìn zhēnde tài máng le, dàgài méi shíjiān bāng nǐ,
(1) 他最近真的太忙了,大概没时间帮你,____________________。

Zuò yìngzuò tài lèi le,
(2) 坐硬座太累了,____________________。

jiù
就

Diànyǐng bā diǎn kāishǐ, Lǐ Dàmíng
(1) 电影八点开始,李大明____________________。

Tā xué Hànyǔ xué de fēicháng kuài,
(2) 他学汉语学得非常快,____________________。

tèbié shì
特别是

Zài Shànghǎi chángcháng dǔ chē,
(1) 在上海常常堵车,____________________。

Shànghǎi yǒu hěn duō yǒuyìsi de dìfang,
(2) 上海有很多有意思的地方,____________________。

yídìng
一定

Mǎkè, míngtiān wǎnshang wǒ de shēngrì jùhuì
(1) 马克,明天晚上我的生日聚会____________________。

Nǐ kàn jīntiān tiānqì zhème hǎo, míngtiān
(2) 你看,今天天气这么好,明天____________________。

fānyì
5. 翻译

(1) The class will be over in a moment.

(2) I haven't decided yet. Give me an idea, please.

(3) I'm sure you will like the apartment, especially the garden in front of it.

(4) How long does it take by train?

(5) How many places have you been to in the past few years?

(6) How many days do you think I should stay in Hangzhou?

dú yì dú
6. 读一读

(Not all the new words in the article are given translations. You can refer to Vocabulary Index in this book. 文中有些生词语未提供英译，但可以查阅本书的词汇总表。)

Shànghǎi zuì xiàndài de huǒchēzhàn —— Shànghǎi Nánzhàn
上海最现代(modern)的火车站——上海南站

Rúguǒ nǐ zuò chē zǒu Hù-Mǐn Gāojià, nǐ huì zài gāojià pángbiān kàndào yí ge dà fēidié, shì wàixīngrén lái Shànghǎi le ma? Dāngrán bú shì, zhè shì Shànghǎi zuì piàoliang、zuì xiàndài de huǒchēzhàn —— Shànghǎi Nánzhàn.
如果你坐车走沪闵高架，你会在高架旁边看到一个大飞碟(flying saucer)，是外星人(extra-terrestrial being)来上海了吗？当然不是，这是上海最漂亮、最现代的火车站——上海南站。

Cóng Shànghǎi Nánzhàn zuò huǒchē kěyǐ qù Hángzhōu hé hěn duō qítā de chéngshì. Cóng shìzhōngxīn qù Shànghǎi Nánzhàn yě bù máfan, dìtiě yī hào xiàn、sān hào xiàn dōu néng dào. Hěn duō dì-yī cì qù Nánzhàn de rén juéde tā yǒudiǎn xiàng jīchǎng, bú xiàng huǒchēzhàn. Yīnwèi tā hé jīchǎng yíyàng, yǒu liǎng céng, chūfā de kèren qù shàng céng zuò chē, dàodá de kèren cóng xià céng chū zhàn. Shànghǎi Nánzhàn de pángbiān jiù shì yí ge hěn dà de chángtú qìchēzhàn, suǒyǐ zuò huǒchē gāng dào Shànghǎi de kèren kěyǐ mǎshàng zuò qìchē qù biéde chéngshì, fēicháng fāngbiàn.
从上海南站坐火车可以去杭州和很多其他的城市。从市中心去上海南站也不麻烦，地铁一号线、三号线都能到。很多第一次去南站的人觉得它有点像机场，不像火车站。因为它和机场一样，有两层，出发(to depart, to set out)的客人去上层坐车，到达的客人从下层出站。上海南站的旁边就是一个很大的长途(long distance)汽车站，所以坐火车刚到上海的客人可以马上坐汽车去别的城市，非常方便。

Yǒule xīn Nánzhàn, xiànzài zuò zuì kuài de huǒchē zhǐ yào yí ge bàn xiǎoshí jiù néng dào Hángzhōu. Rúguǒ nǐ juéde yí ge bàn xiǎoshí háishì tài màn, yě bú yòng zháojí, yīnwèi Shànghǎi hé Hángzhōu zhījiān mǎshàng jiù yào kāishǐ jiàn cífúlièchē xiàn le. Zài guò jǐ nián, huā yìbǎi wǔshí kuài qián, bàn ge xiǎoshí jiù néng dào Hángzhōu, yě jiùshì shuō, nǐ kànwán yì zhāng bàozhǐ, Hángzhōu jiù dào le.
有了新南站，现在坐最快的火车只要一个半小时就能到杭州。如果你觉得一个半小时还是太慢，也不用着急(to worry, to feel anxious)，因为上海和杭州之间马上就要开始建磁浮列车线了。再过几年，花一百五十块钱，半个小时就能到杭州，也就是说，你看完一张报纸，杭州就到了。

huídá wèntí:
回答问题：

(1) Shànghǎi Nánzhàn zài nǎli?
上海南站在哪里？

(2) Shànghǎi Nánzhàn shì shénmeyàng de?
上海南站是什么样的？

Wèi shénme yǒurén juéde Shànghǎi Nánzhàn xiàng jīchǎng?
(3) 为什么有人觉得上海南站像机场？

Yǐhòu zuò cífúlièchē qù Hángzhōu yào huā duōshǎo qián?
(4) 以后坐磁浮列车去杭州要花多少钱？

Xiànzài zuò huǒchē qù Hángzhōu yào huā duō cháng shíjiān?
(5) 现在坐火车去杭州要花多长时间？

Zài guò jǐ nián, qù Hángzhōu zuì kuài de fāngshì shì shénme?
(6) 再过几年，去杭州最快的方式(way, method)是什么？

tīng yì tīng
7. 听一听

Liǎng ge liúxuéshēng zài liáo tiān, tīngting tāmen liáole xiē shénme, ránhòu huídá wèntí.
(1) 两个留学生在聊天，听听他们聊了些什么，然后回答问题。

Vocabulary (生词)

好玩	hǎowán	*adj.*	funny, interesting
那么	nàme	*adv.*	so
记得	jìde	*v.*	to remember
美	měi	*adj.*	beautiful
过夜	guò yè	*VO*	to spend the night
星星	xīngxing	*n.*	star

Wèi shénme nǚ de qián jǐ tiān méi lái shàng kè?
① 为什么女的前几天(the other day)没来上课？

Nán de qùguo Běijīng jǐ cì? Tā dì-yī cì shì yí ge rén qù de ma? Tā zuìjìn yí cì qù shì shénme shíhou?
② 男的去过北京几次？他第一次是一个人去的吗？他最近一次去是什么时候？

Nǚ de wèi shénme juéde Chángchéng méiyìsi?
③ 女的为什么觉得长城没意思？

Nán de zài Běijīng zuì nánwàng de jīnglì shì shénme?
④ 男的在北京最难忘(unforgetable)的经历是什么？

Tīng gùshi "lèi rén de lǚxíng", ránhòu huídá wèntí.
(2) 听故事(story)“累人的旅行”，然后回答问题。

Vocabulary (生词)

春节	Chūn Jié	*PN*	Spring Festival
难买	nánmǎi	*adj.*	hard to buy
临时	línshí	*adj.*	temporary

Xiǎo Lǐ mǎi huǒchēpiào yào qù nǎli?
① 小李买火车票要去哪里？

Tā zuò de huǒchē shì shénme chē? Huǒchē chēxiāng lǐmian zěnmeyàng?
② 他 坐 的 火车 是 什么 车？火车 车厢 里面 怎么样？

Tā zuòle duō cháng shíjiān de huǒchē?
③ 他 坐了 多 长 时间 的 火车？

Cóng huǒchēzhàn dào Xiǎo Lǐ de lǎojiā yǒu duō yuǎn?
④ 从 火车站 到 小 李 的 老家 有 多 远？

Xiǎo Lǐ shénme shíhou shàngle qìchē?
⑤ 小 李 什么 时候 上了 汽车？

Tā zhǔnshí dào jiā le ma?
⑥ 他 准时(on time)到 家 了 吗？

shuō yì shuō
8. 说 一 说

Group work: Discuss the following questions and choose a person to summarize what the others say. (分组讨论下列问题，选出一名代表总结大家的发言)

Nǐ kànguo jǐ bù Zhōngguó diànyǐng huòzhě guānyú Zhōngguó de diànyǐng?
(1) 你 看过 几 部 中国 电影 或者 关于(about, on) 中国 的 电影？
Nǐ zuì xǐhuan de shì nǎ yí bù?
你 最 喜欢 的 是 哪 一部？

Xiǎng yí jiàn bǐjiào tèbié de shì huòzhě yí ge bǐjiào tèbié de huódòng, wèn
(2) 想 一 件 比较 特别 的 事 或者 一 个 比较 特别 的 活动(activity)，问
nǐ de tóngxuémen yǒu méiyǒu zuòguo.
你 的 同学们 有 没有 做过。

Nǐ zài Zhōngguó huòzhě biéde guójiā zuòguo huǒchē ma? Tántan nǐ zài bùtóng
(3) 你 在 中国 或者 别的 国家 坐过 火车 吗？谈谈 你 在 不同(different)
de dìfang zuò huǒchē de jīnglì huòzhě gǎnjué.
的 地方 坐 火车 的 经历 或者 感觉(feeling)。

xiě yì xiě
9. 写 一 写

Chūn Jié jiù yào dào le. Nǐ de péngyou xià zhōu yào lái Shànghǎi wán le. Tā yǐqián
春 节 就 要 到 了。你 的 朋友 下 周 要 来 上海 玩 了。他 以前
méiyǒu láiguo Shànghǎi. Tā qǐng nǐ gěi tā chūchu zhǔyi. Nǐ gěi tā xiě yí ge e-mail.
没有 来过 上海。他 请 你 给 他 出出 主意。你 给 他 写 一 个 e-mail。

The following questions may contain topics that you want to talk about. (下面的问题中也许有你想谈的话题)

Zuìhǎo zài Shànghǎi dāi jǐ tiān.
(1) 最好 在 上海 待 几 天。

Yīnggāi qù nǎxiē dìfang wán, qù nǎli mǎi dōngxi, nǎli yǒu hǎochī de Zhōngguócài.
(2) 应该 去 哪些 地方 玩，去 哪里 买 东西，哪里 有 好吃 的 中国菜。

Rúguǒ shíjiān gòu, hái kěyǐ qù Shànghǎi fùjìn de shénme dìfang wán; yào huā duō cháng
(3) 如果 时间 够，还 可以 去 上海 附近 的 什么 地方 玩；要 花 多 长
shíjiān; zuò qìchē gēn zuò huǒchē nǎge bǐjiào hǎo.
时间；坐 汽车 跟 坐 火车 哪个 比较 好。

Unit 14

Informative Taxi Driver

chūzūchē sījī shénme dōu zhīdao
出租车 司机 什么 都 知道

1. Nǐ Hànyǔ shuō de zhēn búcuò! 你汉语说得真不错！
   You speak really good Chinese!
2. Nǐ zhè cì yídìng yào duō wán jǐ tiān. 你这次一定要多玩几天。
   You should stay for a few more days this time.
3. Wǒ xiǎng zhǎo yì jiā yòu gānjìng yòu piányi de bīnguǎn. 我想找一家又干净又便宜的宾馆。
   I want to find a clean and cheap hotel.
4. Nǐ cóng nǎli lái? 你从哪里来？
   Where are you from?
5. Nín néng gěi wǒ tuījiàn tuījiàn ma? 您能给我推荐推荐吗？
   Can you recommend for me?

kèwén (Text)

(Ⅰ)

Huǒchē dào Hángzhōu de shíhou, tiān yǐjīng hēi le. Chūle huǒchēzhàn, Mǎkè shàngle yí liàng chūzūchē. Tā dǎsuan xiān qù Xīhú fùjìn zhǎo yí ge zhù de dìfang, míngtiān zǎoshang jiù néng wán Xīhú le.

(Ⅱ)

Mǎkè: Shīfu, qù Xīhú.
Sījī: Hǎo de, nǐ Hànyǔ shuō de zhēn búcuò! Nǐ cóng nǎli lái?
Mǎkè: Cóng Shànghǎi lái. Shīfu, nín kāi de yǒudiǎn kuài, néng bu néng màn yìdiǎn? Wǒ bù gǎn shíjiān.
Sījī: Hǎo ba. Yǐqián láiguo Hángzhōu ma?
Mǎkè: Méi láiguo, zhè shì dì-yī cì.

Sījī: Nà nǐ zhè cì yídìng yào duō wán jǐ tiān. Wǒmen Hángzhōu shì Zhōngguó zuì měi de chéngshì, tīngshuō guo yí jù huà ma? “Shàng yǒu tiāntáng, xià yǒu Sū-Háng”.

Mǎkè: Wǒ zhīdao, wǒ de Zhōngguó péngyou gàosu guo wǒ.

(Ⅲ)

Mǎkè: Shīfu, wǒ xiǎng zài Xīhú fùjìn zhǎo yì jiā yòu gānjìng yòu piányi de bīnguǎn. Nín néng gěi wǒ tuījiàn tuījiàn ma?

Sījī: Xīhú fùjìn de bīnguǎn duō jí le, búguò jiàqian dōu bú tài piányi. Liǎng-sān bǎi kuài yì tiān de bǐjiào duō. Nǐ kěyǐ qù Xīhú nánbian de Nánshān Lù kànkan, nàli lí Xīhú fēicháng jìn, fàndiàn hé jiǔbā yě hěn duō, niánqīngrén hé lǎowài bǐjiào xǐhuan qù.

Mǎkè: Tài hǎo le. Nà wǒmen xiànzài jiù qù Nánshān Lù ba. Duì le, wǒ hái xiǎng wènwen nín, shénme fàndiàn de Hángzhōucài zuì zhèngzōng?

Sījī: Nà dāngrán shì Lóuwàilóu! Lóuwàilóu shì Hángzhōu zuì yǒumíng de fàndiàn, tāmen zuò Xīhú cùyú zuò de zuì hǎochī. Āi, wǒmen dào le, zhèli jiù shì Nánshān Lù.

课 文

(一)

火车到杭州的时候,天已经黑了。出了火车站,马克上了一辆出租车。他打算先去西湖附近找一个住的地方,明天早上就能玩西湖了。

(二)

马克:师傅,去西湖。

司机:好的,你汉语说得真不错!你从哪里来?

马克:从上海来。师傅,您开得有点快,能不能慢一点?我不赶时间。

司机:好吧。以前来过杭州吗?

马克:没来过,这是第一次。

司机:那你这次一定要多玩几天。我们杭州是中国最美的城市,听说过一句话吗?“上有天堂,下有苏杭。”

马克:我知道,我的中国朋友告诉过我。

(三)

马克:师傅,我想在西湖附近找一家又干净又便宜的宾馆。您能给我推荐推荐吗?

司机:西湖附近的宾馆多极了,不过价钱都不太便宜。两三百块一天的比较多。你可以去西湖南边的南山路看看,那里离西湖非常近,饭店和酒吧也很多,年轻人和老外比较喜欢去。

马克：太好了。那我们现在就去南山路吧。对了，我还想问问您，什么饭店的杭州菜最正宗？

司机：那当然是"楼外楼"！楼外楼是杭州最有名的饭店，他们做西湖醋鱼做得最好吃。哎，我们到了，这里就是南山路。

Vocabulary (生词语)

1. 辆 liàng *MW* for vehicles with wheels
2. 住 zhù *v.* to live, to stay
3. 明天 míngtiān *TW* tomorrow
4. 早上 zǎoshang *TW* early morning
5. 能 néng *AV* can, be able to, see Language Points
6. 真 zhēn *adv.* really, truly

   Usage: used before adjective in exclamatory sentence, see Language Points.

   e.g. Zhēn piàoliang! Zhēn búcuò!
   真漂亮！真不错！

7. 赶 gǎn *v.* to rush (for sth.)

   e.g. Wǒ bù gǎn shíjiān.
   我不赶时间。 I'm not in a hurry.

8. 以前 yǐqián *TW* before, in the past, formerly

   e.g. Yǐqián láiguo Hángzhōu ma?
   以前来过杭州吗？

9. 美 měi *adj.* beautiful
10. 城市 chéngshì *n.* city
11. 句 jù *MW* for remarks
12. 话 huà *n.* words, speech

    e.g. yí jù huà
    一句话 a remark, a saying

13. 天堂 tiāntáng *n.* heaven, paradise
14. 又 yòu *adv.* and

    Usage: two 又 (yòu) linking two adjectives form a 又…又… (yòu … yòu …) structure, meaning "...and...".

    e.g. yòu gānjìng yòu piányi
    又干净又便宜

15. 宾馆 bīnguǎn *n.* hotel
16. 推荐 tuījiàn *v.* to recommend

17. 价钱	jiàqian	*n.*	price
18. 酒吧	jiǔbā	*n.*	bar
酒	jiǔ	*n.*	liquor, wine
19. 年轻人	niánqīngrén	*n.*	young people
年轻	niánqīng	*adj.*	young
轻	qīng	*adj.*	light

zhòng
Opposite: 重 heavy

20. 老外	lǎowài	*n.*	foreigner (informal), also 外国人 (wàiguórén) (formal)
21. 有名	yǒumíng	*adj.*	famous
22. 做	zuò	*v.*	to do, to make, to cook
23. 西湖醋鱼	Xīhú cùyú	*n.*	West Lake vinegar fish
醋	cù	*n.*	vinegar
鱼	yú	*n.*	fish

Proper Nouns (专有名词)

1.	西湖	Xīhú	West Lake in Hangzhou
2.	苏杭	Sū-Háng	Suzhou & Hangzhou
3.	南山路	Nánshān Lù	Nanshan Rd.
4.	楼外楼	Lóuwàilóu	name of a restaurant in Hangzhou famous for its Hangzhou food

Language Points (语言点)

1. Complement of degree: V + 得 (de) + adj. (程度补语：动词+"得"+形容词)

得 (de) is used after a verb to connect it with a descriptive phrase, i.e., a complement of degree, which is usually an adjective and serves as comment on the action. (动词后加"得"和一个描述性短语，即程度补语〔通常为形容词〕，对动作行为作出程度上的评价)

Shīfu kāi de yǒudiǎn kuài.
(1) 师傅开得有点快。 The driver drove a bit too fast.

Tā hē de tài duō le.
(2) 他喝得太多了。 He drank too much.

Mǎkè wán de hěn kāixīn.
(3) 马克 玩 得 很 开心。 Mark had a lot of fun.

Nǐ zuò de duì.
(4) 你 做 得 对。 You did it correctly.

Nǐmen lái de tài wǎn le.
(5) 你们 来 得 太 晚 了。 You came too late.

When the verb takes an object, the verb is repeated after the object. (动词后有宾语的话，需重复动词)

Nǐmen shuō huà shuō de tài duō le.
(1) 你们 说 话 说 得 太 多 了。

Shīfu kāi chē kāi de yǒudiǎn kuài.
(2) 师傅 开 车 开 得 有点 快。

Tā hē píjiǔ hē de tài duō le.
(3) 他 喝 啤酒 喝 得 太 多 了。

Nǐmen diǎn cài diǎn de tài duō le.
(4) 你们 点 菜 点 得 太 多 了。

Tā chàng gē chàng de hěn hǎotīng.
(5) 他 唱 歌 唱 得 很 好听。

Tāmen zuò Xīhú cùyú zuò de zuì hǎochī.
(6) 他们 做 西湖 醋鱼 做 得 最 好吃。

When the context is clear to both the listener and the speaker, the first verb can be omitted. (当上下文很明确时，前面的动词可以省略)

Nǐ Hànyǔ shuō de zhēn búcuò.
(7) 你 汉语 说 得 真 不错。

Tā píjiǔ hē de tài duō le.
(8) 他 啤酒 喝 得 太 多 了。

Tā Hànyǔ tígāo de hěn kuài.
(9) 他 汉语 提高 得 很 快。

Nàge fàndiàn cài zuò de hěn hǎochī.
(10) 那个 饭店 菜 做 得 很 好吃。

Nà jiā xiédiàn xié mài de yǒudiǎn guì.
(11) 那 家 鞋店 鞋 卖 得 有点 贵。

Note: In a statement, the adjective is usually preceded by an adverb indicating degree such as 很、非常、有点 (hěn、fēicháng、yǒudiǎn), as in the case of adjective predicate sentence. (程度补语中形容词前面往往需要加"很"、"非常"、"有点"等副词，这和形容词谓语句的情况是一样的)

zhēn zhēnde
2. 真 & 真的

Adverb 真 (zhēn) is used in exclamatory sentences, conveying not factual information but the

speaker's admiration, despise or some other personal emotions. If the speaker wants to
hěn fēicháng
make a more objective statement or description, 很、非常 are used instead. ("真"用于感叹句,传达的是说话人钦佩、厌恶等个人情感。如果要对事实作比较客观的描述,可以用"很"、"非常"等词) e.g.

Tā Hànyǔ shuō de zěnmeyàng?
(1) A: 他 汉语 说 得 怎么样?
Shuō de hěn búcuò.
B: 说 得 很 不错。He speaks very well.

Nǐ Hànyǔ shuō de zhēn búcuò!
(2) A: 你 汉语 说 得 真 不错! You speak Chinese really well!
Nǐ guòjiǎng le.
B: 你 过奖 了。

Mǎkè shuō: "Mǎlì, wǒ zhēn xǐhuan jīntiān de jùhuì!"
(3) 马克 说:"玛丽,我 真 喜欢 今天 的 聚会!"

zhēnde zhēnde
真的 can be used either as adjective or adverb. When 真的 is used as an adjective, it means
zhēnde
"real, true". When 真的 is used as an adverb, it emphasizes that the speaker really meant what he said. ("真的"有形容词和副词两种用法。"真的"做形容词时,意思是"真实",和"假的"相对;"真的"做副词时,强调说话人所说的是确确实实的真心话)

Rúguǒ nǐ zhēnde xǐhuan zhè tào fángzi, zūjīn kěyǐ gēn fángdōng zài tántan.
(1) 如果 你 真的 喜欢 这 套 房子,租金可以 跟 房东 再 谈谈。

Mǎkè shuō: "Mǎlì, jīntiān de jùhuì wǒ zhēnde fēicháng kāixīn! Xièxie nǐ!"
(2) 马克 说:"玛丽,今天 的 聚会 我 真的 非常 开心!谢谢 你!"

Nǐ Hànyǔ shuō de hěn búcuò!
(3) A: 你 汉语 说 得 很 不错!
Nǐ tài kèqi le, wǒ shuō de bú tài hǎo.
B: 你 太 客气了,我 说 得 不 太 好。
Nǐ shuō de zhēnde hěn búcuò, zhēnde.
A: 你 说 得 真的 很 不错,真的。

hěn、fēicháng zhēn
Note: You cannot insert adverbs like 很、非常 between 真 and the adjective, but you can
zhēnde
insert them between 真的 and the adjective. ("真"+形容词间不能插入"很"、"非常"等词,"真的"+形容词间则可以插入)

kěyǐ néng
3. 可以 & 能

kěyǐ
We have learned auxiliary verb 可以 in Unit 3 and the following units. In this unit, we learn
néng
another auxiliary verb 能. These two verbs are similar and sometimes interchangeable. ("可以"和"能"类似,常可互换)

They have two basic functions: ("可以"和"能"有两大基本功能)

(1) when you express permission, suggestion, forbiddance, you can use 可以 (kěyǐ) and 能 (néng), but the use of 能 (néng) is limited in certain question or negative forms. (表达允许,建议,禁止时,可以用"可以"和"能",但"能"只用于某些问句或否定句形式) e.g.

Shuǐchí dǔ le, nín kěyǐ (néng) guòlái kàn yíxià ma?
① A: 水池 堵了,您 可以(能) 过来 看 一下 吗?
Dāngrán kěyǐ.
B: 当然 可以。

Shīfu, nín néng (kěyǐ) gěi wǒ tuījiàn yí ge bīnguǎn ma?
② 师傅,您 能(可以)给 我 推荐 一个 宾馆 吗?

Duìbuqǐ, nǐmen bù néng (kěyǐ) zuò zhèli, zhège zhuōzi yǐjīng yǒurén yùdìng le.
③ 对不起,你们 不 能(可以)坐 这里, 这个 桌子 已经 有人 预订 了。

Fángdōng shuō kěyǐ gěi tā mǎi yí ge kǎoxiāng.
④ 房东 说 可以 给 他 买 一个 烤箱。

Yǐhòu rúguǒ zài xūyào wǒ bāngmáng, kěyǐ suíshí gěi wǒ dǎ diànhuà.
⑤ 以后 如果 再 需要 我 帮忙, 可以 随时 给 我 打 电话。

Nǐ kěyǐ qù Xīhú nánbian de Nánshān Lù kànkan yǒu méiyǒu piányi de bīnguǎn.
⑥ 你 可以 去 西湖 南边 的 南山 路 看看 有 没有 便宜 的 宾馆。

(2) when you express the possibility of realizing something, you can use 能 (néng) and 可以 (kěyǐ), but the use of 可以 (kěyǐ) is limited in certain positive forms. (表示某事实现的可能性,可以用"能"和"可以",但"可以"仅限于某些肯定句形式) e.g.

Nǐ juéde tā míngtiān néng lái ma?
① A: 你 觉得 他 明天 能 来 吗?
Bù zhīdao, búguò bù néng lái yě méi guānxi.
B: 不 知道,不过 不 能 来 也 没 关系。

Tīngshuō xiànzài bú dào liǎng ge xiǎoshí jiù kěyǐ (néng) dào Hángzhōu!
② 听说 现在 不 到 两 个 小时 就 可以(能) 到 杭州!

Diànshì shàng shuō míngtiān huì xià yǔ, kěnéng bù néng qù dǎ wǎngqiú le.
③ 电视 上 说 明天 会 下 雨,可能 不 能 去 打 网球 了。

Rúguǒ zài Xīhú fùjìn zhǎo yí ge zhù de dìfang, míngtiān zǎoshang jiù néng (kěyǐ) qù Xīhú le.
④ 如果 在 西湖 附近 找 一个 住 的 地方, 明天 早上 就 能 (可以) 去 西湖 了。

4. ……的时候 (de shíhou)

……的时候 (de shíhou) means "the moment..., when...". e.g.

Huǒchē dào Hángzhōu de shíhou, tiān yǐjīng hēi le.
(1) 火车 到 杭州 的 时候,天 已经 黑 了。

Mǎkè jìn kètīng de shíhou, dēng tūrán hēi le.
(2) 马克 进 客厅 的 时候，灯 突然 黑 了。

Mǎkè gāng lái de shíhou, bú tài xíguàn Shànghǎi de tiānqì.
(3) 马克 刚 来 的 时候，不 太 习惯 上海 的 天气。

guo le
5. 过 & 了

We learned V + 了 (le) in Unit 5 and V + 过 (guo) in Unit 14. They both indicate something that happened in the past. But there are differences. Let's compare them with some more examples. (动词 +"了"和动词 +"过"都可以表示过去发生之事，但彼此有所不同)

Lǐ Dàmíng yǐqián qùguo Hángzhōu.
(1) 李大明 以前 去过 杭州。 Li Daming has been to Hangzhou before.

Mǎkè zuótiān qùle Hángzhōu.
(2) 马克 昨天 去了 杭州。 Mark went to Hangzhou yesterday.

Lǐ Dàmíng qùguo liǎng cì Hángzhōu.
(3) 李大明 去过 两 次 杭州。 Li Daming has been to Hangzhou twice.

Xiǎo Lǐ zhège yuè qùle liǎng cì Hángzhōu.
(4) 小 李 这个 月 去了 两 次 杭州。
Xiao Li went to Hangzhou twice this month.

Nǐ kànguo zhè bù diànyǐng ma?
(5) A: 你 看过 这 部 电影 吗？ Have you ever watched this movie?

Méi kànguo.
B: 没 看过。 No.

Nǐ kàn zhè bù diànyǐng le ma?
(6) A: 你 看 这 部 电影 了 吗？ Did you watch this movie?

Méi kàn, wǒ tīngshuō bù hǎokàn.
B: 没 看，我 听说 不 好看。 No. I heard it is not a nice movie.

Tā láiguo zhèli ma?
(7) A: 他 来过 这里 吗？ Has he ever been here?

Hái méi láiguo, búguo xià cì wǒ huì dài tā lái de.
B: 还 没 来过，不过 下 次 我 会 带 他 来 的。
Not yet, but I'll bring him here next time.

Tā láile ma?
(8) A: 他 来了 吗？ Has he come?

Hái méi lái, wǒmen zài děng wǔ fēnzhōng ba.
B: 还 没 来，我们 再 等 五 分钟 吧。
Not yet. Let's wait another five minutes.

duō
6. 多+V（"多"+动词）

duō
The structure 多 +V means "do more". ("多"+ 动词意为"多做……") e.g.

Nǐ yídìng yào duō wán jǐ tiān.
你 一定 要 多 玩 几天。

Nǐ zuìhǎo duō yùndòng yùndòng.
你 最好 多 运动 运动。

Xué Hànyǔ xūyào duō liànxí, duō gēn Zhōngguórén liáo tiān.
学 汉语 需要 多 练习，多 跟 中国人 聊 天。

shǎo
Opposite structure is 少 + V, which means "do less". (与"多"+ 动词意义相反的是"少"+ 动词，意为"少做……") e.g.

Zuìjìn nǐ shēntǐ bù hǎo nǐ yīnggāi shǎo hē jiǔ shǎo chōu yān.
最近 你 身体 不 好，你 应该 少 喝 酒，少 抽 烟。

Tā bù gāoxìng le nǐ jiù shǎo shuō yìdiǎn huà ba.
他 不 高兴 了，你 就 少 说 一点 话 吧。

Exercises (练习)

1. Sentence construction (组词成句)

(1)
tā dōu zǎoshang de lái hěn měi tiān zǎo
他 都 早上 得 来 很 每 天 早

(2)
zuò zuì de Xīhú cùyú tāmen zuò hǎochī
做 最 得 西湖 醋鱼 他们 做 好吃

(3)
tā dìfang xiān yí ge dǎsuan qù zhǎo fùjìn Xīhú zhù de
他 地方 先 一个 打算 去 找 附近 西湖 住 的

(4)
yídìng zài zhè cì duō yào wán nǐ jǐ tiān Hángzhōu
一定 在 这 次 多 要 玩 你 几 天 杭州

2. Answer the following questions using complement of degree (用程度补语回答问题)

(1)
Nǐ huì shuō jǐ zhǒng yǔyán? Shuō de zěnmeyàng?
你 会 说 几 种 语言？说 得 怎么样？

(2)
Nǐ huì wán shénme qiú? Wán de zěnmeyàng?
你 会 玩 什么 球？玩 得 怎么样？

Nǐ chīguo shítáng de cài ma? Nǐ juéde tāmen zuò de zěnmeyàng?
(3) 你 吃过 食堂 的菜 吗？你觉得他们 做 得 怎么样？
Nǐ juéde Shànghǎi de chūzūchē sījī kāi chē kāi de zěnmeyàng?
(4) 你觉得 上海 的出租车司机 开 车 开 得 怎么样？

tián kòng
3. 填空

tuījiàn zhēn duō zuò jiàqian shíhou gǎn yǒumíng
推荐 真 多 做 价钱 时候 赶 有名

Mǎkè gāng lái de ______, hái bú huì shuō Hànyǔ.
(1) 马克 刚 来 的______，还 不 会 说 汉语。
Tiānqì tài rè le, nǐ xūyào ______ hē shuǐ.
(2) 天气 太热了，你需要______喝 水。
Zhè shì nǐ gěi Mǎkè mǎi de shēngrì dàngāo ma? ______ de ______ piàoliang!
(3) 这 是你给 马克 买 的 生日 蛋糕 吗？______得______漂亮！
Jīntiān gōngsī fàng jià, zǎoshang wǒ kěyǐ shuì ge lǎn jiào, bú yòng ______ gōnggòngqìchē le.
(4) 今天 公司 放 假，早上 我可以 睡 个 懒 觉，不 用______公共汽车 了。
Zhège chéngshì ______ de fàndiàn hěn duō, búguò ______ dōu bù piányi.
(5) 这个 城市______的 饭店 很 多，不过______都 不 便宜。
Mǎlì xiǎng zū fángzi, zhōngjiè gěi tā ______ le yí tào liǎng-shì yì-tīng de fángzi.
(6) 玛丽 想 租 房子，中介 给 她______了一 套 两室 一厅 的 房子。

huì néng kěyǐ
会 能 可以

Xià kè le, nǐmen ______ zǒu le.
(1) 下 课 了，你们______走 了。
Tā ______ shuō sì zhǒng yǔyán, zhǎo gōngzuò yídìng méi wèntí.
(2) 他______说 四 种 语言，找 工作 一定 没 问题。
Tā shēngrì de shíhou, nǐ ______ sòng tā yí shù huā.
(3) 她 生日 的 时候，你______送 她 一束 花。
Tā ______ kāi chē, dànshì tā jīntiān hē jiǔ le, bù ______ kāi chē.
(4) 他______开 车，但是 他 今天 喝 酒 了，不______开 车。
Rúguǒ míngtiān dàjiā dōu ______ lái, nà wǒmen yígòng yǒu bā ge rén.
(5) 如果 明天 大家 都______来，那 我们 一共 有 八 个 人。
Rúguǒ méiyǒu hùzhào, jiù bù ______ chū guó.
(6) 如果 没有 护照(passport)，就 不______出 国。
Xiànzài yǐjīng jiǔ diǎn le, wǒ juéde tā bù ______ lái le, wǒmen bié děng le.
(7) 现在 已经 九 点 了，我 觉得 他 不______来 了，我们 别 等 了。
Duìbuqǐ, nín bù ______ dài gǒu jìnlái.
(8) 对不起，您 不______带 狗 进来。
Xiàwǔ ______ xià yǔ, bié wàngle dài yǔsǎn.
(9) 下午______下 雨，别 忘了 带 雨伞。
Wǒ tīngshuō tā zìjǐ ______ zuò dàngāo, bù zhīdao tā shì zài nǎr xué de.
(10) 我 听说 她自己______做 蛋糕，不 知道 她 是 在 哪儿 学 的。

Kǎoshì de shíhou, rúguǒ nǐ bù xiě Hànzì,
(11) 考试(examination)的 时候，如果 你 不________写 汉字(Chinese characters)，
xiě pīnyīn, búguò, kǎoshì bù dài cídiǎn.
________写 拼音，不过，考试 不________带 词典。

Qǐng wèn, wǒ yòng yíxià zhège diànhuà ma?
(12) A: 请 问，我________用 一下 这个 电话 吗？
, búguò, nǐ zuìhǎo kuài yìdiǎn.
B: ________，不过，你 最好 快 一点。

fānyì
4. 翻译

(1) Where are you from?

(2) You speak really good Chinese!

(3) You are not in a hurry. You'd better stay a few more days.

(4) When he arrived at the railway station, the train has already left.

dú yì dú ránhòu tián kòng
5. 读一读，然后 填 空

shénme 什么	cóng 从	dào 到	tèbié 特别	háishì 还是
néng 能	hǎoxiàng 好像	kěnéng 可能	méi guānxi 没 关系	

Kě'ài de Běijīng chūzūchē sījī
可爱(lovely)的 北京 出租车 司机

Rúguǒ nǐ méi qùguo Běijīng, nǐ jiù cuòguò le nàr hěn duō
如果 你 没 去过 北京，你 就 错过 (to miss, to let go by, to let slip)了 那儿 很 多
hǎochī、hǎowán、hǎokàn de dōngxi. Dāngrán, nǐ yídìng yě cuòguòle kě'ài de Běijīng chūzūchē sījī.
好吃、好玩、好看 的 东西。当然，你 一定 也 错过了 可爱 的 北京 出租车 司机。

Nǐ kěnéng xiǎng wèn: měi ge dìfang de sījī yīnggāi dōu chàbuduō, wèi shénme Běijīng de chūzū
你 可能 想 问：每 个 地方 的 司机 应该 都 差不多，为 什么 北京 的 出租
chē sījī kě'ài ne? —— Yīnwèi Běijīng de sījī shīfu xǐhuan gēn kèren liáo tiān.
车 司机________可爱 呢？——因为 北京 的 司机 师傅 喜欢 跟 客人 聊 天。
Tāmen dōu liáo: tiānqì、guójiā dàshì、jiārén、gōngzuò, děng děng děng děng... Zhǐyào
他们________都 聊：天气、国家 大事、家人、工作，等(etc.)等 等 等……只要(so
nǐ bú shì lóngzi, tāmen jiù gēn nǐ liáo yí lù. Cóng nǐ shàng chē
long as)你 不 是 聋子(deaf person)，他们 就________跟 你 聊 一 路。从 你 上 车
xià chē, tā de zuǐ kěyǐ yí kè yě bù tíng.
________下 车，他 的 嘴(mouth)可以 一 刻 也 不 停。

nǐ huì shuō: "wǒ shì ge bù xǐhuan duō shuō huà de rén". Nà yě
________你 会 说："我 是 个 不 喜欢 多 说 话 的 人"。那 也________。

Zhǐyào nǐ zuò zài chē lǐ, sījī shīfu jiù huì wèn nǐ gèzhǒng gèyàng de wèntí. Bǐrú
只要你坐在车里，司机师傅就会问你各种各样(all kinds of)的问题。比如

shuō: "Nǐ nǎr lái?" "Nín shì lái zhèr gōngzuò lái xuéxí?" "Láile
说(for example)："你________哪儿来？""您是来这儿工作________来学习？""来了

jǐ nián le?" "Xǐhuan bu xǐhuan Běijīng?" "Dǎsuàn zài Zhōngguó zhǎo gōngzuò ma?"
几年了？""喜欢不喜欢北京？""打算在中国找工作吗？"

Zài Běijīng, kě'ài de sījī tài duō le. Guàibude wǒ de yí ge Yìdàlì
在北京，可爱的司机太多了。怪不得(no wonder why)我的一个意大利

péngyou shuō, zài Běijīng shēnghuó shì zài Yìdàlì.
朋友说，在北京生活________是在意大利。

tīng yì tīng
6. 听一听

Tīng xiàmian sān ge duìhuà, ránhòu tián kòng:
听下面三个对话，然后填空：

Vocabulary

对……来说	duì... lái shuō		for (sb.)
同事	tóngshì	*n.*	colleague
西方	Xīfāng	*n. & adj.*	the West; Western

Mǎkè zuótiān kǎoshì kǎo de . Tā juéde yǔfǎ hěn nán, tā yào
(1) 马克昨天考试考得__________。他觉得语法(grammar)很难，他要

lǎoshī gěi tā tuījiàn . Lǎoshī juéde, shūdiàn de yǔfǎshū duì gāng xué
老师给他推荐__________。老师觉得，书店的语法书对刚学

Hànyǔ de rén lái shuō . Lǎoshī juéde Mǎkè yǔfǎ hái kěyǐ, búguò tā
汉语的人来说__________。老师觉得马克语法还可以，不过他

yīnggāi jīngcháng gēn Zhōngguórén shuō Hànyǔ. Mǎkè měi tiān dōu gēn
应该经常跟中国人说汉语。马克每天都跟__________

zài yìqǐ, kěshì tāmen dōu shuō Yīngyǔ.
在一起，可是他们都说英语。

Mǎlì de āyí búcuò, tā zuò fàn , fángjiān yě dǎsǎo de hěn
(2) 玛丽的阿姨不错，她做饭__________，房间也打扫(to clean up)得很

gānjìng. Mǎkè yě xiǎng zhǎo yí ge āyí. Yīnwèi tā . Mǎlì gàosu
干净。马克也想找一个阿姨。因为他__________。玛丽告诉

Mǎkè, yǒude āyí bú huì zuò , kěshì Mǎkè juéde méi guānxi yīnwèi
马克，有的阿姨不会做__________，可是马克觉得没关系，因为

tā fēicháng xǐhuan chī Zhōngguócài. Mǎlì de āyí shì yí ge Zhōngguó péngyou jièshào
他非常喜欢吃中国菜。玛丽的阿姨是一个中国朋友介绍

de. Mǎlì dǎsuan wènwen nà ge Zhōngguó péngyou, shì bu shì hái .
的。玛丽打算问问那个中国朋友，是不是还__________。

Mǎkè de péngyou yào lái Shànghǎi, Mǎkè děi gěi tā . Zhāng Hóng gàosu
(3) 马克的朋友要来上海，马克得给他__________。张红告诉

Mǎkè, fùjìn lǚguǎn hěn duō, piányi de lǚguǎn bú dào yìbǎi kuài, bǐjiào gān-
马克，附近旅馆(hostel, inn)很多，便宜的旅馆不到一百块，比较干

jìng de lǚguǎn dàgài . Zhāng Hóng zhīdao zài Yán'ān Lù yǒu yì jiā
净 的 旅馆 大概＿＿＿＿＿＿＿＿＿。张 红 知道 在 延安 路 有 一 家
lǚguǎn, míngzi jiào , tā de péngyou zài nàr zhùguo, tīngshuō búcuò.
旅馆，名字 叫＿＿＿＿＿＿＿＿＿，她 的 朋友 在 那儿 住过，听说 不错。
Mǎkè kànjiàn guo zhège lǚguǎn, jiù zài lùkǒu.
马克 看见 过 这个 旅馆，就 在＿＿＿＿＿＿＿＿＿路口。

shuō yì shuō
7. 说 一 说

(1) Group work: (choose one topic) (小组活动，选做一题)

Jièshào yí ge nǐ qùguo de zuì měi de dìfang
① 介绍 一个你 去过 的 最 美 的 地方。

Gěi tóngxué tuījiàn yí ge Shànghǎi de cāntīng、jiànshēnfáng huòzhě jiǔbā, jièshào yíxià tā yǒu nǎxiē tèbié de dìfang.
② 给 同学 推荐 一 个 上海 的 餐厅、健身房 或者 酒吧，介绍 一下 它 有 哪些 特别 的 地方。

(2) Pairwork: (双人练习)
Role play: taxi driver and traveller (分角色扮演出租车司机和旅游者)

Nǐ xiànzài zài nǐmen guójiā de yí ge chéngshì, nǐ shì chūzūchē sījī.
student A: 你 现在 在 你们 国家 的 一 个 城市，你 是 出租车 司机。

Nǐ xiànzài zài de guójiā de yí ge chéngshì wánr, zhè shì nǐ dì-yī cì lái wánr. Nǐ zuòshàngle de chūzūchē, nǐ xiǎng wèn tā jǐ ge wèntí.
student B: 你 现在 在 Student A 的 国家 的一 个 城市 玩儿，这 是 你 第一 次 来 玩儿。你 坐上了 Student A 的 出租车，你 想 问 他 几 个 问题。

xiě yì xiě
8. 写 一 写

Zài Shànghǎi nǐ yùdào guo de yǒuyìsi de rén huòzhě shì.
在 上海 你 遇到(to meet by chance)过 的 有意思 的 人 或者 事。

Unit 15

Hotel

1. Néng bu néng yōuhuì yìdiǎn?	能不能优惠一点？ Can you give me a better price?
2. Néng gěi wǒ kàn yíxià nín de hùzhào ma?	能给我看一下您的护照吗？ Can I check your passport?
3. Kěyǐ gěi nǐ dǎ jiǔ zhé.	可以给你打九折。 I can give you a 10% discount.
4. Qǐng nín tián yíxià zhè zhāng biǎo.	请您填一下这张表。 Please fill out this form.
5. Qǐng zài zhèr qiān ge míng.	请在这儿签个名。 Please sign here.

kèwén (Text)

(I)

(Zài Nánshān Lù de yì jiā bīnguǎn)

MǎKè: Qǐng wèn, dānrénjiān de jiàqian shì duōshǎo?

Qiántái: Liǎngbǎi liù, bāokuò zǎocān.

MǎKè: Néng bu néng yōuhuì yìdiǎn?

qiántáil: Nín zhù jǐ tiān?

MǎKè: Wǒ zhù liǎng ge wǎnshang.

Qiántái: Kěyǐ gěi nín dǎ jiǔ zhé, liǎngbǎi sānshísì.

MǎKè: Wǒ xiān kàn yíxià fángjiān xíng ma?

QiánTái: Xíng. Nín kàn yíxià yī lóu de fángjiān ba. Lóuxià de dānrénjiān hé lóushàng yíyàng. Qǐng gēn wǒ lái.

(Ⅱ)

(Kànwán fángjiān, tāmen huídào dàtáng)

Qiántái: Qǐng nín tián yíxià zhè zhāng biǎo. Néng gěi wǒ kàn yíxià nín de hùzhào ma? Wǒ yào dēngjì yíxià.

MǎKè: Gěi nǐ hùzhào. …Biǎo tiánwán le.

Qiántái: Hǎo de, qǐng xiān fù yājīn wǔbǎi. Nín fù xiànjīn háishì yòng xìnyòngkǎ?

MǎKè: Yòng xìnyòngkǎ. Gěi.

Qiántái: …Hǎo le, qǐng zài zhèr qiān ge míng. Nín zhù qī líng yāo fángjiān, zhè shì nín de fángkǎ, zhè shì zǎocānquàn. Cāntīng zài èr lóu, shàng lóu yòu guǎi.

MǎKè: Xièxie.

(Ⅲ)

(Zài fángjiān)

MǎKè: Wèi, wǒ shì qī líng yāo fángjiān de kèren, wǒ yào huàn fángjiān. Qiáng shàng de chāzuò méiyǒu diàn, wǒ bù néng gěi shǒujī chōng diàn. Érqiě hǎoxiàng yǒurén gāng chōuguo yān, wèidao tèbié nánwén.

Fúwùyuán: Nín xiān děng yíxià, wǒ mǎshàng guòlái kàn yíxià.

课文

(一)

(在南山路的一家宾馆)

马　克：请问，单人间的价钱是多少？

前　台：两百六，包括早餐。

马　克：能不能优惠一点？

前　台：您住几天？

马　克：我住两个晚上。

前　台：可以给您打九折，两百三十四。

马　克：我先看一下房间行吗？

前　台：行。您看一下一楼的房间吧。楼下的单人间和楼上一样。请跟我来。

(二)

(看完房间，他们回到大堂)

前　台：请您填一下这张表。能给我看一下您的护照吗？我要登记一下。

马　克：给你护照。……表填完了。

前　台：好的，请先付押金五百。您付现金还是用信用卡？
马　克：用信用卡。给。
前　台：……好了，请在这儿签个名。您住 701 房间，这是您的房卡，这是早餐券。餐厅在二楼，上楼右拐。
马　克：谢谢。

（三）

（在房间）
马　克：喂，我是 701 房间的客人，我要换房间。墙上的插座没有电，我不能给手机充电。而且好像有人刚抽过烟，味道特别难闻。
服务员：您先等一下，我马上过来看一下。

Vocabulary (生词语)

1.	**单人间**	dānrénjiān	*n.*	single room
2.	**前台**	qiántái	*n.*	reception desk, receptionist
3.	**包括**	bāokuò	*v.*	to include
4.	**早餐**	zǎocān	*n.*	breakfast (formal), also 早饭 (zǎofàn) (informal)
5.	**优惠**	yōuhuì	*v. & adj.*	to give preferential price; preferential *e.g.* 可以优惠一点吗？ (Kěyǐ yōuhuì yìdiǎn ma?)
6.	**打折**	dǎ zhé	*VO*	to give discount *e.g.* 打九折 (dǎ jiǔ zhé) to have 10 % off
7.	**房间**	fángjiān	*n.*	room
8.	**楼下**	lóuxià		downstairs
9.	**一样**	yíyàng	*adj.*	same *e.g.* A和B一样，B和C不一样。 (A hé B yíyàng, B hé C bù yíyàng.)
10.	**到**	dào	*prep.*	to *e.g.* 从楼上到楼下 (cóng lóushàng dào lóuxià) 回到学校 (huídào xuéxiào)
11.	**大堂**	dàtáng	*n.*	lobby
12.	**填**	tián	*v.*	to fill in
13.	**表**	biǎo	*n.*	form, table, also 表格 (biǎogé)

14. 护照 hùzhào *n.* passport

15. 登记 dēngjì *v.* to register

> *e.g.* Dēngjì yíxià hùzhàohào.
> 登记 一下 护照号。

16. 押金 yājīn *n.* deposit

> *e.g.* Zhù bīnguǎn huòzhě zū fángzi dōu yào fù yājīn.
> 住 宾馆 或者 租 房子 都 要 付 押金。

17. 信用卡 xìnyòngkǎ *n.* credit card

18. 好了 hǎo le that's it, it's ready, be finished

19. 签名 qiān míng *n. & VO* signature; to sign

20. 券 quàn *n.* voucher, coupon, ticket

> *e.g.* zǎocānquàn 早餐券 yōuhuìquàn 优惠券

21. 餐厅 cāntīng *n.* dining room, restaurant

22. 客人 kèren *n.* guest, customer

23. 墙 qiáng *n.* wall

24. 插座 chāzuò *n.* socket

> ***Opposite:*** chātóu 插头 plug

插 chā *v.* to plug, to insert

25. 充电 chōng diàn *VO* to recharge

26. 而且 érqiě *conj.* and, moreover

> ***Usage:*** used to link two sentences, more formal than háiyǒu 还有
> *e.g.* Zhège fàndiàn dānrénjiān de jiàqian bù dǎ zhé, érqiě bù bāokuò zǎocān.
> 这个 饭店 单人间 的 价钱 不 打 折，而且 不 包括 早餐。

27. 抽烟 chōu yān *VO* to smoke (cigarette)

28. 味道 wèidao *n.* smell, taste

29. 难闻 nánwén *adj.* (smell)unpleasant

难 nán *adj.* hard, difficult

> *e.g.*
> nánchī 难吃 taste bad
> nánkàn 难看 ugly
> nántīng 难听 sound terrible

	nánmǎi 难买	hard to buy
	nánwàng 难忘	unforgetable
Opposite:	hǎo 好	
e.g.	hǎochī 好吃	delicious
	hǎowánr 好玩儿	funny, interesting
	hǎoyòng 好用	easy to use
	hǎozuò 好做	easy to make

闻	wén	*v.*	to smell (with nose)

Language Points (语言点)

Separable phrasal verb (离合词)

Separable phrasal verb is usually a two-syllable verb. (离合词通常是双音节动词)
In an ordinary two-syllable verb, both the two syllables or word components indicate actions. (一般双音节动词的两个汉字都表示动作) e.g.

liànxí 练习 to practise	liàn 练 to practise	xí 习 to practise
bāngzhù 帮助 to help	bāng 帮 to help	zhù 助 to help
tuījiàn 推荐 to recommend	tuī 推 to recommend	jiàn 荐 to recommend

In a separable phrasal verb however, the first syllable or word component indicates an action and the second syllable indicates the object of the action. (离合词第一个汉字表示动作,第二个表示动作的对象) e.g.

dǎ zhé 打 折 to have a discount	dǎ 打 to reduce, to play down	zhé 折 discount
chōu yān 抽 烟 to smoke	chōu 抽 to draw, to suck	yān 烟 cigarette
bāng máng 帮 忙 to help, to do a favor	bāng 帮 to help	máng 忙 a busy state

✻ Please find separable phrasal verbs from the following verbs. (请把下列动词中的离合词找出来)

xuéxí	liànxí	bāngzhù	bāngmáng	yùdìng	zǒulù	shàngkè	kāishǐ	shuōhuà
学习	练习	帮助	帮忙	预订	走路	上课	开始	说话
gàosu	dǎsuan	dǎrǎo	dǎzhé	dēngjì	fāxiàn	bàituō	lǚxíng	shuìjiào
告诉	打算	打扰	打折	登记	发现	拜托	旅行	睡觉
chídào	chànggē	jiànmiàn	pǎobù	fàngjià	dùjià	gōngzuò	liáotiān	qiānmíng
迟到	唱歌	见面	跑步	放假	度假	工作	聊天	签名
rènshi	tīngshuō	dǔchē	fānyì	zhǔnbèi	tígāo	chōngdiàn		
认识	听说	堵车	翻译	准备	提高	充电		

Since a separable phrasal verb has an inner verb + object structure, it is often used as a verb + object phrase and therefore can be split①. Let's compare separable phrasal verbs with ordinary verbs in different situations. (由于离合词具有"动作 + 对象"的结构，常被当做"动宾结构"来用，因此离合词可以被拆分开使用。下面比较了离合词与普通动词在不同情况下的区别)

(1) With duration of time (加时段短语)

Separable phrasal verb:
fàng sān ge yuè jià　　chōng sì ge xiǎoshí diàn
放 三 个 月 假　　充 四 个 小时 电

Ordinary verb:
xuéxí sān ge yuè　　chídàole bàn ge xiǎoshí
学习 三 个 月　　迟到了 半 个 小时

(2) Reduplication of verb (动词重复)

Separable phrasal verb:
chàngchang gē　bāngbang máng　jiànjian miàn　liáoliao tiān
唱唱 歌　帮帮 忙　见见 面　聊聊 天

Ordinary verb:
děngdeng　zhǎozhao　zhǔnbèi zhǔnbèi　tuījiàn tuījiàn
等等　找找　准备 准备　推荐 推荐

(3) With complement of degree (跟程度补语)

Separable phrasal verb:
Nà jiā bīnguǎn dǎ zhé dǎ de bù duō.
那 家 宾馆 打 折 打 得 不 多。
Tā qiān míng qiān de hěn piàoliang.
他 签 名 签 得 很 漂亮。

Ordinary verb:
Tāmen zuò Xīhú cùyú zuò de zuì hǎochī.
他们 做 西湖 醋鱼 做 得 最 好吃。
Tā gōngzuò de tài lèi le.
他 工作 得 太 累 了。
Tāmen fāxiàn wèntí fāxiàn de tài wǎn le.
他们 发现 问题 发现 得 太 晚 了。

(4) V + 过 (guo) (动词 +"过")

Separable phrasal verb:
jiànguo miàn　bāngguo máng　qiānguo míng
见过 面　帮过 忙　签过 名

Ordinary verb:
tīngshuō guo　gōngzuò guo　bāngzhù guo
听说 过　工作 过　帮助 过

① Some separable phrasal verbs which are looser in structure are regarded as verb phrases rather than verbs by some linguists. Therefore all the separable phrasal verbs or verb+object phrases in the vocabulary are marked as VO in part of speech.

(5) With quantity (加数量短语)

Separable phrasal verb:
chōu yì zhī yān / bāng yí ge máng / dǎ jiǔ zhé
抽 一支(MW)烟　帮 一个 忙　打九折
jiàn yí miàn / qiān ge míng
见一面　签个名

Ordinary verb: no such use (没有这种用法)

Exercises (练习)

1. 填空 (tián kòng)

yíyàng 一样　yōuhuì 优惠　wèidao 味道　dǎ zhé 打折　dēngjì 登记　érqiě 而且　bāokuò 包括

(1) A: Wǒmen zhèli měi xuéqī de xuéfèi shì jiǔqiān kuài, bù ________ shūfèi.
A: 我们这里每学期(term, semester)的学费是九千块，不________书费。
B: Kěyǐ ________ yìdiǎn ma?
B: 可以________一点吗？

(2) Hěn duō shāngdiàn zài Guóqìng Jié qián dōu ________, zhè shíhou qù mǎi dōngxi bǐjiào piányi.
很多商店在国庆节前都________，这时候去买东西比较便宜。

(3) Lóushàng de fángjiān xǐshǒujiān dà yìdiǎn, biéde dōu hé lóuxià de fángjiān ________.
楼上的房间洗手间大一点，别的都和楼下的房间________。

(4) A: Wǒ yào mǎi yí ge xīn shǒujīhào.
A: 我要买一个新手机号。
B: Hǎo de, nín xiān zài zhèr ________ yíxià nín de xìngmíng.
B: 好的，您先在这儿________一下您的姓名。

(5) Tā zuò de cài ________ hěn hǎo, ________ yánsè yě fēicháng hǎokàn.
他做的菜________很好，________颜色也非常好看。

2. Complete sentences with the given information (用指定词语完成句子)

(1) Wǒ zài nà běn shū shàng
我在那本书上________________。(qiān míng guo 签名过)

(2) Tā de Hànyǔ
他的汉语________________。(tígāo kuài 提高快)

(3) Tāmen yǐqián
他们以前________________。(jiàn miàn guo 见面过)

(4) Wǒ gěi shǒujī
我给手机________________。(chōng diàn shí ge xiǎoshí 充电十个小时)

(5) Diànyǐng kāishǐ yǐqián, tāmen
电影开始以前，他们________________。(liáo tiān yíhuìr 聊天一会儿)

fān yì
3. 翻译

(1) Please follow me.

(2) We can give you a 20% discount.

(3) It seems that someone has smoked here.

(4) Please return to the reception desk after you finish this form.

(5) Are the electric sockets in China the same with those in other countries?

dú yì dú
4. 读一读

(Not all the new words in the article are given translations. You can refer to Vocabulary Index in this book. 文中有些生词语未提供英译,但可以查阅本书的词汇总表。)

Lòngtáng lǐ de "Lǎoshíguāng Jiǔdiàn"
弄堂(alley, lane)里的"老时光(time)酒店(hotel)"

Zài Huàshān Lù de yì tiáo xiǎo lòngtáng lǐ, yǒu yí zuò bù qǐyǎn de
在华山路的一条小弄堂里,有一座不起眼(not attracting attention)的
sānshí niándài de Yīngguóshì lǎofángzi. Nǐ kěnéng bù xiāngxìn, tā xiànzài shì yí ge hěn
三十年代的英国式老房子。你可能不相信(to believe),它现在是一个很
tèbié de jiǔdiàn, míngzi jiào "Lǎoshíguāng". Jiǔdiàn hěn xiǎo, zhǐ yǒu wǔbǎi duō píngfāng, shí'èr ge
特别的酒店,名字叫"老时光"。酒店很小,只有五百多平方,十二个
fángjiān, méiyǒu jiànshēnfáng, yě méiyǒu yóuyǒng chí. Dànshì jiù shì yīnwèi tā xiǎo, kèren
房间,没有健身房,也没有游泳(swimming)池。但是就是因为它小,客人
zhù zài zhèli yǒu yì zhǒng huí jiā de gǎnjué.
住在这里有一种回家的感觉。

Jiǔdiàn de fángjiān bùzhì de fēicháng wēnxīn, jiājù dōu
酒店的房间布置(to firnish and decorate)得非常温馨(cozy),家具(furniture)都
shì Zhōngshì de, hǎoxiàng huídàole qīshí duō nián qián de lǎo Shànghǎi. Jiǔdiàn de lǎobǎn zài guówài
是中式的,好像回到了七十多年前的老上海。酒店的老板在国外
zhùle hěn duō nián, zài Ōuzhōu lǚyóu shí, tā fēicháng xǐhuan nàli de jiātíng lǚguǎn. Huídào
住了很多年,在欧洲(Europe)旅游时,他非常喜欢那里的家庭旅馆。回到
Shànghǎi, tā juéde zìjǐ yě yīnggāi kāi yì jiā zhèyàng de xiǎo lǚguǎn. Tā shì duì de, "Lǎoshíguāng"
上海,他觉得自己也应该开一家这样的小旅馆。他是对的,"老时光"
zhèyàng de jiǔdiàn zài Shànghǎi méiyǒu dì-èr jiā. Yīnwèi tā hěn tèbié, zài zhè jiā jiǔdiàn zhùguo
这样的酒店在上海没有第二家。因为它很特别,在这家酒店住过
de rén dōu huì gàosu tāmen de péngyou, péngyou yòu gàosu péngyou, xiànzài jiǔdiàn bú yòng zuò
的人都会告诉他们的朋友,朋友又告诉朋友,现在酒店不用做
guǎnggào chàbuduō tiāntiān dōu zhùmǎn rén.
广告差不多天天都住满(full)人。

Jiǔdiàn yígòng yǒu sān céng, fēngjǐng zuì hǎo de fángjiān shì èr lóu de èr líng èr, cóng
酒店一共有三层,风景(view, scenery)最好的房间是二楼的202,从

chuāngkǒu kàn wàimian de yuànzi, lǜ shù、yángguāng、xiǎoniǎo、yìdiǎn yě
窗口 看 外面 的 院子(courtyard),绿 树(tree)、阳光(sunshine)、小鸟(bird),一点 也
bù juéde shì zài Shànghǎi de shìzhōngxīn, hǎoxiàng jiù shì zài zìjǐ jiā de yuànzi. Yìxiē jīngcháng
不 觉得 是 在 上海 的 市中心, 好像 就 是 在自己 家 的 院子。一些 经常
lái zhù de kèren shènzhì hái huì yǒu xìngqù zài yuànzi lǐ sǎosao dì.
来 住 的 客人 甚至(even)还 会 有 兴趣 在 院子 里 扫扫 地(to sweep the ground)。
Búguò, xiǎng zhù zài zhèyàng de "jiā"lǐ kě bù piányi o.
不过,想 住 在 这样 的"家"里 可 不 便宜 哦。

Kànkan xiàmian de jùzi shì duì háishì cuò:
看看 下面 的 句子 是 对 还是 错:

Jiǔdiàn de fángzi hé lǐmian de jiājù dōu shì Zhōngshì de.
(1) 酒店 的 房子 和 里面 的 家具 都 是 中式 的。 ( )

"Lǎoshíguāng" zhèyàng de jiǔdiàn zài Shànghǎi zhǐ yǒu yì jiā.
(2) "老时光" 这样 的 酒店 在 上海 只 有 一 家。 ( )

Hěn duō rén kànle guǎnggào yǐhòu dōu lái jiǔdiàn zhù, suǒyǐ jiǔdiàn chàbuduō tiāntiān zhùmǎn rén.
(3) 很 多 人 看了 广告 以后 都 来 酒店 住,所以 酒店 差不多 天天 住满 人。 ( )

Jiǔdiàn bú shì zài Shànghǎi de shìzhōngxīn.
(4) 酒店 不 是 在 上海 的 市中心。 ( )

Cóng èr líng èr fángjiān kěyǐ kàndào jiǔdiàn de yuànzi.
(5) 从 202 房间 可以 看到 酒店 的 院子。 ( )

tīng yì tīng
5. 听一听

Tīng xiàmian wǔ ge duìhuà, ránhòu tián kòng.
听 下面 五 个 对话, 然后 填 空。

***Vocabulary* (生词)**

双人间	shuāngrénjiān	*n.*	double room
标间	biāojiān	*n.*	standard room
套间	tàojiān	*n.*	suite
手提电脑	shǒutídiànnǎo	*n.*	laptop

duìhuà
(1) 对话 1

Kèren gěi ______ DàJiǔdiàn dǎ diànhuà, xiǎng ______. Tā dǎsuan
客人 给______大酒店 打 电话, 想______。他 打算
zhù ______ tiān. Jiǔdiàn de fúwùyuán gàosu tā fángjià shì ______, méiyǒu yōuhuì.
住______天。 酒店 的 服务员 告诉 他 房价 是______, 没有 优惠。
Kèren juédìng zài wènwen biéde bīnguǎn.
客人 决定 再 问问 别的 宾馆。

duìhuà
(2) 对话 2

Kèren yào zài ______ jìfàng ______ tā de ______
客人要在______寄放(to leave sth. in care of another)他的______

hé ______. Tā xūyào xiān ______, hái yào xiě yíxià ______.
和______。他需要先______,还要写一下______。

duìhuà
(3) 对话 3

Kèren gěi ______ zhōngxīn dǎ diànhuà, tā xiǎng wènwen ______. Tā zhù
客人给______中心打电话,他想问问______。他住

______ fángjiān, tā de yīfu shì zuótiān zǎoshang ______ diǎn zuǒyòu gěi fúwùyuán de.
______房间,他的衣服是昨天早上______点左右给服务员的。

Zhōngxīn de rén gàosu tā, tā de yīfu yǐjīng ______, xiànzài jiù gěi tā sòngqù.
中心的人告诉他,他的衣服已经______,现在就给他送去。

duìhuà
(4) 对话 4

______ fángjiān de kèren yào tuì fáng. Qiántái xiǎojiě gàosu tā, tā de
______房间的客人要退房(check out)。前台小姐告诉他,他的

______ fèi shì sìbǎi liùshíbā, ______ fèi shì wǔshí kuài. Kèren shuō tā méiyǒu dǎguo
______费是四百六十八,______费是五十块。客人说他没有打过

guójì diànhuà, xiǎojiě chá le yíxià, yuánlái shì tā ______. Kèren fùguo
国际电话,小姐查(check up)了一下,原来是她______。客人付过

wǔbǎi kuài ______, suǒyǐ fúwùyuán tuì tā sānshíèr kuài.
五百块______,所以服务员退他三十二块。

duìhuà
(5) 对话 5

Kèren gěi qiántái dǎ diànhuà, shuō tā de shǒujī chōngdiànqì ______.
客人给前台打电话,说他的手机充电器(charger)______。

Tā tuì fáng de shíjiān shì ______, fángjiānhào shì ______. Qiántái wènle kèfáng
他退房的时间是______,房间号是______。前台问了客房

zhōngxīn, kèfáng zhōngxīn shuō shì yǒu yí ge chōngdiànqì. Qiántái wèn kèren shénme
中心,客房中心说是有一个充电器。前台问客人什么

shíhou lái ná, kèren shuō ______.
时候来拿,客人说______。

shuō yì shuō
6. 说一说

sān-sì ge rén
Group work (三四个人): (小组活动)

Zhōumò nǐmen dǎsuan qù Shànghǎi fùjìn de yí ge dìfang wán. Xiànzài yǒu sān ge dìfang
周末你们打算去上海附近的一个地方玩。现在有三个地方

kěyǐ qù: Xītáng、Tónglǐ、Zhōuzhuāng.
可以去:西塘、同里、周庄。

Each group choose a place, then every member of the group should collect information on:
(每组选择一个地方,每个人都要收集下列信息)

kěyǐ zài shénme fàndiàn chī fàn;
(1) 可以 在 什么 饭店 吃 饭;

kěyǐ zhù zài shénme dìfang;
(2) 可以 住 在 什么 地方;

cóng Shànghǎi zěnme qù.
(3) 从 上海 怎么 去。

Compare the information with each other, and make the best plan. (互相比较一下所收集的信息,制订一个最好的计划)

xiě yì xiě
7. 写一写

Nǐ de péngyou duì "Lǎoshíguāng Jiǔdiàn" hěn yǒu xìngqù. Qǐng nǐ qù zhège jiǔdiàn kànkan
(1) 你 的 朋友 对 "老时光 酒店"很 有 兴趣。请 你 去 这个 酒店 看看
huòzhě dào zhège jiǔdiàn de wǎngzhàn shàng chá yíxià, ránhòu gàosu péngyou
或者 到 这个 酒店 的 网站(website) 上 查 一下,然后 告诉 朋友
zhège jiǔdiàn de xiángxì xìnxī.
这个 酒店 的 详细 信息(detailed information)。

Jièshào yí ge nǐ qùguo de yǒuyìsi de lǚguǎn huòzhě jiǔdiàn.
(2) 介绍 一 个 你 去过 的 有意思 的 旅馆 或者 酒店。

Appendix fùlù 附录

1. Common Measure Words (1)

chángyòng liàngcí (yī) 常用 量词（一）

Measure Word		Classification	Examples
包	bāo	packet	cigarettes
杯	bēi	cup, glass	tea, coffee, water
本	běn	volume	book, magazine
部	bù		movie
个	ge	used if you have forgotten the correct one!	person and a lot of other things
家	jiā		company, shop, hospital
件	jiàn	piece, article	clothes, luggage, matter (affair)
棵	kē		tree
块	kuài	piece, lump	soap, cake, land
辆	liàng		car, bicycle
盘	pán	plate	dish, soup, fried noodles
瓶	píng	bottle	coke, beer, wine, water
首	shǒu	piece	song, poem
束	shù	bunch, bouquet	flowers
双	shuāng	pair	eyes, chopsticks, shoes
套	tào	set	suite of furnitures, set of dress
条	tiáo	long and narrow thing	towel, fish, street, river, trousers
罐 / 听	guàn/tīng	can	coke, beer, canned food
碗	wǎn	bowl	rice, soup, porridge
位	wèi	person (polite)	teacher, lady, gentleman
张	zhāng	flat object	map, paper, card, bed, table, disk
支	zhī	long and small thing	pen, cigarrette
种	zhǒng	type, kind	a lot of things
座	zuò	large, solid thing	mountain, bridge, building

Note:

1. The structure of a quantified noun phrase is: numeral + measure word + noun.

   e.g. 一个人 (yí ge rén) (a person)、两本书 (liǎng běn shū) (two books)

2. The numeral "2" before a measure word is 两 (liǎng) instead of 二 (èr).

2. Numerals

shùzì de biǎodá
数字 的 表达

1. Cardinal Numbers:

Numbers 0-100

líng 零 0	yī 一 1	èr 二 2	sān 三 3	sì 四 4	wǔ 五 5	liù 六 6	qī 七 7	bā 八 8	jiǔ 九 9
shí 十 10	shíyī 十一 11	shíèr 十二 12	shísān 十三 13	……					shíjiǔ 十九 19
èrshí 二十 20	èrshíyī 二十一 21	èrshíèr 二十二 22	……						
sānshí 三十 30	sānshíyī 三十一 31	……							
yìbǎi 一百100									

Numbers 100 up

yìbǎi
一百 100

yìbǎi líng èr
一百零二 102

yìbǎi èr (shí)
一百二(十) 120

yìqiān
一千 1,000

yìqiān yī (yìbǎi)
一千一(百)1,100

yíwàn
一万 10,000

yíwàn yī (yìqiān)
一万一(千) 11,000

shíwàn
十万 100,000

shíyī wàn yìqiān
十一 万 一千 111,000

yìbǎi wàn
一百 万 1,000,000

yìbǎi yīshíyī wàn yìqiān
一百一十一万 一千 1,111,000

yìqiān wàn
一千 万 10,000,000

yìqiān èrbǎi wàn
一千二百 万 12,000,000

yíyì
一亿 100,000,000

yíyì èrqiān wàn
一亿二千 万 120,000,000

Note:

(1) 万 (wàn) (ten thousand or 10^4) and 亿 (yì) (one hundred million or 10^8) are two unique digits in Chinese.

(2) 二 (èr) in front of digits 百, 千, 万, 亿 (bǎi, qiān, wàn, yì) is interchangeable with 两 (liǎng).

e.g. 二百 (èrbǎi) 200 = 两百 (liǎngbǎi)　　一亿 二千 万 (yíyì èrqiān wàn) 120,000,000 = 一亿 两千 万 (yíyì liǎngqiān wàn)

líng
(3) Only one 零 is used between non-empty digits no matter how many empty digits there are in between.

yíwàn líng yìbǎi — yíwàn líng yīshí — yíwàn líng yī
e.g. 一万 零 一百 10,100　　一万 零 一十 10,010　　一万 零 一 10,001

2. Ordinal numbers:

dì
Simply add 第 before cardinal numbers and they become ordinal numbers.

dì-yī — dì-èr — dì-èrshí
e. g. 第一(the first)　　第二(the second)　　第二十(the twentieth)

Ordinal numbers are always used together with measure words.

dì-yī ge rén — dì-yī běn shū
e. g. 第一 个 人 (the first person)　　第一 本 书 (the first book)

Note:

(1) Some ordinal numbers in English are expressed in cardinal numbers in Chinese.

yī lóu — èr lóu
e. g. 一楼(the first floor)　　二楼(the second floor)

èryuè èr hào
二月二号(Feburary 2nd)

3. Denominations of money

	1.00	0.10	0.01
Spoken	kuài 块	máo(jiǎo) 毛(角[1])	fēn 分
Formal	yuán 元	jiǎo 角	fēn 分

4. How to read price

￥2.00	liǎng kuài (qián) 两 块 (钱)	￥22.00	èrshíèr (kuài) 二十二 (块)
￥2.20	liǎng kuài èr (máo) 两 块 二 (毛)	￥0.20	liǎng máo 两 毛
￥0.02	liǎng fēn 两 分	￥0.22	liǎng máo èr (fēn) 两 毛 二 (分)
￥100.20	yìbǎi kuài líng liǎng máo 一百 块 零 两 毛		

5. Telephone numbers (如何读电话号码)

Chinese people read telephone or mobile phone numbers by three or four digits at a time. 1 is often pronounced as yāo. (汉语中读电话号码是三位一顿或四位一顿的,"1"

---

jiǎo máo
① Some people, especially those in southern China, prefer using 角 to 毛.

通常读成"yāo") e.g.

yāo èr jiǔ yāo/yāo bā líng líng/líng qī bā
12911800078: 一 二 九一 / 一 八 零 零 / 零七八

yāo èr jiǔ / yāo yāo bā líng/ línglíngqībā
or 一 二 九 / 一 一 八 零 / 零零七八

yāo èr wǔ liù / sì sān bā bā / qī líng yāo
12564388701: 一 二 五 六 / 四 三 八八 / 七 零 一

yāo èr wǔ / liù sì sān bā / bā qī líng yāo
or 一 二 五 / 六 四 三 八 / 八 七 零 一

liù liù sì qī / líng líng líng bā
66470008: 六六四七 / 零 零 零 八

sān ge líng liù liù sì qī /sān ge líng /bā
"Triple zero" in Chinese is "三 个 零", e.g. 66470008 六 六 四七/三 个 零 /八

3. Time & Dates

shíjiān hé rìqī de biǎodá
时间 和 日期 的 表达

First bear in mind that in both time and dates, large concept is always placed before small concept in Chinese. (汉语表示时间和日期时，大单位在前，小单位在后)

1. **Time (时间)**

Words often used are: (常用的时间词为)

diǎn fēn kè bàn chà
点(o'clock)、分(minute)、刻(quarter)、半(half)、差(short of). e.g.

Xiànzài jǐ diǎn?
现在 几 点？ What time is it now?

1:30	yì diǎn bàn / yì diǎn sānshí (fēn) 一点 半 / 一 点 三十 (分)
1:05	yì diǎn líng wǔ fēn 一点 零 五 分
2:15	liǎng diǎn yí kè / liǎng diǎn shíwǔ (fēn) 两 点 一刻 / 两 点 十五 (分)
2:55	liǎng diǎn wǔshíwǔ (fēn) / chà wǔ fēn sān diǎn 两 点 五十五 (分)/ 差 五 分 三 点
12:45	shí'èr diǎn sān kè / shí'èr diǎn sìshíwǔ (fēn) / chà yí kè yì diǎn 十二 点 三 刻 / 十二 点 四十五(分)/ 差 一 刻 一 点
0:00	líng diǎn / bànyè shí'èr diǎn 零 点 / 半夜 十二 点

You can add words such as 凌晨 (língchén) (around 01:00—05:00)、早上 (zǎoshang) (early morning, around 05:00—08:00)、上午 (shàngwǔ) (late morning, around 08:00—12:00)、中午 (zhōngwǔ) (noon, around 12:00)、下午 (xiàwǔ) (afternoon, around 12:00—17:00)、晚上 (wǎnshang) (evening, around 18:00—23:00)、半夜 (bànyè) (midnight, around 0:00) to make the time told more precise. (可以在时间词前加"凌晨"、"早上"、"上午"、"中午"、"下午"、"晚上"、"半夜"等词使时间更精确) e.g.

3: 05 a.m.	língchén sān diǎn líng wǔ fēn 凌晨 三 点 零 五 分
3: 05 p.m.	xiàwǔ sān diǎn líng wǔ fēn 下午 三 点 零 五 分
6: 15 a.m.	zǎoshang liù diǎn yí kè 早上 六 点 一 刻
6: 15 p.m.	wǎnshang liù diǎn yí kè 晚上 六 点 一 刻

9:45 a.m.	shàngwǔ jiǔ diǎn sān kè 上午 九 点 三 刻
9:45 p.m.	wǎnshang jiǔ diǎn sān kè 晚上 九 点 三 刻
12: 00	zhōngwǔ shí'èr diǎn 中午 十二 点
0: 00	bànyè shí'èr diǎn/líng diǎn 半夜 十二 点/零 点

2. Dates (日期)

Words often used are:(常用的日期词为)

nián yuè hào / rì xīngqī / zhōu
年(year)、月(month)、号/日[1](date)、星期/周(week). e.g.

Oct 1st, 1997	yī jiǔ jiǔ qī nián shíyuè yī hào / rì 一九九七年 十月 一号/日
Aug 8, 2008	èr líng líng bā nián bāyuè bā hào / rì 二零零八年 八月 八号/日
Monday	xīngqīyī / zhōuyī 星期一/周一
Friday	xīngqīwǔ / zhōuwǔ 星期五/周五
Saturday	xīngqīliù / zhōuliù 星期六/周六
Sunday	xīngqītiān / xīngqīrì / zhōurì 星期天/星期日/周日

The following table gives you useful expressions related with time: (下表列出的是跟时间有关的有用表达)

	Last	This	Next	The first	Every	Which
nián 年 Year	qùnián 去年	jīnnián 今年	míngnián 明年	dì-yī nián 第一年	měi nián 每 年	nǎ yì nián 哪 一 年
yuè 月 Month	shàng ge yuè 上 个 月	zhège yuè 这个 月	xià ge yuè 下 个 月	dì-yī ge yuè 第一个 月	měi ge yuè 每 个 月	nǎge yuè/jǐ yuè 哪个 月/几 月
xīngqī 星期 Week	shàng (ge) xīngqī 上 (个) 星期	zhè(ge) xīngqī 这(个) 星期	xià (ge) xīngqī 下(个) 星期	dì-yī ge xīngqī 第一个 星期	měi (ge) xīngqī 每 (个) 星期	nǎge xīngqī 哪个 星期
zhōu 周 Week	shàng zhōu 上 周	zhè zhōu 这 周	xià zhōu 下 周	dì-yī zhōu 第一 周	měi zhōu 每 周	nǎ yì zhōu 哪 一 周
tiān 天 Day	zuótiān 昨天	jīntiān 今天	míngtiān 明天	dì-yī tiān 第一天	měi tiān 每 天	nǎ tiān/ jǐ hào 哪 天/几号
zhōumò 周末 Weekend	shàng (ge) 上 (个) zhōumò 周末	zhè(ge) 这(个) zhōumò 周末	xià (ge) 下(个) zhōumò 周末	dì-yī ge 第一个 zhōumò 周末	měi ge 每 个 zhōumò 周末	nǎge 哪个 zhōumò 周末

rì hào
① 日 is more formal than 号.

3. Time and dates combined (日期和时间的综合表达)

shàng ge yuè shíyī hào
(1) 上 个 月 十一 号

měi xīngqīsān hé xīngqīsì xiàwǔ
(2) 每 星期三 和 星期四 下午

zuótiān wǎnshang shíyī diǎn
(3) 昨天 晚上 十一 点

shàng ge xīngqīliù zǎoshang qī diǎn bàn
(4) 上 个 星期六 早上 七 点 半

qùnián shí'èr yuè èrshísì hào wǎnshang shí diǎn
(5) 去年 十二 月 二十四 号 晚上 十 点

4. Duration of time (时段的表达)

	one	half	one and a half
nián 年 Year	yì nián 一 年	bàn nián 半 年	yì nián bàn 一 年 半
yuè 月 Month	yí ge yuè 一 个 月	bàn ge yuè 半 个 月	yí ge bàn yuè 一个 半 月
xīngqī 星期 Week	yí ge xīngqī 一 个 星期		
zhōu 周 Week	yì zhōu 一 周		
tiān 天 Day	yì tiān 一 天	bàn tiān 半 天	yì tiān bàn 一 天 半
xiǎoshí 小时 Hour	yí (ge) xiǎoshí 一(个) 小时	bàn (ge) xiǎoshí 半 (个) 小时	yí ge bàn xiǎoshí 一 个 半 小时
fēnzhōng 分钟 Minute	yì fēnzhōng 一 分钟	bàn fēnzhōng 半 分钟	yì fēn bàn (zhōng) 一 分 半 (钟)

4. Listening Exercise Script

tīnglì liànxí wénběn
听力 练习 文本

Unit 1

Listen to two conversations and answer the following questions in Chinese.

(Ⅰ)

(at an English class)

Nǚ: Dàjiā hǎo! Wǒ shì nǐmen de Yīngyǔ lǎoshī, wǒ jiào Àilín. Nǐ jiào shénme míngzi?

Nán: Wǒ jiào Lǐ Dàmíng.

Nǚ: Hěn gāoxìng rènshi nǐ, Lǐ Dàmíng.

Nán: Wǒ yě shì. Lǎoshī, nǐ shì nǎ guó rén?

Nǚ: Wǒ shì Měiguórén. Wǒ māma shì Zhōngguórén. Tā shì Shànghǎirén.

(Ⅱ)

(at a party organized by school)

Nǚ: Nǐ hǎo! Wǒ shì Àilín. Nǐ jiào shénme míngzi?

Nán: Wǒ jiào Hú'ān. Hěn gāoxìng rènshi nǐ, Àilín.

Nǚ : Wǒ yě shì. Hú'ān, nǐ shì nǎ guó rén?

Nán: Wǒ shì Xībānyárén.

Nǚ: Wǒ nánpéngyou yě shì Xībānyárén.

Nán: Ò. Nǐ ne? Nǐ shì nǎ guó rén?

Nǚ: Wǒ shì Měiguórén. Nǐ shì xuésheng ma?

Nán: Duì, wǒ shì xuésheng, wǒ xué Hànyǔ. Nǐ yě shì xuésheng?

Nǚ: Bú shì, wǒ shì Yīngyǔ lǎoshī, wǒ jiāo Zhōngguó xuésheng.

(1)

(at an English class)

女：大家好！我是你们的英语老师，我叫爱琳。你叫什么名字？

男：我叫李大明。

女：很高兴认识你，李大明。

男：我也是。老师，你是哪国人？

女：我是美国人。我妈妈是中国人。她是上海人。

(2)

(at a party organized by school)

女：你好！我是爱琳。你叫什么名字？

男：我叫胡安。很高兴认识你，爱琳。

女：我也是。胡安，你是哪国人？

男：我是西班牙人。

女：我男朋友也是西班牙人。

男：哦。你呢？你是哪国人？

女：我是美国人。你是学生吗？

男：对，我是学生，我学汉语。你也是学生？

女：不是，我是英语老师，我教中国学生。

Unit 2

1. Listen to four dialogues and write the prices of the following food according to what you hear. Then listen again and check the food that the people in the dialogues eventually buy.

(Ⅰ)

Nán: Zhège shì shénme?

Nǚ: Niúròu.

Nán: Duōshǎo qián?

Nǚ: Liù kuài wǔ. Yào ma?

Nán: Yào yí ge, xièxie.

Nǚ: Bú kèqi.

(Ⅱ)

Nán: Chǎomiàn duōshǎo qián?

Nǚ: Shí kuài qián.

Nán: Sì kuài qián?

Nǚ: Bú shì sì kuài qián, shì shí kuài qián.

Nán: Á? Shí kuài qián? Bú yào.

Nǚ: Bú yào méi guānxi. Wǒmen hái yǒu chǎofàn. Yào ma?

Nán: Yě bú yào.

(Ⅲ)

Nán: Yǒu mógu ma?

Nǚ: Yǒu, zhè shì zhūròu chǎo mógu. Yào ma?

Nán: Zhūròu chǎo mógu? Wǒ bú yào zhūròu. Wǒ zhǐ yào chǎo mógu.

Nǚ: Duìbuqi, wǒmen méiyǒu chǎo mógu.

Nán: Méi guānxi.

(Ⅳ)

Nán: Zhège shì jīròu ma?

Nǚ: Duì, shì jīkuài.

Nán: Duōshǎo qián?

Nǚ: Shíwǔ kuài.

Nán: Shíwǔ kuài? Tài guì le! ...Nàge shì shénme? Shì yángròu ma?

Nǚ: Bú shì yángròu, nàge yě shì jīròu. Jīntiān méiyǒu yángròu, zhǐ yǒu jīròu. Yào ma?

Nán: Hǎo ba, yào. Wǒ yào nàge jīròu. Duōshǎo qián?

Nǚ: Yě shì shíwǔ kuài.

(1)

男：这个是什么？

女：牛肉。

男：多少钱？

女：六块五。要吗？

男：要一个，谢谢。

女：不客气。

(2)

男：炒面多少钱？

女：十块钱。

男：四块钱？

女：不是四块钱，是十块钱。

男：啊？十块钱？不要。

女：不要没关系。我们还有炒饭。要吗？

男：也不要。

(3)

男：有蘑菇吗？

女：有，这是猪肉炒蘑菇。要吗？

男：猪肉炒蘑菇？我不要猪肉。我只要炒蘑菇。

女：对不起，我们没有炒蘑菇。

男：没关系。

(4)

男：这个是鸡肉吗？

女：对，是鸡块。

男：多少钱？

女：十五块。

男：十五块？太贵了！……那个是什么？是羊肉吗？

女：不是羊肉，那个也是鸡肉。今天没有羊肉，只有鸡肉。要吗？

男：好吧，要。我要那个鸡肉。多少钱？

女：也是十五块。

2. Listen to a dialogue and answer the following questions.

Nán: Mǎlì, wǒmen chī shénme?

Nǚ: Zhè shì shénme?

Nán: Zhè shì bāozi, Zhōngguórén xǐhuan chī bāozi. Zhèr yǒu zhūròu bāozi、yángròu bāozi, hái yǒu càibāozi. Mǎlì, nǐ chī shénme bāozi?

Nǚ: Wǒ yào yí ge càibāozi, wǒ bù xǐhuan chī ròu.

Nán: Yí ge? Tài shǎo le.

Nǚ: Bù shǎo. Mǎkè, nǐ ne? Nǐ chī shénme?

Nán: Wǒ xǐhuan chī yángròu bāozi. Fúwùyuán, wǒ yào sì ge yángròu bāozi.

Nǚ: Nǐ yào sì ge?! Tài duō le!

Nán: Wǒ chī liǎng ge, hái yǒu liǎng ge shì míngtiān de zǎofàn.

男：玛丽，我们吃什么？

女：这是什么？

男：这是包子，中国人喜欢吃包子。这儿有猪肉包子、羊肉包子，还有菜包子。玛丽，你吃什么包子？

女：我要一个菜包子，我不喜欢吃肉。
男：一个？太少了。
女：不少。马克，你呢？你吃什么？
男：我喜欢吃羊肉包子。服务员，我要四个羊肉包子。
女：你要四个?！太多了！
男：我吃两个，还有两个是明天的早饭。

Unit 3

Listen to three dialogues and match the following passengers with their destinations and taxi fairs:

(Ⅰ)

Nǚ: Shīfu, qù Yíjiā.
Nán: Qù nǎli?
Nǚ: Yíjiā, Yí—jiā—Jiā—jū.
Nán: Ò, Yíjiā, wǒ zhīdao.
(after a while)
Nán: Xiǎojiě, Yíjiā dào le.
Nǚ: Hǎo de, tíng zài rùkǒu nàli. Duōshǎo qián?
Nán: Èrshísān kuài, nín yòng jiāotōngkǎ ma?
Nǚ: Wǒ méiyǒu kǎ, wǒ fù xiànjīn. Gěi nín qián.
Nán: Hǎo de.

(Ⅱ)

Nán: Xiǎojiě, nín qù nǎli?
Nǚ: Jiālèfú.
Nán: Shì Gǔběi de Jiālèfú ma?
Nǚ: Duì, duì, Gǔběi Jiālèfú.
(after a while)
Nán: Xiǎojiě, zhèr jiù shì Jiālèfú. Wǒ tíng zài nǎli?
Nǚ: Jiù tíng zài zhèli ba. Duōshǎo qián?
Nán: Shísì. Kǎ háishì xiànjīn?
Nǚ: Xiànjīn. Gěi nín.
Nán: Xièxie, zàijiàn!
Nǚ: Āi! Děng yíxià!
Nán: Zěnme le?
Nǚ: Duìbuqǐ, wǒ de bāo wàng le.

(Ⅲ)

Nán: Nín hǎo! Nín qù nǎli?
Nǚ: Qù jīchǎng.
Nán: Qù Hóngqiáo Jīchǎng ma?
Nǚ: Duì, qù Hóngqiáo Jīchǎng.
(after a while)
Nán: Xiǎojiě, qiánmian jiù shì Hóngqiáo Jīchǎng, tíng zài nǎli?
Nǚ: Tíng zài yī hào mén.
Nán: Hǎo de. …Xiǎojiě, yòng kǎ háishì fù xiànjīn?
Nǚ: Wǒ yǒu kǎ. Gěi nǐ.
Nán: Hǎo de, sìshí kuài.
Nǚ: Qǐng gěi wǒ fāpiào, xièxie.

(1)

女：师傅，去宜家。
男：去哪里？
女：宜家，宜—家—家—居。
男：哦，宜家，我知道。
(after a while)
男：小姐，宜家到了。
女：好的，停在入口那里。多少钱？
男：二十三块，您用交通卡吗？
女：我没有卡，我付现金。给您钱。
男：好的。

(2)

男：小姐，您去哪里？
女：家乐福。
男：是古北的家乐福吗？
女：对，对，古北家乐福。
(after a while)
男：小姐，这儿就是家乐福。我停在哪里？
女：就停在这里吧。多少钱？
男：十四。卡还是现金？
女：现金。给您。
男：谢谢，再见！
女：哎！等一下！
男：怎么了？
女：对不起，我的包忘了。

(3)

男：您好！您去哪里？

女：去机场。
男：去虹桥机场吗？
女：对，去虹桥机场。
(after a while)
男：小姐，前面就是虹桥机场，停在哪里？
女：停在一号门。
男：好的。……小姐，用卡还是付现金？
女：我有卡。给你。
男：好的，四十块。
女：请给我发票，谢谢。

Unit 4

Listen to the following four dialogues and fill out the form.

(Ⅰ)
Nán: Nǐ zhè zhǒng píngguǒ duōshǎo qián a?
Nǚ: Liù kuài yì jīn, yào ma?
Nán: Tài guì le, piányi yìdiǎn ba. Wǔ kuài qián mài ma?
Nǚ: Bú mài, zhè shì jìnkǒu píngguǒ. Chāoshì mài qī kuài yì jīn ne!

(Ⅱ)
Nǚ: Nín yào diǎn shénme? Xiāngjiāo yào ma? Liǎng kuài wǔ yì jīn!
Nán: Hǎo, wǒ yào zhè wǔ ge xiāngjiāo, nǐ chēng yíxià, duōshǎo qián?
Nǚ: Bā kuài èr.
Nán: Bā kuài ba.
Nǚ: Hǎo. Hái yào shénme ma?
Nán: Bú yào le, xièxie.

(Ⅲ)
Nán: Zhè zhǒng diànhuàkǎ kěyǐ dǎ guójì diànhuà ma?
Nǚ: Kěyǐ.
Nán: Duōshǎo qián yì zhāng?
Nǚ: Sān shí qī kuài.
Nán: Wǒ mǎi liǎng zhāng, gěi nǐ qīshí kuài, kěyǐ ma?
Nǚ: Bù xíng, qīshísì kuài.
Nán: Hǎo ba, qīshísì kuài. Zhè shì bāshí kuài, gěi nǐ.
Nǚ: Zhǎo nǐ liù kuài.

(Ⅳ)
Nán: DVD duōshǎo qián yì zhāng?
Nǚ: Zhè zhǒng hǎo yìdiǎn, qī kuài yì zhāng, nà zhǒng piányi, wǔ kuài yì zhāng.
Nán: Wǒ yào zhè sān zhāng.
Nǚ: Wǒ kànkan, dōu shì qī kuài yì zhāng de, yí gòng èrshíyī kuài.
Nán: Èrshí kuài xíng ma?
Nǚ: Xíng. Xià cì zài lái mǎi a!

(1)
男：你这种苹果多少钱啊？
女：六块一斤，要吗？
男：太贵了，便宜一点吧。五块钱卖吗？
女：不卖，这是进口苹果。超市卖七块一斤呢！
(2)
女：您要点什么？香蕉要吗？两块五一斤！
男：好，我要这五个香蕉，你称一下，多少钱？
女：八块二。
男：八块吧。
女：好。还要什么吗？
男：不要了，谢谢。
(3)
男：这种电话卡可以打国际电话吗？
女：可以。
男：多少钱一张？
女：三十七块。
男：我买两张，给你七十块，可以吗？
女：不行，七十四块。
男：好吧，七十四块。这是八十块，给你。
女：找你六块。
(4)
男：DVD 多少钱一张？
女：这种好一点，七块一张，那种便宜，五块一张。
男：我要这三张。
女：我看看，都是七块一张的，一共二十一块。
男：二十块行吗？
女：行。下次再来买啊！

Unit 5

Listen to the following three dialogues and fill out the form.

(Ⅰ)

Nán: Xiǎojiě, lái yì wǎn niúròumiàn.

Nǚ: Yào dà wǎn háishì xiǎo wǎn?

Nán: Dà wǎn. Hái yào liǎng ge bāozi.

Nǚ: Hǎo de, dà wǎn de niúròumiàn wǔ kuài wǔ, bāozi liǎng kuài, yígòng qī kuài wǔ.

(Ⅱ)

Nǚ: Nín lái diǎn shénme?

Nán: Yì bēi bīng kělè, yí ge jīròu hànbǎo.

Nǚ: Kělè yào dà bēi de háishì zhōng bēi de?

Nán: Yào zhōng bēi de.

Nǚ: Hái yào biéde ma?

Nán: Ǹg, hái yào yí ge píngguǒpài.

Nǚ: Hǎo de, nín yàole yì bēi zhōng bēi de kělè、yí ge jīròu hànbǎo hé yí ge píngguǒpài、yígòng èrshísì kuài. Nín zài zhèr chī háishì dàizǒu?

Nán: Dàizǒu.

(Ⅲ)

Nǚ: Xiānsheng, nín xūyào shénme?

Nán: Yǒu méiyǒu shālā?

Nǚ: Yǒu, wǒmen yǒu shuǐguǒ shālā hé shūcài shālā, nín yào nǎ zhǒng?

Nán: Yào shuǐguǒ shālā.

Nǚ: Hǎo de, hái yào shénme?

Nán: Wǒ hái yào yì pán dànchǎofàn.

Nǚ: Hǎo de, nín yào bu yào kǎoyángròu? Wǒmen zhèli de kǎoyángròu fēicháng zhèngzōng.

Nán: Bú yào le, wǒ yí ge rén chī, tài duō le.

Nǚ: Nín kěyǐ yào yí ge xiǎo pán de, bù duō.

Nán: Bú yòng le, xièxie.

Nǚ: Hái yào biéde ma? Yào bu yào lái yìdiǎn hē de?

Nán: Wǒ hē chá, chá shì bu shì miǎnfèi de?

Nǚ: Shì miǎnfèi de: Nín yàole yí ge shālā hé yì pán dànchǎofàn. Yígòng liùshíbā kuài.

Nán: Máfan nǐmen kuài yìdiǎn.

Nǚ: Méi wèntí.

(1)

男：小姐，来一碗牛肉面。

女：要大碗还是小碗？

男：大碗。还要两个包子。

女：好的，大碗的牛肉面五块五，包子两块，一共七块五。

(2)

女：您来点什么？

男：一杯冰可乐，一个鸡肉汉堡。

女：可乐要大杯的还是中杯的？

男：要中杯的。

女：还要别的吗？

男：嗯，还要一个苹果派。

女：好的，您要了一杯中杯的可乐、一个鸡肉汉堡和一个苹果派，一共二十四块。您在这儿吃还是带走？

男：带走。

(3)

女：先生，您需要什么？

男：有没有沙拉？

女：有，我们有水果沙拉和蔬菜沙拉，您要哪种？

男：要水果沙拉。

女：好的，还要什么？

男：我还要一盘蛋炒饭。

女：好的，您要不要烤羊肉？我们这里的烤羊肉非常正宗。

男：不要了，我一个人吃，太多了。

女：您可以要一个小盘的，不多。

男：不用了，谢谢。

女：还要别的吗？要不要来一点喝的？

男：我喝茶，茶是不是免费的？

女：是免费的。您要了一个沙拉和一盘蛋炒饭。一共六十八块。

男：麻烦你们快一点。

女：没问题。

Unit 6

Listen to the following five dialogues twice and fill out the form.

(Ⅰ)

Nán: Qǐng wèn, Rénmín Guǎngchǎng zěnme zǒu?

Nǚ: Yìzhí wǎng qián zǒu, guò liǎng ge hónglǜdēng jiù shì Rénmín Guǎngchǎng.

(Ⅱ)

Nán: Xiǎojiě, qǐng wèn mài diànhuà de zài jǐ lóu?

Nǚ: Sān lóu, shàng lóu yǐhòu zuǒ guǎi, mài diànhuà de jiù zài mài diànshì de pángbiān.

(Ⅲ)

Nán: Qǐng wèn, nín zhīdao Shànghǎi Túshūguǎn zài nǎr ma?

Nǚ: Shànghǎi Túshūguǎn a? Jiù zài qiánmian lùkǒu, nà zuò bái de lóu. Kànjiàn le ma?

Nán: Kànjiàn le, xièxie nǐ.

Nǚ: Bú kèqi.

(Ⅳ)

Nán: Nǐ zhīdao shénme shūdiàn yǒu Yīngwénshū ma?

Nǚ: Wàiwén Shūdiàn yǒu.

Nán: Wàiwén Shūdiàn zài nǎr? Yuǎn ma?

Nǚ: Bú tài yuǎn, zài Fúzhōu Lù. Zǒu lù dàgài shíwǔ fēnzhōng.

(Ⅴ)

Nǚ: Pǔdōng Jīchǎng lí zhèr yuǎn ma?

Nán: Hěn yuǎn, zuò chūzūchē dàgài yìbǎi wǔshí kuài qián. Nǐ xiǎng qù jīchǎng ma?

Nǚ: Duì.

Nán: Nǐ kěyǐ xiān zuò dìtiě, ránhòu zuò cífú-lièchē.

Nǚ: Zuò cífúlièchē duōshǎo qián?

Nán: Bú tài guì, dàgài liùshí kuài.

(1)

男：请问，人民广场怎么走？

女：一直往前走，过两个红绿灯就是人民广场。

(2)

男：小姐，请问卖电话的在几楼？

女：三楼，上楼以后左拐，卖电话的就在卖电视的旁边。

(3)

男：请问，您知道上海图书馆在哪儿吗？

女：上海图书馆啊？就在前面路口，那座白的楼。看见了吗？

男：看见了，谢谢你。

女：不客气。

(4)

男：你知道什么书店有英文书吗？

女：外文书店有。

男：外文书店在哪儿？远吗？

女：不太远，在福州路。走路大概十五分钟。

(5)

女：浦东机场离这儿远吗？

男：很远，坐出租车大概一百五十块钱。你想去机场吗？

女：对。

男：你可以先坐地铁，然后坐磁浮列车。

女：坐磁浮列车多少钱？

男：不太贵，大概六十块。

Unit 7

1. Qǐng tīng liǎng biàn "Mǎkè de xīngqīyī", ránhòu tián kòng (fill in the blanks):

Mǎkè zǎoshang qī diǎn qǐ chuáng, qī diǎn bàn chī zǎofàn, bā diǎn chū mén, tā jiā lí xuéxiào bú tài yuǎn, zǒu lù dàgài èrshí fēnzhōng. Xuéxiào bā diǎn bàn shàng kè, shí'èr diǎn chà shí fēn xià kè. Xià kè yǐhòu Mǎkè qù xuéxiào pángbiān de yí ge xiǎo fàndiàn chī wǔfàn, yǒushíhou chī miàn, yǒushíhou chī chǎofàn. Mǎkè xǐhuan yùndòng. Xiàwǔ sān diǎn tā qù jiànshēnfáng, jiànshēnfáng jiù zài Xújiāhuì fùjìn. Yùndòng wán yǐhòu shì wǔ diǎn, tā qù chāoshì mǎi dōngxi, ránhòu zài fùjìn chī wǎnfàn. Chī wán wǎnfàn, tā huí jiā kàn diànshì, yīnwèi měi xīngqīyī bā diǎn dào shí diǎn yǒu tā zuì xǐhuan de diànshì jiémù. Shí diǎn bàn, tā gěi Měiguó de jiārén dǎ guójì diànhuà, Mǎkè shíyī diǎn bàn shuì jiào.

马克早上七点起床，七点半吃早饭，八点出门，他家离学校不太远，走路大概二十分钟。学校八点半上课，十二点差十分下课。下课以后马克去学校旁边的一个小饭店吃午饭，有时候吃面，有时候吃炒饭。马克喜欢运动。下午三点他去健身房，健身房就在徐家汇附近。运动完以后是五点，他去超市买东西，然后在附近吃晚饭。吃完晚饭，他回家看电视，因为每星期一八点到十点有他最喜欢的电视节目。十点半，他给美国的家人打国际电话，马克十一点半睡觉。

2. Listen to two dialogues and see if the following statements are true:

(Ⅰ)

Nán: Qǐng wèn, xiànzài jǐ diǎn?

Nǚ: Wǔ diǎn sìshí.

Nán: Qǐng wèn Zhōngguó Yínháng jǐ diǎn guān mén?

Nǚ: Duìbuqǐ, wǒ yě bù zhīdao.

Nán: Méi guānxi.

(Ⅱ)

Nán: Qǐng wèn, nín zhīdao bu zhīdao Zhōngguó Yínháng jǐ diǎn guān mén?

Nǚ: Dàgài wǔ diǎn guān mén.

Nán: Nà xīngqīliù、xīngqītiān kāi mén ma?

Nǚ: Xīngqīliù kāi, xīngqītiān bù kāi.

Nán: Xièxie.

Nǚ: Bú kèqi.

(1)

男：请问，现在几点？

女：五点四十。

男：请问中国银行几点关门？

女：对不起，我也不知道。

男：没关系。

(2)

男：请问，您知道不知道中国银行几点关门？

女：大概五点关门。

男：那星期六、星期天开门吗？

女：星期六开，星期天不开。

男：谢谢。

女：不客气。

3. Listen to two dialogues and answer the questions:

(Ⅰ)

Nǚ: Wèi, nín hǎo!

Nán: Nǐ hǎo Wánglì, wǒ shì Mǎdīng.

Nǚ: Mǎdīng nǐ hǎo!

Nán: Wánglì, nǐ míngtiān xiàwǔ yǒu kòng ma? Wǒ xiǎng qǐng nǐ fǔdǎo Hànyǔ.

Nǚ: Méi wèntí. Wǒmen jǐ diǎn jiàn miàn?

Nán: Xiàwǔ liǎng diǎn bàn zěnmeyàng?

Nǚ: Hǎo de. Qù nǐ jiā háishì qù wǒ jiā?

Nán: Qù wǒ jiā ba. Fǔdǎo wán le yǐhòu, wǒ qǐng nǐ chī fàn.

Nǚ: Bú yòng kèqi. Nà míngtiān xiàwǔ jiàn!

Nán: Xièxie nǐ! Míngtiān jiàn!

(Ⅱ)

Nǚ: Wèi? Nín hǎo!

Nán: Shì Wánglì ma? Wǒ shì Lǐ Dàmíng.

Nǚ: Dàmíng, nǐ hǎo!

Nán: Wánglì, xīngqīliù nǐ yǒu méiyǒu kòng? Wǒmen qù tǐyùguǎn dǎ wǎngqiú, hǎo ma?

Nǚ: Xīngqīliù wǒ xiǎng qù lǎoshī jiā, xīngqītiān zěnmeyàng?

Nán: Xīngqītiān yě kěyǐ a. Wǒmen shàngwǔ jiǔ diǎn zài tǐyùguǎn jiàn miàn, hǎo ma?

Nǚ: Jiǔ diǎn tài zǎo le! Wǎn yìdiǎn ba. Zhōumò wǒ yìbān shí diǎn qǐ chuáng. Wǒmen shíyī diǎn jiàn miàn zěnmeyàng?

Nán: Shíyī diǎn tài wǎn le, kěyǐ chī wǔfàn le.

Nǚ: Nà wǒmen jiù xiān chī wǔfàn. Tǐyùguǎn pángbiān yǒu hěn duō fàndiàn ne.

Wǒmen chīwán fàn, xiàwǔ dǎ qiú.
Nán: Hǎo ba. Nà wǒmen shíyī diǎn zài tǐyùguǎn ménkǒu jiàn. Zàijiàn!
Nǚ: Zàijiàn!

(1)
女：喂，您好！
男：你好王丽，我是马丁。
女：马丁你好！
男：王丽，你明天下午有空吗？我想请你辅导汉语。
女：没问题。我们几点见面？
男：下午两点半怎么样？
女：好的。去你家还是去我家？
男：去我家吧。辅导完了以后，我请你吃饭。
女：不用客气。那明天下午见！
男：谢谢你！明天见！
(2)
女：喂？您好！
男：是王丽吗？我是李大明。
女：大明，你好！
男：王丽，星期六你有没有空？我们去体育馆打网球，好吗？
女：星期六我想去老师家，星期天怎么样？
男：星期天也可以啊。我们上午九点在体育馆见面，好吗？
女：九点太早了！晚一点吧。周末我一般十点起床。我们十一点见面怎么样？
男：十一点太晚了，可以吃午饭了。
女：那我们就先吃午饭。体育馆旁边有很多饭店呢。我们吃完饭，下午打球。
男：好吧。那我们十一点在体育馆门口见。再见！
女：再见！

Unit 8

Listen to four dialogues and fill out the form:
(Ⅰ)
Nán: Xiǎojiě nín hǎo, xiǎng mǎi kùzi ma?
Nǚ: Duì, Zhè zhǒng kùzi shì má de ma?
Nán: Duì, shì má de. Nín xǐhuan ma?
Nǚ: Hái yǒu biéde yánsè ma?
Nán: Hái yǒu hēi de hé lán de.
Nǚ: Gěi wǒ zhǎo yì tiáo hēisè de shìshi.
Nán: Nín chuān duō dà hào?
Nǚ: Xiǎo hào. Duōshǎo qián yì tiáo?
Nán: Liǎngbǎi.
Nǚ: Yǒu diǎn guì, kěyǐ zài piányi yìdiǎn ma?
Nán: Duìbuqǐ, wǒmen zhèli bù jiǎng jià. Nǐ chuān zhè tiáo kùzi hěn héshì, mǎi yì tiáo ba.
Nǚ: Hǎo ba, wǒ yào yì tiáo.
(Ⅱ)
Nán: Zhè zhǒng T xù zěnme mài?
Nǚ: Liǎng jiàn yìbǎi kuài. Yí jiàn wǔshíwǔ kuài.
Nán: Hái yǒu shénme biéde yánsè ma?
Nǚ: Méiyǒu le, yánsè dōu zài zhèli le.
Nán: Zhè liàozi shì mián de ma?
Nǚ: Shì mián de, fēicháng shūfu. Nǐ xiān shìshi ba. Nǐ kěyǐ chuān zhōng hào de.
Nán: Ǹg, hěn shūfu. Wǒ yào yí jiàn lǜ de.
(Ⅲ)
Nán: Zhè zhǒng qiánbāo duōshǎo qián yí ge?
Nǚ: Sìshí kuài yí ge. Yángpí de.
Nán: Shì zhēnpí de ma?
Nǚ: Dāngrán shì zhēnpí de, rúguǒ bú shì zhēnpí, wǒ bú yào nǐ qián.
Nán: Zhège tài xiǎo le, yǒu dà yìdiǎn de ma?
Nǚ: Zhège xiǎo de shì nǚshì de, nánshì de dà yìdiǎn. Nín kàn zhège hēi de zěnmeyàng?
Nán: Shìyàng hěn hǎo, búguò zhè yánsè …yǒu kāfēisè de ma?
Nǚ: Duìbuqǐ, zhǐ yǒu hēi de hé huī de.
Nán: Huī de yě xíng, wǒ kànkan. …Ǹg, jiù yào zhège huī de.
(Ⅳ)
Nán: Wǒ zuótiān zài nǐmen zhèli mǎile yì shuāng xié, kěyǐ huàn ma?
Nǚ: Zhè xié yǒu shénme wèntí ma?
Nán: Zhè xié shì wǒ gěi tàitai de lǐwù, búguò

tā bú tài xǐhuan zhège yánsè, nǐmen hái yǒu bái de ma?

Nǚ: Yǒu, nǐ de xié shì shénme hàomǎ? Fāpiào yǒu ma?

Nán: Sānshíqī hào, fāpiào zài zhèli.

Nǚ: Wǒ kànkan… hǎo de, nǐ kěyǐ huàn yì shuāng, búguò nǐ děi zài jiā èrshí kuài qián.

Nán: Wèi shénme?

Nǚ: Yīnwèi hēi de shì tèjià, zhǐ mài èrbǎi bā. Bái de bú shì tèjià, mài sānbǎi.

Nán: Hǎo ba. Zhè bái de yě shì niúpí de ma?

Nǚ: Duì, zhège páizi de xié dōu shì niúpí de.

Nán: Xíng, gěi nǐ èrshí kuài.

(1)

男：小姐您好，想买裤子吗？

女：对。这种裤子是麻的吗？

男：对，是麻的。您喜欢吗？

女：还有别的颜色吗？

男：还有黑的和蓝的。

女：给我找一条黑色的试试。

男：您穿多大号？

女：小号。多少钱一条？

男：两百。

女：有点贵，可以再便宜一点吗？

男：对不起，我们这里不讲价。你穿这条裤子很合适，买一条吧。

女：好吧，我要一条。

(2)

男：这种T恤怎么卖？

女：两件一百块。一件五十五块。

男：还有什么别的颜色吗？

女：没有了，颜色都在这里了。

男：这料子是棉的吗？

女：是棉的，非常舒服。你先试试吧。你可以穿中号的。

男：嗯，很舒服。我要一件绿的。

(3)

男：这种钱包多少钱一个？

女：四十块一个。羊皮的。

男：是真皮的吗？

女：当然是真皮的，如果不是真皮，我不要你钱。

男：这个太小了，有大一点的吗？

女：这个小的是女式的，男式的大一点。您看这个黑的怎么样？

男：式样很好，不过这颜色……有咖啡色的吗？

女：对不起，只有黑的和灰的。

男：灰的也行，我看看。……嗯，就要这个灰的。

(4)

男：我昨天在你们这里买了一双鞋，可以换吗？

女：这鞋有什么问题吗？

男：这鞋是我给太太的礼物，不过她不太喜欢这个颜色，你们还有白的吗？

女：有，你的鞋是什么号码？发票有吗？

男：三十七号，发票在这里。

女：我看看……好的，你可以换一双，不过你得再加二十块钱。

男：为什么？

女：因为黑的是特价，只卖二百八。白的不是特价，卖三百。

男：好吧。这白的也是牛皮的吗？

女：对，这个牌子的鞋都是牛皮的。

男：行，给你二十块。

Unit 9

Tīng liǎng ge duìhuà, huídá (answer) wèntí:

Zuótiān, Mǎkè de nǚpéngyou dǎ diànhuà gàosu Mǎkè tā xià ge yuè yě yào lái Shànghǎi. Mǎkè juéde tā qiántiān qù kàn de fángzi tài xiǎo le. Tā dǎsuan zū yí tào dà yìdiǎn de. Jīntiān tā yòu qùle liǎng jiā zhōngjiè kàn fángzi.

(I)

Zhōngjiè: Xiānsheng nín hǎo! Xiǎng zū fángzi ma?

Mǎkè: Duì, wǒ xiǎng zū yí tào liǎng-shì yì-tīng de fángzi, zuìhǎo zài dàxué fùjìn.

Zhōngjiè: Liǎng-shì yì-tīng de fángzi bu tài duō, Jiāotōng Dàlóu yǒu yí tào xīn de fángzi, xiǎng qù kànkan ma?

Mǎkè: Jiāotōng Dàlóu? Shì bu shì zài Huàshān Lù Huáihǎi Lù lùkǒu fùjìn?

Zhōngjiè: Duì duì duì, jiù zài lùkǒu, jiāotōng hěn fāngbiàn de.

Mǎkè: Zūjīn shì duōshǎo?

Zhōngjiè: Yí ge yuè wǔqiān.

Mǎkè: Wǔqiān? Yǒudiǎn guì. Fángzi zài jǐ lóu? Yǒu diàntī ma?

Zhōngjiè: Fángzi zài shíbā lóu. Yǒu diàntī. Kètīng hé dà fángjiān dōu cháo nán. Rúguǒ nǐ zhēnde xiǎng yào, jiù xiān gēn wǒ qù kànkan ba. zhè tào fángzi hěn búcuò, nǐ rúguǒ bù zū, míngtiān biérén kěnéng jiù zū le.

Mǎkè: Zhēnde ma? Nà wǒ xiǎng xiànzài jiù qù kànkan.

Zhōngjiè: Hǎo a, wǒmen xiànzài jiù zǒu ba.

(Ⅱ)

Zhōngjiè: Nǐ hǎo! Nín zū fáng háishì mǎi fáng?

Mǎkè: Zū fáng. Yǒu méiyǒu dàxué fùjìn liǎng-shì yì-tīng de fángzi?

Zhōngjiè: Nín xiǎng zū yí ge yuè duōshǎo qián de fángzi?

Mǎkè: Yí ge yuè dàgài sìqiān kuài dào wǔqiān kuài.

Zhōngjiè: Ò, wǒ gēn nǐ shuō, Huàshān Lù Jiāotōng Dàlóu yǒu yí tào fángzi, wǔqiān kuài, shì xīn fángzi, hěn búcuò de.

Mǎkè: Wǒ bù xiǎng zū Jiāotōng Dàlóu de fángzi, jīntiān shàngwǔ wǒ qù nàli kàn fángzi, fángzi jiù zài lùkǒu, tài chǎo le, wǒ yào zhǎo ānjìng yìdiǎn de fángzi.

Zhōngjiè: Ānjìng yìdiǎn de fángzi? Āi, Huàshān Lù shang yǒu yí tào, búguò shì lǎo fángzi, zūjīn shì sānqiān bā.

Mǎkè: Lǎo fángzi yě kěyǐ, fángzi lǐmian zěnmeyàng?

Zhōngjiè: Lǐmian hái kěyǐ, shénme dōu yǒu, hěn fāngbiàn de.

Mǎkè: Fángzi zài jǐ lóu? yǒu diàntī ma?

Zhōngjiè: Lǎo fángzi méiyǒu diàntī, búguò fángzi jiù zài èr lóu. Nǐ kěyǐ xiān qù kàn yíxià. Lí zhèli hěn jìn de.

Mǎkè: Jīntiān wǒ kěnéng méi shíjiān le, míngtiān xiàwǔ wǒ zài qù kàn fángzi, xíng ma?

Zhōngjiè: xíng.

昨天,马克的女朋友打电话告诉马克她下个月也要来上海。马克觉得他前天去看的房子太小了。他打算租一套大一点的。今天他又去了两家中介看房子。

(1)

中介:先生您好!想租房子吗?

马克:对,我想租一套两室一厅的房子,最好在大学附近。

中介:两室一厅的房子不太多,交通大楼有一套新的房子,想去看看吗?

马克:交通大楼?是不是在华山路淮海路路口附近?

中介:对对对,就在路口,交通很方便的。

马克:租金是多少?

中介:一个月五千。

马克:五千?有点贵。房子在几楼?有电梯吗?

中介:房子在十八楼。有电梯。客厅和大房间都朝南。如果你真的想要,就先跟我去看看吧。这套房子很不错,你如果不租,明天别人可能就租了。

马克:真的吗?那我想现在就去看看。

中介:好啊,我们现在就走吧。

(2)

中介:你好!您租房还是买房?

马克:租房。有没有大学附近两室一厅的房子?

中介:您想租一个月多少钱的房子?

马克：一个月大概四千块到五千块。
中介：哦，我跟你说，华山路交通大楼有一套房子，五千块，是新房子，很不错的。
马克：我不想租交通大楼的房子，今天上午我去那里看房子，房子就在路口，太吵了，我要找安静一点的房子。
中介：安静一点的房子？哎，华山路上有一套，不过是老房子，租金是三千八。
马克：老房子也可以，房子里面怎么样？
中介：里面还可以，什么都有，很方便的。
马克：房子在几楼？有电梯吗？
中介：老房子没有电梯，不过房子就在二楼。你可以先去看一下。离这里很近的。
马克：今天我可能没时间了，明天下午我再去看房子，行吗？
中介：行。

Unit 10

1. Yǒurén gěi fàndiàn dǎle yí ge diànhuà. Qǐng tīngting tā shuōle shénme, ránhòu tián kòng.

Nán: Nín hǎo! Shì Lǎo Shànghǎi Cāntīng ma?
Nǚ: Duì.
Nán: Wǒ xiǎng yùdìng yí ge zhuōzi.
Nǚ: Hǎo, nín xiǎng yùdìng shénme shíhou de?
Nán: Jīntiān wǎnshang qī diǎn.
Nǚ: Yígòng jǐ wèi?
Nán: Liǎng wèi huòzhě sān wèi.
Nǚ: Hǎo de, qǐng wèn nín guì xìng?
Nán: Wǒ xìng Mǎ.
Nǚ: Mǎ xiānsheng, qǐng nín liú yí ge diànhuà.
Nán: Yāo èr bā yāo èr sān wǔ liù qī jiǔ sì. Xiǎojiě, wǒmen zuìhǎo yào kào chuāng de、ānjìng yìdiǎn de zuòwèi.
Nǚ: Hǎo de, zhīdao le. Xiānsheng, wǒmen fàndiàn kèren hěn duō, nín de zuòwèi wǒmen zhǐ bǎoliú yí kèzhōng.
Nán: Míngbai le. Xièxie nǐ, zàijiàn.

男：您好！是老上海餐厅吗？
女：对。
男：我想预订一个桌子。
女：好，您想预订什么时候的？
男：今天晚上七点。
女：一共几位？
男：两位或者三位。
女：好的，请问您贵姓？
男：我姓马。
女：马先生，请您留一个电话。
男：12812356794。小姐，我们最好要靠窗的、安静一点的座位。
女：好的，知道了。先生，我们饭店客人很多，您的座位我们只保留一刻钟。
男：明白了。谢谢你，再见。

2. Tīng fàndiàn gùkè hé fúwùyuán de duìhuà, ránhòu tián biǎo (to fill in the form).

(Ⅰ)
Gùkè: Xiǎojiě, zhège bēizi bú tài gānjìng, gěi wǒ huàn yí ge hǎo ma?
Fúwùyuán: Hǎo de, mǎshàng lái.

(Ⅱ)
Gùkè: Xiǎojiě, gěi wǒ yí ge yānhuīgāng hǎo ma?
Fúwùyuán: Duìbuqǐ xiānsheng, zhèli bù néng chōu yān, nín zuìhǎo qù wàimian chōu yān.

(Ⅲ)
Gùkè: Xiǎojiě! Lái yíxià!
Fúwùyuán: Nín xūyào shénme ma?
Gùkè: Wǒmen zhèli wǎn hé kuàizi bú gòu, yào jiā liǎng shuāng kuàizi、liǎng ge wǎn.
Fúwùyuán: Hǎo de, mǎshàng gěi nín ná.

(Ⅳ)
Gùkè: Xiānsheng, gěi wǒmen jiā yìxiē chá.
Fúwùyuán: Xiǎojiě, kěyǐ gěi nín jiā yìxiē shuǐ. Nín rúguǒ yào jiā chá, zài fù shí kuài qián.
Gùkè: Zài fù shí kuài qián? Suàn le, wǒmen zài diǎn yì hú chá ba.
Fúwùyuán: Hǎo de.

(Ⅴ)

Fúwùyuán: Xūyào gěi nǐmen shōushi yíxià zhuōzi ma?

Gùkè: Bú yòng le, wǒmen mǎi dān. Máfan nǐ gěi wǒmen dǎ bāo.

Fúwùyuán: Hǎo de. Liǎng ge cài dōu dǎ bāo?

Gùkè: Duì.

(Ⅵ)

Gùkè: Wǒmen děngle hěn cháng shíjiān le. Tāng zěnme hái méi lái? Wǒmen bú yào zhège tāng le.

Fúwùyuán: Duìbuqǐ, wǒ qù wèn yíxià chúfáng. ...Bù hǎo yìsi, tāng yǐjīng kāishǐ zuò le, mǎshàng jiù lái, nín zài děng yíhuìr ba.

(1)

顾　客：小姐，这个杯子不太干净，给我换一个好吗？

服务员：好的，马上来。

(2)

顾　客：小姐，给我一个烟灰缸好吗？

服务员：对不起先生，这里不能抽烟，您最好去外面抽烟。

(3)

顾　客：小姐！来一下！

服务员：您需要什么吗？

顾　客：我们这里碗和筷子不够，要加两双筷子、两个碗。

服务员：好的，马上给您拿。

(4)

顾　客：先生，给我们加一些茶。

服务员：小姐，可以给您加一些水。您如果要加茶，再付10块钱。

顾　客：再付10块钱？算了，我们再点一壶茶吧。

服务员：好的。

(5)

服务员：需要给你们收拾一下桌子吗？

顾　客：不用了，我们买单。麻烦你给我们打包。

服务员：好的。两个菜都打包？

顾　客：对。

(6)

顾　客：我们等了很长时间了。汤怎么还没来？我们不要这个汤了。

服务员：对不起，我去问一下厨房。……不好意思，汤已经开始做了，马上就来，您再等一会儿吧。

3. Tīng yí ge rén de jīnglì(life experience), ránhòu kànkan xiàmian de huà shì duì háishì cuò.

Yī jiǔ jiǔ jiǔ nián wǒ dàxué bì yè yǐhòu lái Shànghǎi gōngzuò. Gōngzuòle liǎng nián yǐhòu wǒ rènshile xiànzài de nǚpéngyou, tā shì Dōngběirén. Wǒmen rènshile sān nián yǐhòu, yě jiù shì èr líng líng sì nián, nǚpéngyou cí zhí le. Wǒ ne, yě juéde gěi biéren gōngzuò tài méi yìsi le, wǒmen xiǎng zìjǐ dāng lǎobǎn. Kěshì zuò shénme hǎo ne? Wǒmen wènle hěn duō péngyou, zhǔnbèile bàn nián zuǒyòu. Èr líng líng sì nián shí'èryuè, wǒ yě cí zhí le, wǒmen zài Sìchuān Lù kāile yì jiā Dōngběi càiguǎn. Fàndiàn bú dà, kěshì huánjìng hé fúwù shì Shànghǎi zuì hǎo de. Hěn kuài, lái fàndiàn chī fàn de rén yuè lái yuè duō. Èr líng líng qī nián, yě jiù shì wǒmen de fàndiàn kāile sān nián yǐhòu, wǒmen zài Nánjīng Lù yòu kāile dì-èr jiā. Xiànzài, liǎng jiā fàndiàn dōu hěn chénggōng.

1999年我大学毕业以后来上海工作。工作了两年以后我认识了现在的女朋友，她是东北人。我们认识了三年以后，也就是2004年，女朋友辞职了。我呢，也觉得给别人工作太没意思了，我们想自己当老板。可是做什么好呢？我们问了很多朋友，准备了半年左右。2004年十二月，我也辞职了，我们在四川路开了一家东北菜馆。饭店不大，可是环境和服务是上海最好的。很快，来饭店吃饭的人越来越多。2007年，也就是我们的饭店开了三年以后，我们在南京路又开了第二家。现在，两家饭店都很成功。

Unit 11

Tīng xiàmian de sān ge duìhuà, ránhòu huídá wèntí.

(Ⅰ)

Zài xīngqīliù de jùhuì shàng, Mǎkè rènshile Mǎlì de Zhōngguó péngyou Zhāng Hóng.

Nán: Nǐ zhōumò xǐhuan zuò shénme?

Nǚ: Kànkan shū, tīngting yīnyuè, pǎopao bù, mǎimai dōngxi. Nǐ ne?

Nán: Zhōumò wǒ shàngwǔ yìbān huì shuì lǎn jiào. Xiàwǔ wǒ chángcháng qù tǐyùguǎn wǎngqiú zhōngxīn dǎ wǎngqiú. Nǐ huì dǎ wǎngqiú ma?

Nǚ: Huì, búguò dǎ de bú tài hǎo. Nǐ dǎ de zěnmeyàng?

Nán: Hái kěyǐ. Mǎlì dǎ de hǎo jí le. Wǒmen chángcháng yìqǐ dǎ. Duì le, nǐ zhège zhōumò yǒu shíjiān ma? Wǒmen sān ge rén yìqǐ qù tǐyùguǎn dǎ wǎngqiú zěnmeyàng? Wǒ yǒu huìyuánkǎ.

Nǚ: Hǎo a, búguò, wǒ de pāizi huài le, hái méi qù xiū.

Nán: Bié dānxīn, wǒ huì dài liǎng ge pāizi, nǐ yòng wǒ de jiù xíng le.

Nǚ: Nà xièxie nǐ le.

(Ⅱ)

Mǎkè gěi tǐyùguǎn dǎle yí ge diànhuà.

Nǚ: Nín hǎo! wǎngqiú zhōngxīn.

Nán: Nǐ hǎo, wǒ xiǎng yùdìng yí ge chǎngdì.

Nǚ: Nín yǒu huìyuánkǎ ma?

Nán: Yǒu, kǎhào shì èr líng líng qī líng sān sān. Wǒ xiǎng yùdìng xīngqīliù huòzhě xīngqītiān xiàwǔ liǎng diǎn zuǒyòu de chǎngdì.

Nǚ: Nín děng yíxià…Bù hǎo yìsi, zhōumò xiàwǔ liǎng diǎn de chǎngdì dōu yǒurén yùdìng le.

Nán: Nà shàngwǔ shí diǎn de ne?

Nǚ: Xīngqīliù shàngwǔ shí diǎn yǒu yí ge chǎngdì, shì lùtiān de, xíng ma?

Nán: Lùtiān de? Ǹg…, yě xíng.

Nǚ: Nín dǎsuan dǎ duō cháng shíjiān?

Nán: Liǎng ge xiǎoshí.

Nǚ: Hǎo de, nín de chǎngdì wǒmen gěi nín bǎoliú èrshí fēnzhōng.

(Ⅲ)

Mǎkè gěi Mǎlì dǎle yí ge diànhuà.

Nán: Mǎlì! Chǎngdì wǒ yǐjīng yùdìng le, shì míngtiān shàngwǔ shí diǎn de yí ge lùtiān chǎngdì.

Nǚ: Lùtiān chǎngdì? Tīngshuō míngtiān kěnéng huì xià yǔ.

Nán: Wǒ yě kàn diànshì le, diànshì shàng hǎoxiàng shuō shì míngtiān xiàwǔ xià yǔ.

Nǚ: Ò, nà jiù xíng le, guò yíhuìr wǒ dǎ diànhuà gàosu Zhāng Hóng. Duì le, wǒmen zěnme zǒu?

Nán: Lǎo yàngzi, nǐ zuò dìtiě, wǒ zuò gōnggòngqìchē a.

Nǚ: Zhāng Hóng yě qù, wǒmen sān ge rén kěyǐ zuò chūzūchē. Nǐ jiā lí tǐyùguǎn jìn, wǒ hé Zhāng Hóng yìqǐ zuò chē qù nǐ jiā jiē nǐ zěnmeyàng?

Nán: Nà yě xíng. Nǐmen dàgài jǐ diǎn dào?

Nǚ: Cóng nǐ jiā dào tǐyùguǎn dàgài duō cháng shíjiān?

Nán: Zuò chē shíjǐ fēnzhōng.

Nǚ: Nà wǒmen jiǔ diǎn sìshí dào nǐ jiā ménkǒu, wǒ dàole gěi nǐ dǎ shǒujī.

Nán: Hǎo de. Xūyào wǒ dài xiē hē de ma?

Nǚ: Bú yòng le, nǐ duō dài jǐ ge qiú ba.

Nán: Duì le, wǒ hái yào duō dài yí ge pāizi.

(1)

男：你周末喜欢做什么？

女：看看书，听听音乐，跑跑步，买买东西。你呢？

男：周末我上午一般会睡懒觉。下午我常常去体育馆网球中心打网球。你会打网球吗？

女：会，不过打得不太好。你打得怎么样？

男：还可以。玛丽打得好极了。我们常常一起打。对了，你这个周末有时间吗？我们三个人一起去体育馆打网球怎么样？我有会员卡。

女：好啊，不过，我的拍子坏了，还没去修。

男：别担心，我会带两个拍子，你用我的就行了。

女：那谢谢你了。

(2)

女：您好！网球中心。

男：你好，我想预订一个场地。

女：您有会员卡吗？

男：有，卡号是2007033。我想预订星期六或者星期天下午两点左右的场地。

女：您等一下……不好意思，周末下午两点的场地都有人预订了。

男：那上午十点的呢？

女：星期六上午十点有一个场地，是露天的，行吗？

男：露天的？嗯……，也行。

女：您打算打多长时间？

男：两个小时。

女：好的，您的场地我们给您保留二十分钟。

(3)

男：玛丽！场地我已经预订了，是明天上午十点的一个露天场地。

女：露天场地？听说明天可能会下雨。

男：我也看电视了，电视上好像说是明天下午下雨。

女：哦，那就行了，过一会儿我打电话告诉张红。对了，我们怎么走？

男：老样子，你坐地铁，我坐公共汽车啊。

女：张红也去，我们三个人可以坐出租车。你家离体育馆近，我和张红一起坐车去你家接你怎么样？

男：那也行。你们大概几点到？

女：从你家到体育馆大概多长时间？

男：坐车十几分钟。

女：那我们九点四十到你家门口，我到了给你打手机。

男：好的。需要我带些喝的吗？

女：不用了，你多带几个球吧。

男：对了，我还要多带一个拍子。

Unit 12

1. Tīng wǔ ge duìhuà, ránhòu huídá wèntí.

(Ⅰ)

Nǚ: Wèi? Nín hǎo!

Nán: Shì Wáng lǎoshī ma?

Nǚ: Shì a. Nǐ shì nǎ wèi?

Nán: Wǒ shì Lǐ Dàmíng.

Nǚ: Ò, shì Dàmíng a! Nǐ hǎo, nǐ hǎo! Nǐ shénme shíhou lái Běijīng de?

(Ⅱ)

Nán: Wèi?

Nǚ: Qǐng wèn, Lǐ Dàmíng zài jiā ma?

Nán: Wǒ jiù shì, nǐ shì nǎ wèi?

Nǚ: Wǒ shì Mǎkè de péngyou Mǎlì.

Nán: Nǐ hǎo, Mǎlì. Nǐ zhǎo wǒ yǒu shénme shì ma?

Nǚ: Wǒ xiǎng qǐng nǐ bāng ge máng.

(Ⅲ)

Nán: Nín hǎo, nǎ wèi?

Nǚ: Wǒ shì Mǎlì. Qǐng wèn, Zhāng lǎoshī zài jiā ma?

Nán: Shuí?

Nǚ: Zhāng Guózhōng lǎoshī.

Nán: Zhèr méiyǒu Zhāng Guózhōng, nǐ dǎcuò diànhuà le.

Nǚ: Ò, duìbuqǐ.

(Ⅳ)

Nǚ: Wèi?

Nán: Nǐ hǎo, wǒ zhǎo Zhāng lǎoshī.

Nǚ: Zhāng lǎoshī bú zài, nǐ shì nǎ wèi?

Nán: Wǒ shì tā de xuésheng Mǎkè.

Nǚ: Ò, nǐ guò yí ge xiǎoshí zài dǎ, hǎo ma?

Nán: Hǎo de.

(Ⅴ)

Nǚ: Wèi?

Nán: Bómǔ nín hǎo! Wǒ zhǎo Zhāng Hóng, tā zài jiā ma?

Nǚ: Zhāng Hóng bú zài, nín shì…?

Nán: Wǒ shì Lǐ Dàmíng.

Nǚ: Ò, Dàmíng a! Nǐ gěi tā dǎ shǒujī ba.

Nán: Wǒ dǎ le, tā shǒujī guān jī le. Zhāng Hóng huílái yǐhòu nín ràng tā gěi wǒ dǎ ge diànhuà, hǎo ma?

Nǚ: Hǎo de.

(1)

女：喂？您好！

男：是王老师吗？

女：是啊。你是哪位？

男：我是李大明。

女：哦，是大明啊！你好，你好！你什么时候来北京的？

(2)

男：喂？

女：请问，李大明在家吗？

男：我就是，你是哪位？

女：我是马克的朋友玛丽。

男：你好，玛丽。你找我有什么事吗？

女：我想请你帮个忙。

(3)

男：您好，哪位？

女：我是玛丽。请问，张老师在家吗？

男：谁？

女：张国中老师。

男：这儿没有张国中，你打错电话了。

女：哦，对不起。

(4)

女：喂？

男：你好，我找张老师。

女：张老师不在，你是哪位？

男：我是他的学生马克。

女：哦，你过一个小时再打，好吗？

男：好的。

(5)

女：喂？

男：伯母您好！我找张红，她在家吗？

女：张红不在，您是……？

男：我是李大明。

女：哦，大明啊！你给她打手机吧。

男：我打了，她手机关机了。张红回来以后您让她给我打个电话，好吗？

女：好的。

2. Xiàmian yǒu sān ge duìhuà, měi ge duìhuà lǐ dōu yǒu yí ge rén qǐng lìng yí ge rén bāng máng. Tīng duìhuà, ránhòu shuōshuo měi ge duìhuà lǐ de rén xūyào biéren bāng tā shénme máng.

(Ⅰ)

Nán: Dǎsuan shénme shíhou huí Rìběn?

Nǚ: Míngtiān jiù zǒu, zài jiā zhù yí ge yuè, ránhòu huílái.

Nán: Kěyǐ bāng wǒ yí ge máng ma?

Nǚ: Shénme máng? Nǐ shuō, bié kèqi.

Nán: Rúguǒ nǐ yǒu shíjiān qù shūdiàn, bāng wǒ mǎi yì běn zuì xīn de Rìyǔ cídiǎn. Wǒ xiān gěi nǐ qián.

Nǚ: Bú yòng gěi qián, wǒ huílái yǐhòu nǐ zài gěi wǒ ba. Rúguǒ nǐ hái xiǎng mǎi biéde shū, kěyǐ suíshí gěi wǒ xiě e-mail.

Nán: Xièxie, máfan nǐ le.

Nǚ: Bié kèqi, wǒmen shì hǎopéngyou.

(Ⅱ)

Nǚ: Qīn'ài de, lǎobǎn shuō xià ge yuè ràng wǒ qù Yīngguó sān ge xīngqī!

Nán: Zhēnde ma? Tài hǎo le. Nǐ bú shì zuì xiǎng qù Yīngguó kànkan ma?

Nǚ: Shì a, kěshì···

Nán: Kěshì shénme ne?

Nǚ: Kěshì wǒ de xiǎogǒu zěnme bàn a?

Nán: Sòng tā qù nǐ mā jiā ba.

Nǚ: Bù xíng, māma zuìjìn shuì jiào bù hǎo. Qīn'ài de, nǐ bāng wǒ ge máng ba, ràng xiǎogǒu zài nǐ jiā dāi jǐ tiān ba.

Nán: Shénme? jǐ tiān? Shì sān ge xīngqī! Bù xíng, wǒ měi tiān dōu hěn máng, wǎnshang huí jiā dōu hěn wǎn, wǒ zěnme gěi tā chī fàn?

Nǚ: Méi guānxi, nǐ yì tiān gěi tā chī yí cì fàn jiù xíng le. Bàituō nǐ le, bāngbang wǒ ba.

Nán: Nǐ zhēn máfan! Hǎo ba, búguò, zhǐ yǒu zhè yí cì, yǐhòu rúguǒ nǐ zài chū guó, wǒ kě bù bāng nǐ le!

Nǚ: Qīn'ài de, nǐ tài hǎo le!!!

(Ⅲ)

Nán: Bù hǎo yìsi, Zhāng lǎoshī, nín kěyǐ bāng wǒ yí ge máng ma?

Nǚ: Shénme shì? Nǐ shuō ba.

Nán: Wǒ shàng xīngqī zūle yí tào fángzi, fángzi lǐmian yǒu hěn duō wèntí, wǒ xiǎng dǎ diànhuà zhǎo fángdōng tántan, kěshì wǒ de Hànyǔ bú tài hǎo, tā yě tīng bu dǒng Yīngyǔ. Nín néng bu néng bāng wǒ dǎ ge diànhuà, gàosu tā fángzi lǐmian de wèntí, ràng tā zhōumò guòlái kànkan?

Nǚ: Xíng a, méi wèntí. Búguò, nǐ de fángzi yǒu nǎxiē wèntí ne?

Nán: Wèntí tài duō le, wǒ xiě zài zhèli, nín kàn yíxià.

Nǚ: N̄g, wǒ zhīdao le. Wèntí zhēnde hěn duō. Wǒ xiànzài jiù gěi tā dǎ ma?

Nán: Duì, xiànzài tā zài jiālǐ.

Nǚ: Fángdōng xìng shénme?

Nán: Tā xìng Jīn, lǎoshī, nǐ yòng wǒ de shǒujī dǎ ba.

(1)

男：打算什么时候回日本？

女：明天就走，在家住一个月，然后回来。

男：可以帮我一个忙吗？

女：什么忙？你说，别客气。

男：如果你有时间去书店，帮我买一本最新的日语词典。我先给你钱。

女：不用给钱，我回来以后你再给我吧。如果你还想买别的书，可以随时给我写e-mail。

男：谢谢，麻烦你了。

女：别客气，我们是好朋友。

(2)

女：亲爱的，老板说下个月让我去英国三个星期！

男：真的吗？太好了。你不是最想去英国看看吗？

女：是啊，可是……

男：可是什么呢？

女：可是我的小狗怎么办啊？

男：送它去你妈家吧。

女：不行，妈妈最近睡觉不好。亲爱的，你帮我个忙吧，让小狗在你家待几天吧。

男：什么？几天？是三个星期!! 不行，我每天都很忙，晚上回家都很晚，我怎么给他吃饭？

女：没关系，你一天给他吃一次饭就行了。拜托你了，帮帮我吧。

男：你真麻烦！好吧，不过，只有这一次，以后如果你再出国，我可不帮你了！

女：亲爱的，你太好了!!!

(3)

男：不好意思，张老师，您可以帮我一个忙吗？

女：什么事？你说吧。

男：我上星期租了一套房子，房子里面有很多问题，我想打电话找房东谈谈，可是我的汉语不太好，他也听不懂英语。您能不能帮我打个电话，告诉他房子里面的问题，让他周末过来看看？

女：行啊，没问题。不过，你的房子有哪些问题呢？

男：问题太多了，我写在这里，您看一下。

女：嗯，我知道了。问题真的很多。我现在就给他打吗？

男：对，现在他在家里。

女：房东姓什么？

男：他姓金，老师，你用我的手机打吧。

Unit 13

1. **Liǎng ge liúxuéshēng zài liáo tiān, tīngting tāmen liáole xiē shénme, ránhòu huídá wèntí.**

Nán: Qián jǐ tiān nǐ méi lái shàng kè ba? Qù nǎr le?

Nǚ: Wǒ qù Běijīng wánrle yí ge xīngqī. Běijīng tài hǎowánr le. Āi, nǐ qùguo Běijīng ma?

Nán: Dāngrán, wǒ qùguo liǎng cì ne.

Nǚ: Shì ma? Nǐ shénme shíhou qù de?
Nán: Líng wǔ nián wǒ qùguo yí cì, hái yǒu yí cì jiù hěn zǎo le, dàgài shì bā wǔ nián háishì bā liù nián ba.
Nǚ: Á? Nàme zǎo?
Nán: Duì, nà shíhou wǒ zhǐ yǒu qī-bā suì ba. Wǒ gēn wǒ bà yìqǐ qù de. Búguò wǒ bú tài jìde wánr le shénme le, zhǐ jìde chīle kǎoyā, qùle Chángchéng. Āi, nǐ zhè cì qù Běijīng yídìng yě qù Chángchéng le ba?
Nǚ: Nà dāngrán, búguò Chángchéng shàngmian rén tài duō le, méiyìsi.
Nán: Nǐ yídìng qùle Bādálǐng Chángchéng. Nǐ yīnggāi qù Jīnshānlǐng Chángchéng. Wǒ líng wǔ nián jiù qùle Jīnshānlǐng. Wǒ zài Chángchéng shàngmian zǒule wǔ-liù ge xiǎoshí, zhǐ kànjiàn jǐ ge rén. Dàole wǎnshang, Chángchéng jiù gèng ānjìng, gèng měi le!
Nǚ: Wǎnshang? Nǐ zài Chángchéng shàng guò yè le?
Nán: Shì a, wǎnshang zài Chángchéng shàng kàn tiānshàng de xīngxing, xīngxing lí wǒ jìn jí le! Nà shì wǒ zài Běijīng zuì nánwàng de jīnglì.
Nǚ: Rúguǒ zǎo zhīdao nǐ qùguo Chángchéng, wǒ jiù yīnggāi xiān wènwen nǐ.
Nán: Suàn le, xià cì zài qù lǚxíng, nǐ zuìhǎo tīng wǒ de.
Nǚ: Yídìng, yídìng.

男：前几天你没来上课吧？去哪儿了？
女：我去北京玩儿了一个星期。北京太好玩了。哎，你去过北京吗？
男：当然，我去过两次呢。
女：是吗？你什么时候去的？
男：05年我去过一次，还有一次就很早了，大概是85年还是86年吧。
女：啊？那么早？
男：对，那时候我只有七八岁吧。我跟我爸一起去的。不过我不太记得玩什么了，只记得吃了烤鸭，去了长城。哎，你这次去北京一定也去长城了吧？
女：那当然，不过长城上面人太多了，没意思。
男：你一定去了八达岭长城。你应该去金山岭长城。我05年就去了金山岭。我在长城上面走了五六个小时，只看见几个人。到了晚上，长城就更安静、更美了！
女：晚上？你在长城上过夜了？
男：是啊，晚上在长城上看天上的星星，星星离我近极了！那是我在北京最难忘的经历。
女：如果早知道你去过长城，我就应该先问问你。
男：算了，下次再去旅行，你最好听我的。
女：一定，一定。

2. Tīng gùshi (story) "lèi rén de lǚxíng", ránhòu huídá wèntí.

Lèi rén de lǚxíng

Xiǎo Lǐ de lǎojiā zài Dōngběi de Hā'ěrbīn fùjìn, Chūn Jié mǎshàng jiù yào dào le, tā yào huí Jiā guò Chūn Jié. Chūn Jié de huǒchēpiào zuì nánmǎi, tā mǎi de shì liǎng zhāng "L" zì tóu de huǒchēpiào, "L" de yìsi jiù shì "línshíchē", Shì zuì màn zuì bù shūfu de chē. Gāng dào huǒchēzhàn, tā jiù fāxiàn hòuchētīng lǐmian děng chē de rén duō jí le. Wǎnshang qī diǎn, tā shàngle chē. Tā mǎi de shì yìngzuò, yìngzuò chēxiāng lǐmian yě dōu shì rén, xǐshǒujiān lǐmian yě yǒu rén. Huǒchē kāi de tèbié màn, cóng Shànghǎi dào Hā'ěrbīn kāile èrshí duō ge xiǎoshí. Dì-èr tiān wǎnshang huǒchē dàole Hā'ěrbīn, kěshì Xiǎo Lǐ hái méiyǒu dào jiā. Cóng Hā'ěrbīn dào tā de lǎojiā hái yào zuò liǎng ge bàn xiǎoshí de qìchē. Wǎnshang qìchēzhàn méiyǒu chē, tā zhǐhǎo zài chēzhàn guò yè. Dì-sān tiān zǎoshang liù diǎn, tā mǎile qìchēpiào, chē gāng shàng lù, jiù huài le. Tā zhǐhǎo yòu děngle yí ge duō xiǎoshí, huànle yí liàng chē. Xiǎo Lǐ dào jiā de shíhou, yǐjīng shì zhōngwǔ le. Zhè cì lǚxíng zhēnde tài lèi rén le!

累人的旅行

小李的老家在东北的哈尔滨附近,春节马上就要到了,他要回家过春节。春节的火车票最难买,他买的是两张L字头的火车票,L的意思就是"临时车",是最慢最不舒服的车。刚到火车站,他就发现候车厅里面等车的人多极了。晚上七点,他上了车。他买的是硬座,硬座车厢里面也都是人,洗手间里面也有人。火车开得特别慢,从上海到哈尔滨开了二十多个小时。第二天晚上火车到了哈尔滨,可是小李还没有到家。从哈尔滨到他的老家还要坐两个半小时的汽车。晚上汽车站没有车,他只好在车站过夜。第三天早上六点,他买了汽车票,车刚上路,就坏了。他只好又等了一个多小时,换了一辆车。小李到家的时候,已经是中午了。这次旅行真的太累人了!

Unit 14

Tīng xiàmian sān ge duìhuà, ránhòu tián kòng:

(Ⅰ)

Nǚ: Mǎkè, zuótiān nǐ kǎoshì kǎo de bú tài hǎo.

Nán: Wǒ zhīdao. Wǒ juéde yǔfǎ tài nán le. Wǒ xiǎng qù shūdiàn mǎi yì běn yǔfǎshū. Lǎoshī, nín kě bu kěyǐ gěi wǒ tuījiàn yì běn hǎo de yǔfǎshū?

Nǚ: Shūdiàn de yǔfǎshū fēicháng duō, búguò dōu bǐjiào nán. Duì gāng xué Hànyǔ de rén lái shuō, bú tài héshì.

Nán: Shì ma? Nà wǒ zěnme xué yǔfǎ?

Nǚ: Nǐ de yǔfǎ hái kěyǐ, kěshì nǐ shuō de tài shǎo le. Nǐ zuìhǎo jīngcháng gēn Zhōngguórén zài yìqǐ liáoliao tiān, jīngcháng yòng Hànyǔ!

Nán: Wǒ měi tiān dōu gēn Zhōngguó de tóngshì zài yìqǐ, kěshì tāmen dōu shuō Yīngyǔ!

(Ⅱ)

Nán: Mǎlì, wǒ tīngshuō nǐ de āyí hěn búcuò.

Nǚ: Shì hěn búcuò, tā zuò fàn zuò de yòu kuài yòu hǎochī, fángjiān yě dǎsǎo de hěn gānjìng. Mǎkè, nǐ yǒu āyí ma?

Nán: Hái méiyǒu. Wǒ yě xiǎng zhǎo yí ge. Wǒ zìjǐ bú huì zuò fàn, kěshì yě bù xiǎng měi tiān zài fàndiàn chī fàn.

Nǚ: Hěn duō āyí zuò Zhōngguócài zuò de bǐjiào hǎo, kěshì bú tài huì zuò Xīfāng de cài.

Nán: Zhège méi guānxi, wǒ fēicháng xǐhuan chī Zhōngguócài. Nǐ shì zěnme zhǎo āyí de?

Nǚ: Ò, wǒ de āyí shì yí ge péngyou gěi wǒ jièshào de. Wǒ kěyǐ bāng nǐ wènwen wǒ de péngyou shì bu shì hái rènshi biéde āyí, gěi nǐ tuījiàn yí ge.

Nán: Tài hǎo le, nà jiù bàituō nǐ le.

Nǚ: Bié kèqi.

(Ⅲ)

Nán: Zhāng Hóng, nǐ zhīdao fùjìn yǒu shénme lǚguǎn ma? Wǒ de péngyou yào lái Shànghǎi, wǒ yào gěi tā zhǎo yí ge zhù de dìfang.

Nǚ: Fùjìn lǚguǎn hěn duō, xuéxiào pángbiān jiù yǒu hǎo jǐ jiā.

Nán: Nǐ zhīdao dàgài duōshǎo qián yì tiān ma?

Nǚ: Piányi de lǚguǎn yì tiān bú dào yìbǎi kuài, bǐjiào gānjìng de lǚguǎn dàgài yìbǎi duō. Duì le, Mǎkè, nǐ kěyǐ qù Yán'ān Lù de "Rújiā Lǚguǎn" kànkan. Wǒ péngyou zài nàr zhùguo, tīngshuō hái búcuò.

Nán: "Rújiā"? Zěnme xiě?

Nǚ: "Rúguǒ" de "rú", "huí jiā" de "jiā".

Nán: Ò, zhīdao le! Wǒ kànjiàn guo zhège lǚguǎn, jiù zài Jiāngsū Lù lùkǒu.

Nǚ: Duì, jiù shì nàge lǚguǎn.

(1)

女:马克,昨天你考试考得不太好。

男:我知道。我觉得语法太难了。我想去书店买一本语法书。老师,您可不可以给我推荐一本好的语法书？

女：书店的语法书非常多，不过都比较难。对刚学汉语的人来说，不太合适。

男：是吗？那我怎么学语法？

女：你的语法还可以，可是你说得太少了。你最好经常跟中国人在一起聊聊天，经常用汉语。

男：我每天都跟中国的同事在一起，可是他们都说英语！

(2)

男：玛丽，我听说你的阿姨很不错。

女：是很不错，她做饭做得又快又好吃，房间也打扫得很干净。马克，你有阿姨吗？

男：还没有。我也想找一个。我自己不会做饭，可是也不想每天在饭店吃饭。

女：很多阿姨做中国菜做得比较好，可是不太会做西方的菜。

男：这个没关系，我非常喜欢吃中国菜。你是怎么找阿姨的？

女：哦，我的阿姨是一个朋友给我介绍的。我可以帮你问问我的朋友是不是还认识别的阿姨，给你推荐一个。

男：太好了，那就拜托你了。

女：别客气。

(3)

男：张红，你知道附近有什么旅馆吗？我的朋友要来上海，我要给他找一个住的地方。

女：附近旅馆很多，学校旁边就有好几家。

男：你知道大概多少钱一天吗？

女：便宜的旅馆一天不到一百块，比较干净的旅馆大概一百多。对了，马克，你可以去延安路的"如家旅馆"看看。我朋友在那儿住过，听说还不错。

男："如家"？怎么写？

女："如果"的"如"，"回家"的"家"。

男：哦，知道了！我看见过这个旅馆，就在江苏路路口。

女：对，就是那个旅馆。

Unit 15

Tīng xiàmian wǔ ge duìhuà, ránhòu tián kòng.

(Ⅰ)

Nǚ: Nǐ hǎo, Sūzhōu Dàjiǔdiàn.

Nán: Nǐ hǎo, wǒ xiǎng yùdìng fángjiān. Qǐng wèn nǐmen zhèli de fángjiān shì duōshǎo qián yì tiān?

Nǚ: Dānrénjiān háishì shuāngrénjiān?

Nán: Shuāngrénjiān.

Nǚ: Biāojiān sānbǎi bā yì tiān, tàojiān sìbǎi bā yì tiān.

Nán: Shuāngrén biāojiān yǒu yōuhuì ma?

Nǚ: Nín yào yùdìng nǎ tiān de fángjiān? Dǎsuan zhù jǐ tiān?

Nán: Wǒ dìng míngtiān de fángjiān, jiù zhù yì tiān.

Nǚ: Bù hǎo yìsi, zhù yì tiān bù néng yōuhuì le, sānbǎi bā yǐjīng shì zuì piányi de jiàqian le.

Nán: Ò, shì zhèyàng a, nà wǒ zài wènwen biéde bīnguǎn. Dǎrǎo nín le.

Nǚ: Bú kèqi, zàijiàn.

(Ⅱ)

Nán: Xiǎojiě, wǒ kěyǐ zài qiántái jìfàng yíxià wǒ de dōngxi ma?

Nǚ: Nín yào jìfàng shénme dōngxi?

Nán: Wǒ de shǒutídiànnǎo hé zhàoxiàngjī.

Nǚ: Kěyǐ, nín tián yíxià zhè zhāng biǎo ba.

Nán: Hǎo de. ···Tiánwán le.

Nǚ: Bié wàngle qiānmíng, háiyǒu, zuìhǎo xiě yíxià nǐ dàgài shénme shíhou lái ná.

Nán: Hǎo de.

(Ⅲ)

Nán: Wèi? Shì xǐyī zhōngxīn ma?

Nǚ: Duì, nín xūyào xǐ yīfu ma?

Nán: Bú shì, wǒ zuótiān sòngqù xǐ de yīfu zěnme xiànzài hái méi hǎo?

Nǚ: Qǐng wèn nín zhù nǎge fángjiān? shì zuótiān shénme shíhou sònglái de?

Nán: Wǒ zhù yāo qī líng líng fángjiān, wǒ zuótiān zǎoshang bā diǎn zuǒyòu gěi fúwùyuán de.

Nǚ: Wǒ zhǎo yíxià, máfan nín xiān děng yíxià··· Ò, nín de yīfu yǐjīng xǐhǎo le, wǒmen xiànzài jiù gěi nín sòngqù.

Nán: Hǎo de, kuài yìdiǎn.

(Ⅳ)

Nán: Nín hǎo, wǒ yào tuì fáng.

Nǚ: Nín de fángjiānhào shì duōshǎo?

Nán: Liù líng yāo, zhè shì fángkǎ.

Nǚ: Hǎo de, qǐng nín xiān děng yíhuìr, fúwùyuán yào xiān chá yíxià fángjiān… Hǎo le, xiānsheng, nín de fángfèi shì sìbǎi liùshíbā, guójì diànhuà fèi shì wǔshí kuài, yígòng shì wǔbǎi yīshíbā kuài, nín fùle wǔbǎi kuài yājīn, nín xiànzài hái xūyào fù shíbā kuài.

Nán: Děng yíxià, wǒ méiyǒu dǎguo guójì diànhuà. Qǐng zài chá yíxià, shì bu shì gǎocuò le?

Nǚ: Hǎo de. Wǒ zài kàn yíxià… Ò, bù hǎo yìsi, shì wǒ gǎocuò le, nà wǒ yīnggāi tuì nín sānshí'èr kuài.

Nán: Máfan nín kāi yíxià fāpiào.

Nǚ: Hǎo de, zhè shì fāpiào, huānyíng nín xià cì zài lái.

(Ⅴ)

Nǚ: Nín hǎo, Hángzhōu Dàjiǔdiàn.

Nán: Nǐ hǎo, wǒ shì jīntiān zhōngwǔ tuì fáng de, wǒ de shǒujī chōngdiànqì wàng zài fángjiān le.

Nǚ: Nǐ de fángjiānhào shì duōshǎo?

Nán: Wǔ líng yāo.

Nǚ: Qǐng xiān děng yíxià, wǒ wèn yíxià kèfáng zhōngxīn. … Xiānsheng, kèfáng zhōngxīn shuō wǔ líng yāo fángjiān lǐ shì yǒu yí ge chōngdiànqì. Nín xiànzài guòlái ná ma?

Nán: Duì, wǒ xiànzài guòqù.

(1)

女：你好，苏州大酒店。

男：你好，我想预订房间。请问你们这里的房间是多少钱一天？

女：单人间还是双人间？

男：双人间。

女：标间三百八一天，套间四百八一天。

男：双人标间有优惠吗？

女：您要预订哪天的房间？打算住几天？

男：我订明天的房间，就住一天。

女：不好意思，住一天不能优惠了，三百八已经是最便宜的价钱了。

男：哦，是这样啊，那我再问问别的宾馆。打扰您了。

女：不客气，再见。

(2)

男：小姐，我可以在前台寄放一下我的东西吗？

女：您要寄放什么东西？

男：我的手提电脑和照相机。

女：可以，您填一下这张表吧。

男：好的。……填完了。

女：别忘了签名，还有，最好写一下你大概什么时候来拿。

男：好的。

(3)

男：喂？是洗衣中心吗？

女：对，您需要洗衣服吗？

男：不是，我昨天送去洗的衣服怎么现在还没好？

女：请问您住哪个房间？是昨天什么时候送来的？

男：我住1700房间，我昨天早上八点左右给服务员的。

女：我找一下，麻烦您先等一下……哦，您的衣服已经洗好了，我们现在就给您送去。

男：好的，快一点。

(4)

男：您好，我要退房。

女：您的房间号是多少？

男：601，这是房卡。

女：好的，请您先等一会儿，服务员要先查一下房间……好了，先生，您的房费是四百六十八，国际电话费是五十块，一共是五百一十八块，您付了五百块押金，您现在还需要付十八块。

男：等一下，我没有打过国际电话。请再查一下,是不是搞错了?

女:好的。我再看一下……哦,不好意思,是我搞错了,那我应该退您三十二块。

男:麻烦您开一下发票。

女:好的,这是发票,欢迎您下次再来。

(5)

女:您好,杭州大酒店。

男:你好,我是今天中午退房的,我的手机充电器忘在房间了。

女:你的房间号是多少?

男:501。

女:请先等一下,我问一下客房中心。……先生,客房中心说 501 房间里是有一个充电器。您现在过来拿吗?

男:对,我现在过去。

5. Vocabulary Index

cíhuì zǒngbiǎo
词汇 总表

Abbreviations for Grammar Terms

adj.	adjective	*PN*	proper noun
adv.	adverb	*prep.*	preposition
AV	auxiliary verb	*pron.*	pronoun
conj.	conjunction	*QW*	question word
interj.	interjection	*TW*	time word
MW	measure word	*v.*	verb
n.	noun	*VC*	verb plus complement
num.	numeral	*VO*	verb plus object
part.	particle		

How to use Vocabulary Index

- Words and expressions in **Vocabulary** of text in each unit are marked in dark color; other words and expressions (i.e., those that appear in the examples of Usages in **Vocabulary** of text, **in Useful Words & Expressions,** in the examples of **Language Points** and in **Exercises**) are marked in light color.
- The number(s) at the end of each word entry stand(s) for the number of the unit in which this word appears for the first time.

  Where there are two numbers, e.g.,

  9 百 bǎi *num.* hundred 2、4

  the first number in light color "2" stands for **Unit 2** in which 百(bǎi) appears for the first time as word not in **Vocabulary** of text;

  the second number in dark color "4" stands for **Unit 4** in which 百(bǎi) appears again, this time as word in **Vocabulary** of text.

词汇总表使用说明

- 每课课文的"**生词语**"标为深色；书中的其他生词语(包括课文"**生词语**"用法中的示例词语、"**补充词汇与短语**"、"**语言点**"例句和"**练习**"中的生词语)标为浅色。
- 各词条最后的数字表示该词语第一次出现的课的序号。

  凡出现两个数字的，比如：

  9 百 bǎi *num.* hundred 2、4

  第一个浅色数字"2"表示"百"在**第二课**第一次出现，但不属于该课课文的生词语；第二个深色数字"4"表示"百"在**第四课**再次出现，此时是该课课文的生词语。

A

No.	Word	Pinyin	Part of speech	Meaning	Lesson
1.	阿姨	āyí	*n.*	housemaid	12
2.	哎	āi	*interj.*	hey, used to draw someone's attention	8
3.	安静	ānjìng	*adj.*	quiet	9

B

No.	Word	Pinyin	Part of speech	Meaning	Lesson
4.	吧	ba	*part.*	denoting suggestion or request	4
			part.	indicating an estimation for confirmation	12
5.	爸爸	bàba	*n.*	dad, father	7
6.	白	bái	*n.*	white	2
7.	白酒	báijiǔ	*n.*	distilled spirit	10
8.	白米饭	báimǐfàn	*n.*	plain cooked rice	2
9.	百	bǎi	*num.*	hundred	2、4
10.	百合	bǎihé	*n.*	lily	4
11.	百事可乐	Bǎishì kělè	*PN*	Pepsi	10
12.	百威啤酒	Bǎiwēi píjiǔ	*PN*	Budwiser	4
13.	拜托	bàituō	*v.*	to place sth. in the care of (another person)	12
14.	班	bān	*n.*	course, class	13
15.	办公室	bàngōngshì	*n.*	office	6
16.	半	bàn	*num.*	half	7、9
17.	半夜	bànyè	*TW*	midnight	7
18.	帮忙	bāng máng	*VO*	to help, to do a favor	12
19.	帮助	bāngzhù	*v. & n.*	to help; help	7
20.	包	bāo	*n. & v.*	bag; to wrap	2
			MW	pack	4
21.	包括	bāokuò	*v.*	to include	15
22.	包子	bāozi	*n.*	steamed stuffed bun	2
23.	薄	báo	*adj.*	thin (for things)	8
24.	保安	bǎo'ān	*n.*	security guard	12
25.	保留	bǎoliú	*v.*	to keep, to reserve	10
26.	报纸	bàozhǐ	*n.*	newspaper	13
27.	杯	bēi	*MW*	cup, glass	4、5
28.	杯子	bēizi	*n.*	cup, glass	5
29.	北	běi	*n.*	north	9
30.	本	běn	*MW*	for book	7
31.	比较	bǐjiào	*v. & adv.*	to compare; comparatively (more)	13
32.	比如说	bǐrú shuō		for example	14
33.	比赛	bǐsài	*n.*	match, game	12
34.	必胜客	Bìshèngkè	*PN*	Pizza Hut	10

35. 毕业	bì yè	*VO*	to graduate	10
36. 边	biān	*n.*	side	6
37. 遍	biàn	*MW*	time (number of times)	7
38. 标间	biāojiān	*n.*	standard room	15
39. 表	biǎo	*n.*	form, table	10、15
40. 表格	biǎogé	*n.*	form, table	15
41. 别	bié	*adv.*	don't, used when advising sb. not to do something	11
42. 别的	biéde	*pron.& adj*	other things; other	5
43. 宾馆	bīnguǎn	*n.*	hotel	5、14
44. 冰	bīng	*n. & adj.*	ice; iced	5
45. 冰激凌	bīngjīlíng	*n.*	ice cream	5
46. 冰块	bīngkuài	*n.*	ice cube	5
47. 冰箱	bīngxiāng	*n.*	refrigerator	9
48. 病	bìng	*v. & n.*	(to become) sick; sickness	8
49. 伯父	bófù	*n.*	uncle	11
50. 伯母	bómǔ	*n.*	auntie	11
51. 部	bù	*MW*	for movie, novel, etc.	8
52. 不	bù	*adv.*	not	2
53. 不错	búcuò	*adj.*	pretty good, not bad	9
54. 不到	bú dào		less than	13
55. 不过	búguò	*conj.*	but, however	5
56. 不好意思	bù hǎo yìsi		sorry, be ashamed of	7
57. 不客气	bú kèqi		you are welcome	1、6
58. 不起眼	bù qǐyǎn		not attracting attention	15
59. 不同	bù tóng		different (formal)	13
60. 不一样	bù yíyàng		different	6
61. 不用了	bú yòng le		no need	10
62. 不用谢	bú yòng xiè		you are welcome	1
63. 布置	bùzhì	*v.*	to furnish and decorate	15

C

64. 菜	cài	*n.*	dish, food(meat or vegetable)	2
65. 菜单	càidān	*n.*	menu	2、5
66. 参加	cānjiā	*v.*	to participate	7
67. 餐厅	cāntīng	*n.*	dinning room, cafeteria, canteen	9、15
68. 草莓	cǎoméi	*n.*	strawberry	4
69. 层	céng	*n.*	floor, layer	13
70. 插	chā	*v.*	to plug, to insert	15
71. 插头	chātóu	*n.*	plug	15
72. 插座	chāzuò	*n.*	socket	15

73. 查	chá	*v.*	to check up	15
74. 茶	chá	*n.*	tea	1
75. 茶馆	cháguǎn	*n.*	teahouse	5
76. 差	chà	*v.*	short of	7
77. 差不多	**chàbuduō**	***adj.***	**pretty much the same**	**13**
		adv.	**around, about**	**13**
78. 尝	cháng	*v.*	to taste, to try	8
79. 常	**cháng**	***adv.***	**often**	**10**
80. 常常	chángcháng	*adv.*	often	10
81. 长	cháng	*adj.*	long	5
82. 长城	Chángchéng	*PN*	the Great Wall	5
83. 长途	chángtú	*adj.*	long distance	13
84. 场地	chǎngdì	*n.*	court, venue	11
85. 唱	**chàng**	***v.***	**to sing**	**11**
86. 超过	chāoguò	*v.*	to exceed	8
87. 超级	chāojí	*adj.*	super	4
88. 超市	**chāoshì**	***n.***	**supermarket**	**4**
89. 朝	**cháo**	***v.***	**to face**	**9**
90. 吵	**chǎo**	***adj.***	**noisy**	**10**
91. 炒	**chǎo**	***v.***	**to stir fry**	**2**
92. 炒蛋	**chǎodàn**	***n.***	**scrambled egg**	**10**
93. 炒饭	**chǎofàn**	***n.***	**fried rice**	**2**
94. 炒面	**chǎomiàn**	***n.***	**fried noodles**	**2**
95. 车	**chē**	***n.***	**vehicle (with wheels)**	**3**
96. 车厢	**chēxiāng**	***n.***	**compartment (of a train)**	**13**
97. 衬衫	chènshān	*n.*	shirt	8
98. 称	chēng	*v.*	to weigh	4
99. 橙	chéng	*n.*	orange (color)	8
100. 橙汁	**chéngzhī**	***n.***	**orange juice**	**5**
101. 橙子	chéngzi	*n.*	orange	4
102. 成功	chénggōng	*v. & adj.*	to succeed; successful	10
103. 乘客	chéngkè	*n.*	passenger	3
104. 城市	**chéngshì**	***n.***	**city**	13、**14**
105. 吃	**chī**	***v.***	**to eat**	**2**
106. 吃的	chī de		food (informal)	4
107. 迟到	**chídào**	***v.***	**to be late, to come late, to arrive late**	**11**
108. 充电	**chōng diàn**	***VO***	**to recharge**	**15**
109. 充电器	chōngdiànqì	*n.*	charger	15
110. 抽烟	**chōu yān**	***VO***	**to smoke**	8、**15**
111. 出	**chū**	***v.***	**to come out, to go out**	**11**
		v.	**to give (sb. an idea)**	**13**
112. 出发	chūfā	*v.*	to depart, to set out	13
113. 出口	chūkǒu	*n.*	exit	3

114. 出来	chūlái	*VC*	to come out	12
115. 出门	chū mén	*VO*	to leave home	7
116. 出去	chūqù	*VC*	to go out	12
117. 出租	chūzū	*v.*	to lease	9
118. 出租车	chūzūchē	*n.*	taxi	3
119. 厨房	chúfáng	*n.*	kitchen	9
120. 穿	chuān	*v.*	to wear	8
121. 窗	chuāng	*n.*	window	10
122. 床	chuáng	*n.*	bed	4
123. 春节	Chūn Jié	*PN*	Spring Festival	13
124. 词	cí	*n.*	word	11
125. 词典	cídiǎn	*n.*	dictionary	5
126. 磁浮列车	cífúlièchē	*n.*	maglev	6
127. 辞职	cí zhí	*VO*	to quit job, to resign	10
128. 次	cì	*MW*	time (number of times)	12、13
129. 从	cóng	*prep.*	from	3、9
130. 从来	cónglái	*adv.*	always, at all times	13
131. 从来不	cónglái bù		never	8
132. 醋	cù	*n.*	vinegar	10、14
133. 村子	cūnzi	*n.*	village	9
134. 错	cuò	*adj.*	incorrect, false, wrong	10
135. 错过	cuòguò	*v.*	to miss, to let go by, to let slip	14

D

136. 打	dǎ	*v.*	to make (a phone call)	4
		v.	to play, to engage in (a game or sport)	7
137. 打包	dǎ bāo	*VO*	to put into a doggy bag, to take away	10
138. 打扰	dǎrǎo	*v.*	to disturb	12
139. 打扫	dǎsǎo	*v.*	to clean up (a room)	14
140. 打算	dǎsuan	*v.*	to plan	9
141. 打折	dǎ zhé	*VO*	to give discount	15
142. 大	dà	*adj.*	big, large	1
143. 大概	dàgài	*adv.*	probably, approximately	6
144. 大家	dàjiā	*pron.*	everybody, you all	1
145. 大门	dàmén	*n.*	gate	7
146. 大堂	dàtáng	*n.*	lobby	7、15
147. 大衣	dàyī	*n.*	overcoat	8
148. 待	dāi	*v.*	to stay	12
149. 戴	dài	*v.*	to wear (accessories)	8
150. 带	dài	*v.*	to bring (something along with)	11
151. 带走	dàizǒu	*VC*	to take away	5
152. ……单	dān		bill, list	5

153. 单人间	dānrénjiān	*n.*	single room	15
154. 担心	dānxīn	*v.*	to worry	10、11
155. 蛋	dàn	*n.*	egg	2、10
156. 蛋糕	dàngāo	*n.*	cake	5、11
157. 当	dāng	*v.*	to work as, to be	10
158. 当然	dāngrán	*adv.*	of course	5
159. 到	dào	*v.*	to arrive	3、7
		prep.	to	7、15
160. 到达	dàodá	*v.*	to arrive	13
161. 的	de	*part.*	indicating possession or modifying a noun	1
162. 得	de	*part.*	used after a verb to connect it with a complement	11
163. 灯	dēng	*n.*	light, lamp	6
164. 登记	dēngjì	*v.*	to register	15
165. 等	děng	*v.*	to wait	3
		adv.	etc.	14
166. 迪厅	dítīng	*n.*	disco(theque)	9
167. 第	dì		ordinal number prefix	3、6
168. 地方	dìfang	*n.*	place	6、8
169. 地铁	dìtiě	*n.*	subway	3
170. 地图	dìtú	*n.*	map	3
171. 地址	dìzhǐ	*n.*	address	7
172. 点	diǎn	*n.*	o'clock, point	7
		v.	to order (food or drinks)	5、10
173. 店	diàn	*n.*	shop, store	8
174. 电	diàn	*n.*	electricity	4
175. 电话	diànhuà	*n.*	telephone, phone call	4
176. 电脑	diànnǎo	*n.*	computer	9
177. 电视	diànshì	*n.*	TV, TV set	6、9
178. 电梯	diàntī	*n.*	elevator, lift	9
179. 电影	diànyǐng	*n.*	movie	4
180. 电影院	diànyǐngyuàn	*n.*	cinema	7
181. 调头	diào tóu	*VO*	to make a U-turn	3
182. 丁	dīng	*n.*	small cubes of meat or vegetable	10
183. 丢	diū	*v.*	to lose	5
184. 东	dōng	*n.*	east	9
185. 东北	Dōngběi	*PN*	the Northeast provinces (of China)	10
186. 东西	dōngxi	*n.*	thing, stuff	4、11
187. 懂	dǒng	*v.*	to understand	4
188. 都	dōu	*adv.*	all, both	4
189. 豆腐	dòufu	*n.*	tofu	2
190. 读	dú	*v.*	to read (aloud)	1
191. 堵	dǔ	*v.*	to stop up, to block up	12

192. 堵车	dǔ chē	*VO*	to have a traffic jam	3
193. 度假	dùjià	*v.*	to go on vacation	11
194. 肚子	dùzi	*n.*	belly, stomach	11
195. 短	duǎn	*adj.*	short	8
196. 对	duì	*adj.*	correct, right, yes	2
		prep.	to (sb.)	6
197. 对不起	duìbuqǐ		sorry, excuse me	1、5
198. 对话	duìhuà	*n.*	dialogue	6
199. 对……来说	duì… láishuō		for (sb.)	14
200. 对了	duì le		by the way, used when something suddenly occurs to you	11
201. 对面	duìmiàn	*n.*	opposite	6
202. 多	duō	*adj.*	many, much	2
		QW	how (large, old, etc)	8
		adj.	more than	11
203. 多长时间	duō cháng shíjiān	*QW*	how long	9
204. 多大	duō dà	*QW*	how large, how old	8
205. 多少	duōshǎo	*QW*	how many, how much	2

E

206. 而且	érqiě	*conj.*	and, moreover	15

F

207. 发票	fāpiào	*n.*	receipt, invoice	3
208. 发现	fāxiàn	*v.*	to find, to find out, to discover	12
209. 发音	fāyīn	*n.*	pronunciation	11
210. 法国	Fǎguó	*PN*	France	1
211. 法语	Fǎyǔ	*n.*	French (language)	1
212. 番茄	fānqié	*n.*	tomato	2
213. 番茄酱	fānqiéjiàng	*n.*	ketchup, tomato sauce	10
214. 翻译	fānyì	*v. & n.*	to translate; translation, translator	4
215. 饭	fàn	*n.*	cooked rice, meal, food	2
216. 饭店	fàndiàn	*n.*	restaurant, hotel	2、10
217. 饭馆	fànguǎn	*n.*	small eatery	5
218. 方便	fāngbiàn	*adj.*	convenient	3
219. 方式	fāngshì	*n.*	way, method	13
220. 房东	fángdōng	*n.*	landlord, landlady	9
221. 房间	fángjiān	*n.*	room	9、15
222. 房子	fángzi	*n.*	house, apartment	9
223. 放	fàng	*v.*	to put	11

224. 放假	fàng jià	*VO*	to have a holiday or vacation	13
225. 非常	fēicháng	*adv.*	very, extremely	5
226. 飞碟	fēidié	*n.*	flying saucer	13
227. 飞机	fēijī	*n.*	airplane	6
228. 分	fēn	*n.*	cent	2
		n.	minute (in telling time)	7
229. 分钟	fēnzhōng	*n.*	minute	6
230. 粉红	fěnhóng	*n.*	pink	8
231. 风景	fēngjǐng	*n.*	view, scenery	15
232. 服务	fúwù	*n.*	service	2
233. 服务员	fúwùyuán	*n.*	waiter, waitress	2
234. 辅导	fǔdǎo	*n.& v.*	tutor; to tutor	5
235. 付	fù	*v.*	to pay	3
236. 副	fù	*MW*	pair (for gloves, glasses, etc.)	8
237. 附近	fùjìn	*n.*	vincinity, nearby	6、9
238. 父亲	fùqin	*n.*	father (formal)	12

G

239. 咖哩	gāli	*n.*	curry	10
240. 咖哩鸡块	gāli jīkuài		curried chicken	10
241. 干	gān	*adj.*	dry	13
242. 干净	gānjìng	*adj.*	clean	10、13
243. 赶	gǎn	*v.*	to rush (for sth.)	14
244. 感觉	gǎnjué	*n.*	feeling	13
245. 刚	gāng	*adv.*	just (only a moment ago)	11
246. 高	gāo	*adj.*	high, tall	9
247. 高架	gāojià	*n.*	elevated road	3
248. 高兴	gāoxìng	*adj.*	glad, happy	1
249. 搞错	gǎocuò	*VC*	to make a mistake, to misunderstand	10
250. 告诉	gàosu	*v.*	to tell	6
251. 歌	gē	*n.*	song	11
252. 各种各样	gèzhǒng gèyàng		all kinds of	14
253. 个	gè	*MW*	(used with a wide variety of nouns)	2
254. 给	gěi	*v.*	to give	3
		prep.	to, for	7
255. 跟	gēn	*prep.*	with	7
256. 更	gèng	*adv.*	more, used before an adjective to indicate the comparative degree	11、13
257. 宫爆鸡丁	gōngbào jīdīng		spicy chicken cubes fried with peanuts	10
258. 公共	gōnggòng	*adj.*	public	3
259. 公共汽车	gōnggòngqìchē	*n.*	bus	3

260. 公里	gōnglǐ	*n.*	kilometer	9
261. 公司	gōngsī	*n.*	company	5
262. 公园	gōngyuán	*n.*	park 6	
263. 工作	gōngzuò	*n.& v.*	job, work; to work	1
264. 狗	gǒu	*n.*	dog	12
265. 够	**gòu**	***adj.***	**enough**	**10**
266. 故宫	Gùgōng	*PN*	Forbidden City	5
267. 顾客	gùkè	*n.*	customer	2
268. 古老肉	gǔlǎoròu	*n.*	sweet and sour pork	10
269. 故事	gùshi	*n.*	story	13
270. 拐	**guǎi**	***v.***	**to turn, to make a turn**	**3**
271. 怪不得	guàibude		no wonder why	14
272. 关	guān	*v.*	to close	7
273. 关机	guān jī	*VO*	to turn off an electronic device	12
274. 关于	guānyú	*prep.*	about, on	13
275. ……馆	**…guǎn**		**a place for commercial, cultural or sports activities**	**5**
276. 光临	**guānglín**	***v.***	**to be present, to come (formal and respectful)**	**10**
277. 广场	**guǎngchǎng**	***n.***	**plaza, square**	**5、6**
278. 广告	guǎnggào	*n.*	advertisement	9
279. 贵	**guì**	***adj.***	**expensive**	**2、4**
280. 国	**guó**	***n.***	**country**	**1**
281. 国际	**guójì**	***adj.***	**international**	**4**
282. 国家	guójiā	*n.*	country	1
283. 国庆节	Guóqìng Jié	*PN*	National Day	7
284. 果汁	guǒzhī	*n.*	fruit juice	5
285. 过	**guò**	***v.***	**to pass**	**3、5**
		v.	**to spend (time), to pass (time); to observe (festival, brithday, etc.)**	**11**
	guo	***part.***	**indicating a past experience or occurrence**	**13**
286. 过奖	guòjiǎng	*v.*	to over praise	11
287. 过来	**guòlái**	***VC***	**to come over**	**12**
288. 过去	guòqù	*VC*	to go over	12
289. 过夜	guò yè	*VO*	to spend the night	13

H

290. 哈密瓜	hāmìguā	*n.*	Hami melon	4
291. 还	**hái**	***adv.***	**also, else, in addition**	**2**
292. 还可以	**hái kěyǐ**		**moderately good, OK**	**8**
293. 还是	**háishì**	***conj.***	**or**	**3**
		adv.	**still**	**8**

294. 还有	háiyǒu	*conj.*	what's more, in addition	8
295. 海	hǎi	*n.*	sea	11
296. 汉堡	hànbǎo	*n.*	hamburger	5
297. 汉语	Hànyǔ	*n.*	Chinese language	1
298. 汉字	Hànzì	*n.*	Chinese character	14
299. 杭州	Hángzhōu	*PN*	Hangzhou	13
300. 好	hǎo	*adj.*	good	1
301. 好吃	hǎochī	*adj.*	delicious	4、5
302. 好的	hǎo de		OK, alright	3
303. 好喝	hǎohē	*adj.*	nice to drink	5
304. 好看	hǎokàn	*adj.*	nice to watch	4
305. 好了	hǎo le		that's it, it's ready, be finished	15
306. 好听	hǎotīng	*adj.*	nice to listen to	5
307. 好玩	hǎowán	*adj.*	funny, interesting	13
308. 好像	hǎoxiàng	*v.*	to seem to, to look	8
309. 好用	hǎoyòng	*adj.*	easy to use	6
310. 好做	hǎozuò	*adj.*	easy to make	15
311. 号	hào	*n.*	number, size	3
		n.	date	7
312. 号码	hàomǎ	*n.*	size, number	8
313. 海鲜	hǎixiān	*n.*	seafood	10
314. 喝	hē	*v.*	to drink	5
315. 喝的	hē de		drinks (informal)	4
316. 和	hé	*conj.*	and	1
317. 合适	héshì	*adj.*	suitable, fit	8
318. 合租	hé zū		to share to rent	9
319. 黑	hēi	*adj.*	black	8
320. 黑椒	hēijiāo	*n.*	black pepper	10
321. 很	hěn	*adv.*	quite, very	1
322. 红	hóng	*n.*	red	4、6
323. 红茶	hóngchá	*n.*	black tea	5
324. 红绿灯	hónglǜdēng	*n.*	traffic light	6
325. 后	hòu	*n.*	back	6
326. 厚	hòu	*adj.*	thick	8
327. 候车厅	hòuchētīng	*n.*	waiting room (a big hall)	13
328. 胡椒	hújiāo	*n.*	pepper	10
329. 胡萝卜	húluóbo	*n.*	carrot	2
330. 互相	hùxiāng	*adv.*	each other	7
331. 护照	hùzhào	*n.*	passport	14、15
332. 花	huā	*n.*	flower	9
		v.	to spend (money, time)	13
333. 花菜	huācài	*n.*	cauliflower	2
334. 花生	huāshēng	*n.*	peanut	10

335. 花园	huāyuán	*n.*	garden	9
336. 滑板	huábǎn	*n.*	skating board	11
337. 话	huà	*n.*	words, speech	14
338. 华山路	Huàshān Lù	*PN*	Huashan Rd.	9
339. 坏	huài	*adj.*	broken	8
340. 欢迎	huānyíng	*v.*	to welcome	7、10
341. 环境	huánjìng	*n.*	environment	10
342. 换	huàn	*v.*	to change	4、10
343. 黄	huáng	*n.*	yellow	8
344. 黄瓜	huángguā	*n.*	cucumber	2
345. 灰	huī	*n.*	grey, ash	8
346. 回	huí	*v.*	to return	3、12
347. 回答	huídá	*v.*	to answer (a question)	9
348. 回来	huílái	*VC*	to come back	12
349. 回去	huíqù	*VC*	to go back	12
350. 会	huì	*AV*	can, know how to	7
		AV	will, indicating an anticipated event or action in the future	11
351. 会员	huìyuán	*n.*	member (of a club, etc.)	11
352. 荤	hūn	*n.*	meat or fish diet	10
353. 婚礼	hūnlǐ	*n.*	wedding	11
354. 活动	huódòng	*n.*	activity	13
355. 火车	huǒchē	*n.*	train	13
356. 火车站	huǒchēzhàn	*n.*	train station	3
357. 或者	huòzhě	*conj.*	or (in "either...or...")	3、8

J

358. ……机	…jī		machine	7
359. 机场	jīchǎng	*n.*	airport	3
360. 机会	jīhuì	*n.*	opportunity	11
361. 鸡	jī	*n.*	chicken	2
362. 鸡肉	jīròu	*n.*	chicken meat	2
363. 极了	jí le		extremely, exceedingly	11
364. 几	jǐ	*QW*	how many	2
		num.	several, some, a few	4、10
365. 记	jì	*v.*	to write down, to take (notes)	7
366. 记得	jìde	*v.*	to remember	13
367. 寄放	jìfàng	*v.*	to leave sth. in care of another	15
368. 加	jiā	*v.*	to add	5
369. 家	jiā	*n.*	home, family	1
		MW	for company...	5

No.	Word	Pinyin	Part of speech	English	Lesson
370.	家具	jiājù	*n.*	furniture	15
371.	家乐福	Jiālèfú	*PN*	Carrefour	3
372.	家人	jiārén	*n.*	family member	7
373.	家庭	jiātíng	*n.*	family (formal)	15
374.	夹克	jiákè	*n.*	jacket	8
375.	假	jiǎ	*adj.*	fake	8
376.	**假**	**jià**	***n.***	**holiday, vacation, leave**	**11**
377.	假期	jiàqī	*n.*	holiday, vacation, period of leave	11
378.	**价钱**	**jiàqian**	***n.***	**price**	**8、14**
379.	煎	jiān	*v.*	to fry in shallow oil	10
380.	**建**	**jiàn**	***v.***	**to build**	**13**
381.	件	jiàn	*MW*	for clothes	8
382.	**见**	**jiàn**	***v.***	**to see, to meet**	**1、7**
383.	**见面**	**jiàn miàn**	***VO***	**to meet**	**7**
384.	健身房	jiànshēnfáng	*n.*	gym	7
385.	讲价	jiǎng jià	*VO*	to bargain	8
386.	酱油	jiàngyóu	*n.*	soy sauce	10
387.	教	jiāo	*v.*	to teach	1
388.	浇水	jiāo shuǐ	*VO*	to water	12
389.	**交通**	**jiāotōng**	***n.***	**transportation, traffic**	**3**
390.	**交通卡**	**jiāotōngkǎ**	***n.***	**transportation card**	**3**
391.	角	jiǎo	*n.*	ten cents (formal)	2
			n.	corner	7
392.	饺子	jiǎozi	*n.*	dumpling	2
393.	**叫**	**jiào**	***v.***	**to call, to be called**	**1**
394.	教室	jiàoshì	*n.*	classroom	6
395.	接	jiē	*v.*	to pick up (sb.)	11
			v.	to answer (a phone)	12
396.	结婚	jié hūn	*VO*	to marry	13
397.	节目	jiémù	*n.*	program	7
398.	**姐**	**jiě**	***n.***	**elder sister**	**5**
399.	姐姐	jiějie	*n.*	elder sister	5
400.	**介绍**	**jièshào**	***n. & v.***	**introduction; to introduce**	**1**
401.	**金**	**jīn**	***n.***	**gold**	**3**
402.	**斤**	**jīn**	***MW***	**a Chinese unit of weight, equal to 1/2 kg**	**4**
403.	今年	jīnnián	*TW*	this year	7
404.	**今天**	**jīntiān**	***n.***	**today**	**2、12**
405.	**近**	**jìn**	***adj.***	**near, close**	**3、7**
406.	**进**	**jìn**	***v.***	**to enter**	**11**
407.	**进口**	**jìnkǒu**	***v. & adj.***	**to import; imported**	**4**
408.	**进来**	**jìnlái**	***VC***	**to come in**	**12**
409.	进去	jìnqù	*VC*	to go in	12
410.	经常	jīngcháng	*adv.*	often	10

411. 经理	jīnglǐ	*n.*	manager	8
412. 经历	jīnglì	*n.*	life experiences	10
413. 酒	jiǔ	*n.*	liquor, wine	14
414. 酒吧	jiǔbā	*n.*	bar	14
415. 酒店	jiǔdiàn	*n.*	hotel	15
416. 就	jiù	*adv.*	just, right, indicating nearness	6
		adv.	indicating earliness, briefness, or quickness of an action	12
417. 旧	jiù	*adj.*	used, old	8
418. 橘子	júzi	*n.*	tangerine, mandarin orange	4
419. 句	jù	*MW*	(for remakrs, sentence)	14
420. 句子	jùzi	*n.*	sentence	11
421. 聚会	jùhuì	*n.*	party, get-together	11
422. 觉得	juéde	*v.*	to feel, to think	6、8
423. 决定	juédìng	*v.*	to decide	13

K

424. 咖啡	kāfēi	*n.*	coffee	4、5
425. 咖啡馆	kāfēiguǎn	*n.*	café	5
426. 咖啡桌	kāfēizhuō	*n.*	coffee table	9
427. 卡	kǎ	*n.*	card	3
428. 卡布其诺	kǎbùqínuò	*n.*	cappuccino	5
429. 开	kāi	*v.*	to open	7、11
		v.	to make out (a receipt)	7
		v.	to drive (a car), to run (a train), to fly (a plane), to navigate (a ship)	13
430. 开会	kāi huì	*VO*	to have a meeting	13
431. 开始	kāishǐ	*v.*	to begin, to start	11
432. 开玩笑	kāi wánxiào		to make a joke	11
433. 开心	kāixīn	*adj.*	happy	11
434. 看	kān	*v.*	to look after	12
435. 看	kàn	*v.*	to look, to watch, to see	3、8
436. 看见	kànjiàn	*VC*	to see	6、8
437. 烤	kǎo	*v.*	to roast	5、9
438. 烤箱	kǎoxiāng	*n.*	oven	9
439. 烤鸭	kǎoyā	*n.*	roast duck	5
440. 烤羊肉串	kǎoyángròuchuàn	*n.*	kebab, roasted lamb stick	10
441. 考试	kǎoshì	*n.*	examination	14
442. 靠	kào	*v.*	to be alongside, to be near	10
443. 可爱	kě'ài	*adj.*	lovely	14
444. 可乐	kělè	*n.*	coke	2

445. 可能	kěnéng	*AV*	may, maybe, probably, perhaps	6、12
446. 可是	kěshì	*conj.*	but	8
447. 可以	kěyǐ	*AV*	may, can	3
448. 课	kè	*n.*	lesson, course	1
449. 刻	kè	*n.*	quarter (used for telling time)	7、13
450. 刻钟	kèzhōng	*n.*	quarter (used for duration of time)	10
451. 客气	kèqi	*adj.*	courteous, polite	6
452. 客人	kèren	*n.*	guest, customer	10、15
453. 客厅	kètīng	*n.*	living room	9
454. 空	kòng	*n.*	free time	7
455. 口语	kǒuyǔ	*n.*	spoken language	7
456. 裤子	kùzi	*n.*	trousers	8
457. 块	kuài	*MW*	monetary unit, dollar, buck; piece, lump	2
		n.	piece, lump, block	10
458. 快	kuài	*adj.*	quick, fast	5
459. 筷子	kuàizi	*n.*	chopsticks	2
460. 宽	kuān	*adj.*	wide, spacious	8、13
461. 矿泉水	kuàngquánshuǐ	*n.*	mineral water	2

L

462. 拉面	lāmiàn	*n.*	hand pulled noodles	2
463. 辣	là	*adj.*	spicy, hot	10
464. 辣椒	làjiāo	*n.*	chili, pepper	10
465. 蜡烛	làzhú	*n.*	candle	11
466. 来	lái	*v.*	to come	3、5
		v.	(let's) have, (similar to diǎn but more informal)	10
467. 蓝	lán	*adj.*	blue	8
468. 老	lǎo	*adj.*	old	6
469. 老板	lǎobǎn	*n.*	boss, employer	8
470. 老伴	lǎobàn	*n.*	old companion, the way old people address their spouses	11
471. 老师	lǎoshī	*n.*	teacher	1
472. 老外	lǎowài	*n.*	foreigner (informal)	11、14
473. 了	le	*part.*	used after verb, indicating an action has taken place	5
474. 累	lèi	*adj.*	tired	5
475. 离	lí	*prep.*	from, away	3、6
476. 梨	lí	*n.*	pear	4
477. 李	Lǐ	*PN*	a surname	7
478. 李大明	Lǐ Dàmíng	*PN*	a Chinese person's name	7

479. 里	lǐ	*n.*	inside	6
480. 里面	**lǐmian**	***n.***	**inside**	**6**
481. 礼物	lǐwù	*n.*	gift	8
482. 联系	liánxì	*v.*	to contact	9
483. 练习	**liànxí**	***v.& n.***	**to practise; exercise**	**7**
484. 凉菜	liángcài	*n.*	cold dish	10
485. 两	**liǎng**	***num.***	**two**	**2**
486. 辆	**liàng**	***MW***	**(for vehicles with wheels)**	**4、14**
487. 聊天	liáo tiān	*VO*	to chat	7
488. 料子	liàozi	*n.*	material, fabric	8
489. 邻居	línjū	*n.*	neighbor	12
490. 临时	línshí	*adj.*	temporary	13
491. 零	líng	*num.*	zero	2
492. 凌晨	língchén	*n.*	before dawn	7
493. 另一个	lìng yí ge		another	12
494. 留	liú	*v.*	to leave (sth.)	10
495. 留学生	liúxuéshēng	*n.*	road	1
496. 聋子	lóngzi	*n.*	deaf person	14
497. 弄堂	lòngtáng	*n.*	alley, lane	15
498. 楼	**lóu**	***n.***	**floor, building**	**6**
499. 楼上	**lóushàng**		**upstairs**	**13**
500. 楼外楼	**Lóuwàilóu**	***PN***	**name of a restaurant in Hangzhou famous for its Hangzhou food**	**14**
501. 楼下	**lóuxià**		**downstairs**	**12、15**
502. 漏水	lòu shuǐ	*VO*	to have a leakage	12
503. 路	**lù**	***n.***	**road**	**3**
504. 路口	**lùkǒu**	***n.***	**intersection, crossing**	**3**
505. 路人	**lùrén**	***n.***	**passerby**	**6**
506. 露天	lùtiān	*adj.*	outdoor	11
507. 旅馆	lǚguǎn	*n.*	hostel, inn	14
508. 旅行	**lǚxíng**	***v. & n.***	**to travel; trip, journey, tour**	**13**
509. 旅游	lǚyóu	*v.*	to travel, to go on a tour	15
510. 绿	**lǜ**	***n.***	**green**	**6**
511. 轮到	**lúndào**	***VC***	**it's (someone's) turn**	**10**

M

512. 妈妈	māma	*n.*	mum, mother	1
513. 麻	má	*n.*	linen	8
514. 麻烦	**máfan**	***v. & adj.***	**to bother, to trouble; troublesome**	**5**
515. 麻婆豆腐	Mápó dòufu	*n.*	hot and spicy tofu	10
516. 马克	**Mǎkè**	***PN***	**Mark (name of a person)**	**1**

517. 马路	mǎlù	*n.*	street	6
518. 马上	**mǎshàng**	***adv.***	**immediately, at once**	**10**
519. 玛丽	**Mǎlì**	***PN***	**Mary (name of a person)**	**1**
520. 吗	**ma**	***part.***	**a question particle**	1、**2**
521. 买	**mǎi**	***v.***	**to buy**	**4**
522. 买单	mǎi dān		Bill please!	2
523. 卖	**mài**	***v.***	**to sell**	**4**
524. 麦片	màipiàn	*n.*	corn flakes, oatmeal	10
525. 满	mǎn	*adj.*	full	15
526. 满足	mǎnzú	*v.*	to satisfy	10
527. 慢	**màn**	***adj.***	**slow**	5、**6**
528. 忙	máng	*adj.*	busy	12
529. 芒果	mángguǒ	*n.*	mango	4
530. 毛	máo	*n.*	ten cents (spoken)	2
531. 帽子	màozi	*n.*	hat	8
532. 没	**méi**	***adv.***	**not**	**2**
533. 没关系	**méi guānxi**		**that's alright, my pleasure**	**1**、12
534. 没事	méi shì		that's alright	12
535. 没问题	méi wèntí		no problem	5
536. 没意思	méiyìsi	*adj.*	boring	10
537. 玫瑰	méigui	*n.*	rose	4
538. 煤气	méiqì	*n.*	gas, a gaseous fuel	12
539. 每	**měi**	***pron.***	**every, each**	**7**
540. 每天	měi tiān		every day	4
541. 美	**měi**	***adj.***	**beautiful**	13、**14**
542. 美国	**Měiguó**	***PN***	**the United States**	**1**
543. 门	**mén**	***n.***	**door**	3、**7**
544. 门口	**ménkǒu**	***n.***	**entrance (usually with a door or gate)**	**7**
545. ……们	**…men**		**plural suffix**	**1**
546. 猕猴桃	míhóutáo	*n.*	kiwi fruit	4
547. 迷路	mí lù	*VO*	to lose one's way	12
548. 米	**mǐ**	***n.***	**rice**	**2**
		n.	meter	9
549. 棉	mián	*n.*	cotton	8
550. 免费	miǎnfèi	*adj.*	free of charge	5
551. 面	**miàn**	***n.***	**noodles**	**2**
		n.	side	6
552. 面包	miànbāo	*n.*	bread	4
553. 明白	**míngbai**	***v.***	**to understand**	**6**
554. 明年	míngnián	*TW*	next year	7
555. 明天	**míngtiān**	***TW***	**tomorrow**	1、**14**
556. 名字	**míngzi**	***n.***	**name**	**1**
557. 蘑菇	mógu	*n.*	mushroom	2

558. 摩卡	mókǎ	*n.*	mocha (coffee)	5
559. 母亲	mǔqin	*n.*	mother (formal)	12
560. 木瓜	mùguā	*n.*	papaya	4

N

561. 拿	ná	*v.*	to hold, to take, to bring	10、11
562. 拿出	náchū	*VC*	to take out	11
563. 拿铁	nátiě	*n.*	latte (coffee)	5
564. 哪	nǎ	*QW*	which	1
565. 哪国人	nǎ guó rén		from which country is somelody	1
566. 哪里	nǎli	*QW*	where	3
567. 哪儿	nǎr	*QW*	where	3
568. 哪位	nǎ wèi	*QW*	who (respectful)?	12
569. 哪些	nǎxiē	*QW*	which (more than one)	4
570. 那	nà	*pron.*	that	2
		conj.	in that case, then	7
571. 那里	nàli	*pron.*	there	3、5
572. 那么	nàme	*adv.*	so (+adj.)	13
573. 那儿	nàr	*pron.*	there	3
574. 那些	nàxiē	*pron.*	those	4
575. 难	nán	*adj.*	hard, difficult	6、15
576. 难吃	nánchī	*adj.*	taste bad	15
577. 难看	nánkàn	*adj.*	ugly	15
578. 难买	nánmǎi	*adj.*	hard to buy	13
579. 难听	nántīng	*adj.*	sound terrible	15
580. 难忘	nánwàng	*adj.*	unforgettable	13
581. 难闻	nánwén	*adj.*	unpleasant (smell)	15
582. 南	nán	*n.*	south	9
583. 南京路	Nánjīng Lù	*PN*	Nanjing Rd.	3
584. 南山路	Nánshān Lù	*PN*	Nanshan Rd.	14
585. 男的	nán de		man, male	1
586. 男朋友	nánpéngyou	*n.*	boy friend	1
587. 呢	ne	*part.*	used after a noun or pronoun to form an "And...?" question	1
		part.	used at the end of a statement to make an emphasis	4
		part.	used after a question with question word to emphasize the interrogative tone	7
588. 能	néng	*AV*	can, be able to	8、14
589. 你	nǐ	*pron.*	you (sing.)	1
590. 你们	nǐmen	*pron.*	you (pl.)	1

591. 年	nián	*n.*	year	7、9
592. 年代	niándài	*n.*	decade of a century	15
593. 年轻	niánqīng	*adj.*	young	14
594. 年轻人	niánqīngrén	*n.*	young people	14
595. 鸟	niǎo	*n.*	bird	15
596. 您	nín	*pron.*	you (more respectful)	3
597. 您贵姓	nín guì xìng		what's your surname (respectful)	10
598. 牛奶	niúnǎi	*n.*	milk	5
599. 牛皮	niúpí	*n.*	cattle hide	8
600. 牛肉	niúròu	*n.*	beef	2、10
601. 牛仔裤	niúzǎikù	*n.*	jeans (trousers)	8
602. 女的	nǚ de		woman, female	1
603. 女朋友	nǚpéngyou	*n.*	girl friend	1

O

604. 欧洲	Ōuzhōu	*n.*	Europe	15

P

605. 拍	pāi	*v.*	to take (photo)	5
606. 拍子	pāizi	*n.*	racket	11
607. 牌	pái	*n.*	playing card	11
608. 牌子	páizi	*n.*	brand	8
609. 派	pài	*n.*	pie (a baked food)	5
610. 盘	pán	*MW*	plate	4、5
611. 盘子	pánzi	*n.*	plate	2
612. 旁边	pángbiān	*n.*	beside	6
613. 跑步	pǎo bù	*VO*	to run	8
614. 朋友	péngyou	*n.*	friend	1
615. 啤酒	píjiǔ	*n.*	beer	2
616. 匹萨	pǐsà	*n.*	pizza	10
617. 便宜	piányi	*adj.*	cheap	4
618. 片	piàn	*n.*	flat and thin piece, slice, flake	10
619. 票	piào	*n.*	ticket	3
620. 漂亮	piàoliang	*adj.*	beautiful, pretty	8
621. 瓶	píng	*MW*	bottle	4
622. 苹果	píngguǒ	*n.*	apple	4
623. 平米	píngmǐ	*MW*	square meter	9
624. 葡萄	pútáo	*n.*	grape	4
625. 葡萄干	pútáogān	*n.*	raisin	4
626. 葡萄酒	pútáojiǔ	*n.*	wine	10

627. 普通	pǔtōng	*adj.*	normal, ordinary	13

Q

628. 骑	qí	*v.*	to ride	8
629. 其他	qítā	*pron.*	other	13
630. 起床	qǐ chuáng	*VO*	to get up	7
631. 汽车	qìchē	*n.*	car	3
632. 千	qiān	*num.*	thousand	8、9
633. 签名	qiān míng	*n. & VO*	signature; to sign	15
634. 钱	qián	*n.*	money	2
635. 钱包	qiánbāo	*n.*	wallet, purse	8
636. 前	qián	*n.*	front	6
637. 前几天	qián jǐ tiān		the other day	13
638. 前面	qiánmian	*n.*	front	3
639. 前台	qiántái	*n.*	receiption desk, receptionist	15
640. 前天	qiántiān	*TW*	the day before yesterday	9
641. 浅	qiǎn	*adj.*	light (in color)	8
642. 墙	qiáng	*n.*	wall	15
643. 巧克力	qiǎokèlì	*n.*	chocolate	5
644. 茄子	qiézi	*n.*	eggplant, aubergine	2
645. 亲爱的	qīn'ài de		my dear, dear	12
646. 轻	qīng	*adj.*	light (not heavy)	5、14
647. 青椒	qīngjiāo	*n.*	green pepper	2
648. 请	qǐng	*v.*	please (used in request)	3
		v.	to invite, to treat (sb. to sth.)	7、11
		v.	to ask (sb. to do sth.)	12
649. 请问	qǐng wèn		excuse me, may I ask...?	4
650. 球	qiú	*n.*	ball	11
651. 区	qū	*n.*	district	3
652. 取	qǔ	*v.*	to withdraw (money from bank)	6
653. 取款机	qǔkuǎnjī	*n.*	ATM	7
654. 去	qù	*v.*	to go	3
655. 去年	qùnián	*TW*	last year	6
656. 全国	quánguó	*n.*	all over the country	13
657. 券	quàn	*n.*	voucher, coupon, ticket	15
658. 缺课	quē kè		to skip class, to miss class	8
659. 裙子	qúnzi	*n.*	skirt	8

R

660. 然后	ránhòu	*adv.*	and then, after that	5、10

661. 让	ràng	*v.*	to ask (sb. to do sth)	12
662. 热	rè	*adj.*	hot	5
663. 热狗	règǒu	*n.*	hot dog	5
664. 人	rén	*n.*	person	1
665. 人口	rénkǒu	*n.*	population	8
666. 人民广场	Rénmín Guǎngchǎng	*PN*	the People's Square	6
667. 认识	rènshi	*v.*	to get to know (sb.), to know (sb.)	1
668. 日	rì	*n.*	day, date	7、11
669. 日本	Rìběn	*PN*	Japan	1
670. 容易	róngyì	*adj.*	easy	11
671. 肉	ròu	*n.*	meat	2
672. 如果	rúguǒ	*conj.*	if	4、7
673. 入口	rùkǒu	*n.*	entrance	3
674. 软	ruǎn	*adj.*	soft	13
675. 软座	ruǎnzuò	*n.*	soft seat (on a train)	13

S

676. 三明治	sānmíngzhì	*n.*	sandwich	5
677. 伞	sǎn	*n.*	umbrella	11
678. 扫地	sǎo dì	*VO*	to sweep the ground	15
679. 沙发	shāfā	*n.*	sofa	9
680. 沙拉	shālā	*n.*	salad	5
681. 晒	shài	*v.*	to expose to the sun, to bask, to dry in the sun	11
682. 山	shān	*n.*	mountain	9
683. 商店	shāngdiàn	*n.*	store	4
684. 上	shàng	*adj.*	last, previous	3
		v.	to go up	6
685. 上课	shàng kè	*VO*	to attend class, to have class, to give lessons	1、11
686. 上来	shànglái	*VC*	to come up	12
687. 上楼	shàng lóu		to go upstairs	6
688. 上面	shàngmian	*n.*	top, above	6、11
689. 上去	shàngqù	*VC*	to go up	12
690. 上午	shàngwǔ	*TW*	late morning	7
691. 烧	shāo	*v.*	to stew after frying	10
692. 少	shǎo	*adj.*	little, few	2、8
693. 深	shēn	*adj.*	dark (in color)	8
694. 身体	shēntǐ	*n.*	body, health	8
695. 什么	shénme	*QW*	what	1
		pron.	everything, anything	9

696. 什么样	**shénmeyàng**	***QW***	**what kind of, how (does it look like)**	**9**
697. 甚至	shènzhì	*adv.*	even	15
698. 声	shēng	*n.*	sound	5
699. 生菜	shēngcài	*n.*	lettuce	2
700. 生词	shēngcí	*n.*	new words	1
701. 生日	**shēngrì**	***n.***	**birthday**	**7、11**
702. 生鱼片	shēngyúpiàn	*n.*	sashimi	10
703. 师傅	**shīfu**	***n.***	**master**	**3**
704. 时光	shíguāng	*n.*	time (literary)	15
705. 时候	**shíhou**	***n.***	**time, moment**	**7**
706. 时间	**shíjiān**	***n.***	**time**	**7、9**
707. 食堂	**shítáng**	***n.***	**cafeteria**	**2**
708. 是	**shì**	***v.***	**to be**	**1**
709. 室	**shì**	***n.***	**room**	**9**
710. 事	**shì**	***n.***	**matter, affair, business**	**12**
711. 试	**shì**	***v.***	**to try, to try on**	**8**
712. 式	shì	*n.*	style	8
713. 式样	shìyàng	*n.*	style	8
714. 市场	shìchǎng	*n.*	market	4
715. 世界	shìjiè	*n.*	world	13
716. 市中心	shìzhōngxīn	*n.*	city center	13
717. 收拾	shōushi	*v.*	to clear	10
718. 首	shǒu	*MW*	(for song)	13
719. 手	**shǒu**	***n.***	**hand**	**6**
720. 手机	**shǒujī**	***n.***	**mobile phone**	**7**
721. 手套	shǒutào	*n.*	gloves	8
722. 手提电脑	shǒutídiànnǎo	*n.*	laptop	15
723. 售票厅	**shòupiàotīng**	***n.***	**ticket office (a large hall)**	**13**
724. 书	shū	*n.*	book	1
725. 书店	shūdiàn	*n.*	bookstore	7
726. 蔬菜	shūcài	*n.*	vegetable	5
727. 舒服	**shūfu**	***adj.***	**comfortable**	**8、13**
728. 暑假	shǔjià	*n.*	summer vacation	9
729. 束	shù	*MW*	bunch	4
730. 树	shù	*n.*	tree	15
731. 双	**shuāng**	***MW***	**pair**	**8**
732. 双人间	shuāngrénjiān	*n.*	double room	15
733. 谁	shuí	*QW*	who	3
734. 水	**shuǐ**	***n.***	**water**	**4**
735. 水池	**shuǐchí**	***n.***	**sink, pool**	**12**
736. 水果	**shuǐguǒ**	***n.***	**fruit**	**4**
737. 睡觉	shuì jiào	*VO*	to sleep	7
738. 睡懒觉	shuì lǎn jiào	*VO*	to sleep in, to get up late	11

739. 说	shuō	*v.*	to speak, to say	1、6
740. 说话	shuō huà	*VO*	to speak, to talk	11
741. 丝	sī	*n.*	silk, thread, shred	10
742. 司机	sījī	*n.*	driver	3
743. 四川路	Sìchuān Lù	*PN*	Sichuan Rd.	3
744. 送	sòng	*v.*	to send	12
745. 苏杭	Sū-Háng	*PN*	Suzhou and Hangzhou	14
746. 素	sù	*n.*	vegetable diet	10
747. 酸	suān	*adj.*	sour	10
748. 酸辣汤	suānlàtāng	*n.*	sour and hot soup	10
749. 算了	suàn le		forget it, never mind	8
750. 随便	suíbiàn	*adv.*	at random, in a free and easy way	10
751. 随时	suíshí	*adv.*	at all times, any time	12
752. 岁	suì	*n.*	year of age	9
753. 所以	suǒyi	*conj.*	therefore	10

T

754. 她	tā	*pron.*	she, her	1
755. 他	tā	*pron.*	he	1
756. 他/她们	tāmen	*pron.*	they	1
757. 台	tái	*MW*	for large electronic appliances	9
758. 太	tài	*adv.*	too, excessively	2、4
759. 太太	tàitai	*n.*	wife	8
760. 泰国	Tàiguó	*PN*	Thailand	12
761. 谈	tán	*v.*	to talk	9
762. 汤	tāng	*n.*	soup	10
763. 糖	táng	*n.*	sugar, candy	10
764. 桃子	táozi	*n.*	peach	4
765. 套	tào	*MW*	set	8、9
766. 套间	tàojiān	*n.*	suite (of rooms)	15
767. 特别	tèbié	*adj. & adv.*	special; especially, exceedingly	13
768. 特大	tè dà		extra large	8
769. 特价	tèjià	*n.*	special price	8
770. 特小	tè xiǎo		extra small	8
771. 踢	tī	*v.*	to kick, to play (football)	8
772. T 恤	T xù	*n.*	T-shirt	8
773. 提高	tígāo	*v.& n.*	to improve; improvement	7
774. 体育馆	tǐyùguǎn	*n.*	stadium	5
775. 天	tiān	*n.*	day, sky	5
776. 天气	tiānqì	*n.*	weather	5
777. 天堂	tiāntáng	*n.*	heaven, paradise	14

778. 甜	tián	*adj.*	sweet	4
779. 填	**tián**	***v.***	**to fill in**	**10、15**
780. 填空	tián kòng	*VO*	to fill in blanks	7
781. 挑	tiāo	*v.*	to select	4
782. 条	tiáo	*MW*	(for long and narrow thing)	8
783. 厅	**tīng**	***n.***	**hall, living room**	**9**
784. 听	**tīng**	***MW***	**a can of**	**4**
		v.	**to listen**	**1、13**
785. 听力	tīnglì	*n.*	listening, listening skill	7
786. 听说	**tīngshuō**	***v.***	**to hear, to be told**	**6、13**
787. 停	**tíng**	***v.***	**to stop, to park**	**3**
788. 同事	tóngshì	*n.*	colleague	14
789. 同屋	tóngwū	*n.*	roommate	9
790. 同学	**tóngxué**	***n.***	**classmate, schoolmate**	**1**
791. 突然	**tūrán**	***adv.***	**suddenly**	**11**
792. 图书馆	túshūguǎn	*n.*	library	5
793. 土豆	**tǔdòu**	***n.***	**potato**	**2**
794. 推荐	**tuījiàn**	***v.***	**to recommend**	**14**
795. 退	tuì	*v.*	to return (what's bought), refund (one's moeny)	8
796. 退房	tuì fáng		to check out	15

W

797. 袜子	wàzi	*n.*	socks	8
798. 外	wài	*n.*	outside	6
799. 外国	wàiguó	*n.*	foreign country	9
800. 外国人	wàiguórén		foreigner (formal)	14
801. 外卖	wàimài	*n.*	delivery (for food)	10
802. 外面	**wàimian**	***n.***	**outside**	**6、9**
803. 外滩	Wàitān	*PN*	the Bund, water front	3
804. 外文书店	Wàiwén Shūdiàn	*PN*	Foreign Language Book Store	6
805. 外星人	wàixīngrén	*n.*	extra-terrestrial being	13
806. 玩	**wán**	***v.***	**to play, to have fun, to engage in some kinds of recreational activities such as leisure travel**	**11**
807. 完	**wán**	***v.***	**to finish, to complete, to run out, to use up (used as a complement)**	**12**
808. 碗	**wǎn**	***n. & MW***	**bowl**	**4、10**
809. 晚	wǎn	*adj.*	late	12
810. 晚饭	wǎnfàn	*n.*	dinner	7
811. 晚上	**wǎnshang**	***TW***	**evening**	**5、11**

812. 万	wàn	*num.*	ten thousand	8
813. 王	Wáng	*PN*	a surname	12
814. 往	wǎng	*prep.*	to, towards	6
815. 网球	wǎngqiú	*n.*	tennis	7
816. 网站	wǎngzhàn	*n.*	website	15
817. 忘	wàng	*v.*	to forget	3
818. 喂	wèi	*interj.*	Hello? (in phone call)	7
819. 围巾	wéijīn	*n.*	scarf	8
820. 位	wèi	*MW*	for people (respectful)	6
821. 味道	wèidao	*n.*	smell, taste	15
822. 味精	wèi jīng	*n.*	MSG (Monosodium Glutamate)	10
823. 为什么	wèi shénme	*QW*	why	6
824. 卫生间	wèishēngjiān	*n.*	bathroom	12
825. 温馨	wēnxīn	*adj.*	cozy	15
826. ……文	…wén		written language	5
827. 闻	wén	*v.*	to smell (with nose)	15
828. 问	wèn	*v.*	to ask	4
829. 问题	wèntí	*n.*	question, problem	5
830. 我	wǒ	*pron.*	I, me	1
831. 我们	wǒmen	*pron.*	we, us	1
832. 卧室	wòshì	*n.*	bedroom	9
833. 午饭	wǔfàn	*n.*	lunch	7
834. 物业	wùyè	*n.*	estate management	12

X

835. 西	xī	*n.*	west	9
836. 西班牙	Xībānyá	*PN*	Spain	1
837. 西餐馆	xīcānguǎn	*n.*	Western restaurant	10
838. 西方	Xīfāng	*n. & adj.*	the West; Western	14
839. 西服	xīfú	*n.*	suit	8
840. 西瓜	xīguā	*n.*	water melon	4
841. 西湖	Xīhú	*PN*	West Lake (in Hangzhou)	11、14
842. 西湖醋鱼	Xīhú cùyú	*n.*	West Lake vinegar fish	14
843. 西兰花	xīlánhuā	*n.*	broccoli	2
844. 希望	xīwàng	*v.*	to hope	10
845. 习惯	xíguàn	*v. & n.*	to be used to; habit	11
846. 洗	xǐ	*v.*	to wash	6
847. 洗手间	xǐshǒujiān	*n.*	washroom, toilet	6
848. 洗衣机	xǐyījī	*n.*	washing machine	7
849. 喜欢	xǐhuan	*v.*	to like, to prefer	2
850. 虾	xiā	*n.*	shrimp	2

851. 下	xià	*adj.*	next	3
		v.	to go down	6
		n.	bottom, below	6
852. 下次	xià cì		next time	4
853. 下课	xià kè	*VO*	to finish class, to dismiss class	8
854. 下来	xiàlái	*VC*	to come down	12
855. 下面	xiàmian	*n.*	bottom, below	6
		n.	next, following	10
856. 下去	xiàqù	*VC*	to go down	12
857. 下午	xiàwǔ	*TW*	afternoon	7
858. 下雨	xià yǔ	*VO*	to rain	11
859. 鲜	xiān	*adj.*	delicious, tasty	10
860. 鲜花	xiānhuā	*n.*	fresh flowers	4
861. 先	xiān	*adv.*	first	5
862. 先生	xiānsheng	*n.*	mister, sir	3
		n.	husband	8
863. 咸	xián	*adj.*	salty	10
864. 线	xiàn	*n.*	line	13
865. 现代	xiàndài	*adj.*	modern	13
866. 现金	xiànjīn	*n.*	cash	3
867. 羡慕	xiànmù	*v.*	to envy	5
868. 现在	xiànzài	*TW*	now	7
869. 香	xiāng	*adj.*	fragrant, aromatic, savory	10
870. 香港	Xiānggǎng	*PN*	Hongkong	6
871. 香港广场	Xiānggǎng Guǎngchǎng	*PN*	Hongkong Plaza	6
872. 香蕉	xiāngjiāo	*n.*	banana	4
873. 相信	xiāngxìn	*v.*	to believe	15
874. 详细	xiángxì	*adj.*	detailed	15
875. 想	xiǎng	*AV*	to want to, to wish to (indicating a desire to do sth.)	6
		v.	to miss (someone)	11
		v.	to think	13
876. 像	xiàng	*v.*	to resemble, to be alike	13
877. 小	xiǎo	*adj.*	small	4、5
878. 小吃	xiǎochī	*n.*	snack	8
879. 小姐	xiǎojiě	*n.*	miss, young lady (also used to address waitress)	3、5
880. 小笼包	xiǎolóngbāo	*n.*	juicy mini bāozi	10
881. 小时	xiǎoshí	*n.*	hour	9、12
882. 鞋子	xiézi	*n.*	shoes, also 鞋 (xié)	8
883. 写	xiě	*v.*	to write	1

884. 谢谢	xièxie		thank	1、5
885. 心	xīn	*n.*	heart	11
886. 新	xīn	*adj.*	new	4、8
887. 新鲜	xīnxiān	*adj.*	fresh	4
888. 信息	xìnxī	*n.*	information	15
889. 信用卡	xìnyòngkǎ	*n.*	credit card	15
890. 星期	xīngqī	*n.*	week	3、7
891. 星期日	xīngqīrì	*TW*	variation of xīngqītiān	7
892. 星期天	xīngqītiān	*TW*	Sunday, also	7
893. 星星	xīngxing	*n.*	star	13
894. 行	xíng	*adj.*	OK, alright	4、7
895. 姓	xìng	*n.*	surname	10
896. 兴趣	xìngqù	*n.*	interest (in sth.)	7、9
897. 修	xiū	*v.*	to repair	11
898. 需要	xūyào	*v.*	to need	5
899. 学	xué	*v.*	to learn, to study, also 学习 xuéxí	1、7
900. 学习	xuéxí	*v.*	to learn, to study	1
901. 学费	xuéfèi	*n.*	tuition	8
902. 学期	xuéqī	*n.*	term, semester	15
903. 学生	xuésheng	*n.*	student	1
904. 学校	xuéxiào	*n.*	school	1、7

Y

905. 押金	yājīn	*n.*	deposit	15
906. 烟灰缸	yānhuīgāng	*n.*	ash tray	10
907. 盐	yán	*n.*	salt	10
908. 颜色	yánsè	*n.*	color	8
909. 羊毛	yángmáo	*n.*	wool	8
910. 羊皮	yángpí	*n.*	sheepskin	8
911. 羊肉	yángròu	*n.*	mutton	2
912. 阳光	yángguāng	*n.*	sunshine	15
913. 阳台	yángtái	*n.*	balcony	9
914. 样子	yàngzi	*n.*	appearance, look, pattern, shape	11
915. 要求	yāoqiú	*n.*	requirement	10
916. 要	yào	*v.*	to want (sth.), would like to have (sth.)	2
		AV	to be going to (do), to want to (do)	8
917. 药店	yàodiàn	*n.*	pharmacy	8
918. 也	yě	*adv.*	also, too	1
919. 一般	yìbān	*adv.*	usually	7
920. 一点	yìdiǎn	*num.*	a bit, a little	4

921. 一点也不	yìdiǎn yě bù		not at all	8
922. 一定	yídìng	*adv.*	surely, for sure, definitely	13
923. 一共	yígòng	*adv.*	altogether, in all	4
924. 一会儿	yíhuìr		a while, a few minutes	5
925. 一起	yìqǐ	*adv.*	together	11
926. 一下	yíxià		used after a verb to indicate the briefness of the action	3
927. 一些	yìxiē	*adj.*	some	4
928. 一样	yíyàng	*adj.*	same	15
929. 一直	yìzhí	*adv.*	straight, continuously	3、6
930. 衣服	yīfu	*n.*	clothes	8
931. 医院	yīyuàn	*n.*	hospital	5
932. 宜家家居	Yíjiā Jiājū	*PN*	IKEA	3
933. 以后	yǐhòu	*n.*	after	6
		TW	in the future, hereafter	12
934. 以内	yǐnèi	*n.*	within	8
935. 以前	yǐqián	*n.*	before	6
		TW	before, in the past, formerly	11、14
936. 已经	yǐjīng	*adv.*	already	8、10
937. 亿	yì	*num.*	hundred million	8
938. 意大利	Yìdàlì	*PN*	Italy	5
939. 意大利面	Yìdàlìmiàn	*n.*	spaghetti	5
940. 意思	yìsi	*n.*	meaning	7
941 因为	yīnwèi	*conj.*	because	2
942. 音乐	yīnyuè	*n.*	music	8
943. 银	yín	*n.*	silver	8
944. 银行	yínháng	*n.*	bank	6
945. 饮料	yǐnliào	*n.*	beverage, drinks	10
946. 应该	yīnggāi	*AV*	should, must	11、13
947. 英国	Yīngguó	*PN*	England	1
948. 英文	Yīngwén	*n.*	English (written)	5
949. 英语	Yīngyǔ	*n.*	English	1、7
950. 营业	yíngyè	*VO*	to do business, to operate	10
951. 硬	yìng	*adj.*	hard (not soft)	13
952. 硬座	yìngzuò	*n.*	hard seat (on a train)	13
953. 用	yòng	*v.*	to use	3
954. 优惠	yōuhuì	*v. & adj.*	to give preferential price; preferential	15
955. 油	yóu	*n.& adj.*	oil; oily, greasy	10
956. 邮局	yóujú	*n.*	post office	8
957. 游泳	yóu yǒng	*VO*	to swim	15
958. 有	yǒu	*v.*	to have	2
		v.	there is...	9
959. 有点	yǒudiǎn		a little, somewhat	8

960. 有名	yǒumíng	*adj.*	famous	14
961. 有人	yǒurén	*pron.*	somebody, anybody	10
962. 有时候	yǒushíhou		sometimes	7
963. 有意思	yǒuyìsi	*adj.*	interesting	7、13
964. 右	yòu	*n.*	right (not left)	3、6
965. 又	yòu	*adv.*	again (used in past tense)	8
		adv.	and	14
966. 鱼	yú	*n.*	fish	2、14
967. 雨	yǔ	*n.*	rain	8
968. ……语	…yǔ		language, speech	1
969. 语法	yǔfǎ	*n.*	grammar	14
970. 语言	yǔyán	*n.*	language, speech	1
971. 遇到	yùdào	*VC*	to meet by chance	14
972. 预订	yùdìng	*v.*	to reserve, to book	10
973. 豫园	Yùyuán	*PN*	the Yu Garden (in old town Shanghai)	3
974. ……员	…yuán		personnel	2
975. 元	yuán	*n.*	monetary unit, dollar (formal)	2
976. 原来	yuánlái	*adv.*	it turns out to be, originally	11
977. 远	yuǎn	*adj.*	far	3、6
978. 院子	yuànzi	*n.*	courtyard	15
979. 约会	yuēhuì	*v. & n.*	to make appointment; appointment	7
980. 月	yuè	*n.*	month	7、9
981. 越来越	yuè lái yuè		more and more	10
982. 运动	yùndòng	*n.& n.*	sports; to be engaged in sports	7

Z

983. 在	zài	*prep.*	in , at , on	3
		v.	to be at, in, on	6
984. 再	zài	*adv.*	again	7
		adv.	and then, after that	10
985. 再见	zàijiàn		See you. Good-bye.	1
986. 糟糕	zāogāo	*adj.*	bad	11
987. 早	zǎo	*adj.*	early	1
988. 早餐	zǎocān	*n.*	breakfast (formal)	15
989. 早饭	zǎofàn	*n.*	breakfast	2
990. 早上	zǎoshang	*TW*	early morning	1、14
991. 怎么	zěnme	*QW*	how	6
		QW	how come, why	11
992. 怎么办	zěnme bàn		what could (one) do	12
993. 怎么了	zěnme le		What's up?	3
994. 怎么样	zěnmeyàng	*QW*	how about	7
		QW	how is	8

995. 炸	zhá	*v.*	to deepfry	10
996. 炸薯条	zháshǔtiáo	*n.*	French fries	10
997. 窄	zhǎi	*adj.*	narrow	8
998. 站	zhàn	*n.*	station, stop	6
999. 张	Zhāng	*PN*	a surname	1
	zhāng	*MW*	sheet, piece, for flat objects	4
1000. 张国中	Zhāng Guózhōng	*PN*	a Chinese person's name	1
1001. 账单	zhàngdān	*n.*	bill	5
1002. 着急	zháojí	*v.*	to worry, to feel anxious	13
1003. 找	zhǎo	*v.*	to give (change)	4
		v.	to look for	7
1004. 找到	zhǎodào	*VC*	to find	12
1005. 照片	zhàopiàn	*n.*	photo	5
1006. 照相机	zhàoxiàngjī	*n.*	camera	11
1007. 这	zhè	*pron.*	this	2
1008. 这里	zhèli	*pron.*	here	3
1009. 这么	zhème	*adv.*	so	11
1010. 这儿	zhèr	*pron.*	here	3
1011. 这些	zhèxiē	*pron.*	these	4
1012. 真	zhēn	*adv.*	really, truly	14
		adj.	real (not fake)	8
1013. 真的	zhēnde	*adv.*	really, indeed	9
1014. 真皮	zhēnpí	*n.*	genuine leather	8
1015. 真丝	zhēnsī	*n.*	silk	8
1016. 蒸	zhēng	*v.*	to steam	10
1017. 正式	zhèngshì	*adj.*	formal	11
1018. 正宗	zhèngzōng	*adj.*	authentic, one hundred percent	5
1019. 支	zhī	*MW*	for pen, cigarette, etc.	15
1020. ……汁	…zhī		juice	5
1021. 知道	zhīdao	*v.*	to know (sth.)	3、12
1022. 之间	zhījiān	*n.*	between	13
1023. 只	zhǐ	*adv.*	only	2
1024. 只好	zhǐhǎo	*adv.*	have no choice but (to do sth.)	12
1025. 只要	zhǐyào	*conj.*	so long as	14
1026. 纸	zhǐ	*n.*	paper	4
1027. 纸巾	zhǐjīn	*n.*	tissue	4
1028. 纸箱	zhǐxiāng	*n.*	carton	8
1029. 质量	zhìliàng	*n.*	quality	4
1030. 中	zhōng	*adj.*	medium, middle	5
1031. 中餐馆	zhōngcānguǎn	*n.*	Chinese restaurant	10
1032. 中国	Zhōngguó	*PN*	China	1
1033. 中国银行	Zhōngguó Yínháng	*PN*	Bank of China	6
1034. 中间	zhōngjiān	*n.*	middle	6

1035. 中介	zhōngjiè	*n.*	agency, agent	9
1036. 中文	Zhōngwén	*n.*	Chinese (written)	5
1037. 中午	zhōngwǔ	*TW*	noon	7、12
1038. 中心	zhōngxīn	*n.*	center	11
1039. 种	zhǒng	*MW*	type, kind	4
1040. 重	zhòng	*adj.*	heavy	5
1041. 周	zhōu	*n.*	week	7
1042. 周末	zhōumò	*TW*	weekend	7
1043. 周日	zhōurì	*n.*	Sunday	7
1044. 猪肉	zhūròu	*n.*	pork	2
1045. 煮	zhǔ	*v.*	to boil	10
1046. 主食	zhǔshí	*n.*	staple food (such as rice, noodles, bread)	10
1047. 主意	zhǔyi	*n.*	idea	13
1048. 住	zhù	*v.*	to live, to stay	3、14
1049. 准备	zhǔnbèi	*v. & n.*	to prepare; preparation	11
1050. 准时	zhǔnshí	*adv.*	on time	13
1051. 桌	zhuō	*n.*	table	9
1052. 桌子	zhuōzi	*n.*	table	4、10
1053. 紫	zǐ	*n.*	purple	8
1054. 自己	zìjǐ	*n.*	self	4
1055. 自行车	zìxíngchē	*n.*	bicycle	4
1056. 字幕	zìmù	*n.*	subtitle	4
1057. 字头	zì tóu		initial letter	13
1058. ……子	…zi		noun suffix	2
1059. 走	zǒu	*v.*	to walk, to go, to leave	3、6
1060. 走路	zǒu lù	*VO*	to walk, to go by foot	6
1061. 租	zū	*v.*	to rent	3
1062. 租金	zūjīn	*n.*	rent	9
1063. 足球	zúqiú	*n.*	football, soccer	8
1064. 嘴	zuǐ	*n.*	mouth	14
1065. 最	zuì	*adv.*	the most (used before an adjective to indicate the superlative degree)	3、8
1066. 最多	zuìduō	*adv.*	the most, at most	8
1067. 最好	zuìhǎo	*adv.*	most favorable or desirable; had better	9
1068. 最近	zuìjìn	*TW*	recently, lately	11
1069. 最少	zuìshǎo	*adv.*	the least, at least	8
1070. 昨天	zuótiān	*TW*	yesterday	5
1071. 左	zuǒ	*n.*	left	3
1072. 左右	zuǒyòu	*n.*	about, around	9
1073. 做	zuò	*v.*	to do, to make, to cook	6、14
1074. 坐	zuò	*v.*	to sit, to take (taxi, bus, subway, plane, etc.)	3
1075. 座	zuò	*MW*	(for building, mountain, bridge, etc.)	6
1076. 座位	zuòwèi	*n.*	seat	10
1077. 作业	zuòyè	*n.*	homework, assignmen	11

感谢您选择《跟我学汉语·综合课本》一书！为了使本教材更加完善，请就相关问题填写下表提出您的宝贵意见或建议，以便我们加以改进，谢谢您的支持！表格请寄至：上海交通大学国际教育学院沈玮收，邮政编码 200030；或发电子邮件至：yichen@sjtu.edu.cn。

读者意见反馈表

您的资料（或者附上名片）：

姓名：______ 性别：______ 年龄：______

国籍：______ 居住地：______ 学历：______

联系方式：______ 电子邮件：______

1. 您是从哪里知道本教材的？______
   A. 书店 B. 媒体推荐 C. 老师推荐 D. 朋友推荐 E. 网络 F. 其他（请注明）______
2. 您从哪里购买了本教材？______
   A. 书店 B. 学校 C. 图书销售网站 D. 其他______
3. 促使您决定购买本教材的因素（可多选）：______
   A. 书名 B. 装帧设计 C. 内容提要、前言或目录 D. 全书加注拼音 E. 本书话题
   F. 本书教法 G. 价格 H. 出版社名气 I. 其他______
4. 您购买本教材的主要目的是什么？______
   A. 做学校教材 B. 个别辅导留学生 C. 自己学习汉语 D. 孩子学习汉语 E. 其他______
5. 您对本教材的总体印象如何？
   A. 满意 B. 基本满意 C. 不满意

   您对本教材以下各方面评价如何？（可多选）

   全书加注拼音______ A. 对学习汉语很有帮助 B. 一般 C. 没有多大帮助
   课文内容：______ A. 丰富 B. 单薄 C. 实用 D. 不太实用
   生词学习方式______ A. 对学习汉语很有帮助 B. 一般 C. 没有多大帮助
   语言点解释______ A. 对学习汉语很有帮助 B. 一般 C. 没有多大帮助
   练习数量______ A. 合适 B. 有点多 C. 有点少
   练习形式______ A. 丰富 B. 实用 C. 一般 D. 单调
   光盘中 mp3 录音：______ A. 语速适中 B. 语速快 C. 语速慢 D. 应有不同语速
6. 您认为本教材最令您满意的是哪方面？

______

7. 您认为本教材哪些内容用处不大？

______

8. 您认为本教材还应该增加哪些方面的内容？

______

9. 您发现本教材有何错漏之处？（请写明页码、行数）

______

10. 您还有哪些意见和建议？

______

Dear Sir or Madam:

Thank you for your choice of ***chinese with me: An Integrated Course Book***. We appreciate that you fill out the following *Questionnaire* and your cooperation may be of great help to improve this book in the next edition. Please mail this *Questionnaire* directly to Ms Cindy Shen, School of International Education, Shanghai Jiaotong University, Shanghai, China, Zip code 200030, or e-mail it with your opinions to: wshen@sjtu.edu.cn.

Please present your business card; or just fill in the following:

Name: ___________ Gender: ___________ Age: ___________

Nationality: ___________ E-mail address: ___________

Address to contact: ___________

Questionnaire

1. I get to know this book _________.
   A. from book store B. by media C. through teacher(s) D. through friend(s)
   E. on internet F. through other ways (please denote): _________
2. I got this book from _________.
   A. book store B. school C. online purchase D. other sources _________
3. The reason why I turned to this book is because of _________.
   A. the book title B. the book design C. the description for users, the preface, and/or the content lists
   D. phonetic annotation of the whole book E. speech topics in the book F. pedagogy that the book may adopts
   G. the price H. the fame of the press I. others _________.
4. The purpose that I bought this book is to use it as a _________.
   A. course book at school B. course book for my student
   C. self-taught course book D. book for my kids E. book for other use _________
5. My general impression on this book is _________.
   A. very satisfactory B. satisfactory C. not satisfactory
   My comments on this book are as follows:
   Phonetic annotation of the whole book: _________ A. very helpful B. mediocre C. not helpful
   Coverage of each unit: _________ A. abundant B. thin in content C. pragmatic D. not pragmatic
   New words learning: _________ A. very helpful B. mediocre C. not helpful
   Language points: _________ A. very helpful B. mediocre C. not helpful
   Exercise quantity: _________ A. just ok B. a bit more C. a bit less
   Exercise variety: _________ A. rich B. pragmatic C. mediocre D. monotonous
   CD speech velocity: _________ A. appropriate B. fast C. slow D. it needs a versatile speed
6. The most satisfactory segments of this book I think are as follows:
   ____
   ____
7. I think the following segments of the book are not pragmatic:
   ____
   ____
8. I suggest that the following contents be added in this book:
   ____
   ____
9. I have found out some errors in the book.(with line and page numbers)
   ____
   ____
10. I have some further comments and suggestions:
   ____
   ____